COLLE^C
L'

Pierre Guyotat

Éden, Éden, Éden

Gallimard

Né en 1940 à Bourg-Argental, dans le haut Vivarais, Pierre Guyotat fait ses études secondaires dans des établissements catholiques. Peu après la mort de sa mère (1958), il s'enfuit à Paris. Il y écrit *Sur un cheval.*

Appelé en Algérie (1960), il est, au printemps 1962, arrêté par la Sécurité militaire, questionné dix jours d'affilée, inculpé d'atteinte au moral de l'Armée et de complicité de désertion, mis au secret dans un cachot souterrain, trois mois, sans procès, puis muté dans une unité disciplinaire.

De retour à Paris, activité journalistique. Il termine *Ashby* et, en décembre 1965, *Tombeau pour cinq cent mille soldats.* Voyages à Cuba, au Sahara.

Un mois après sa parution (1970), *Éden, Éden, Éden* est, par un arrêté du ministre de l'Intérieur signé du directeur de la police nationale, frappé d'une triple interdiction : affichage, publicité, mineurs. Une pétition internationale, une question orale de François Mitterrand à l'Assemblée nationale, une intervention écrite du président Pompidou auprès de son ministre de l'Intérieur restent sans réponse. *Littérature interdite* (1972) explique le mouvement artistique et humain de ce livre et présente un dossier de son interdiction.

Mort, en 1971, de son père, médecin de montagne. Passage de l'« écriture » à la « langue ». Création, en 1973, de *Bond en avant* (théâtre), aux Rencontres internationales de musique de La Rochelle. Ce texte sera repris en final de *Prostitution.*

1975 : assassinat, à sa sortie de prison, de Mohamed Laïd Moussa, jeune Algérien inculpé d'homicide volontaire, pour la libération duquel il s'est beaucoup battu.

De 1977 à 1979, Pierre Guyotat compose *Le Livre* ; de 1979 à 1981, il rédige les mille cinq cents feuillets d'*Histoires de Samora Machel* (inédit).

En décembre 1981, après plusieurs mois de lutte contre la dégradation de son corps, il est, à l'agonie, admis dans un service de réanimation. Au même moment, le Théâtre national de Chaillot joue une mise en scène, par Antoine Vitez, de *Tombeau pour cinq cent mille soldats*. Le 30 du même mois, l'interdiction d'*Éden, Éden, Éden* est levée.

Vivre (1984) rend compte de ces années difficiles.

1984-1986 : série de lectures-performances de son œuvre récente inédite, en Europe et en Amérique.

Décembre 1987 : représentation de *Bivouac*, texte et mise en scène de l'auteur, au Festival d'Automne à Paris.

1988 : séjour à Los Angeles pour travailler à un livre commun, *Wanted Female*, avec le peintre Sam Francis.

On trouvera en fin de volume les préfaces de Michel Leiris, Roland Barthes et Philippe Sollers à l'édition de 1970.

/ Les soldats, casqués, jambes ouvertes, foulent, muscles retenus, les nouveau-nés emmaillotés dans les châles écarlates, violets : les bébés roulent hors des bras des femmes accroupies sur les tôles mitraillées des G. M. C. ; le chauffeur repousse avec son poing libre une chèvre projetée dans la cabine ; / au col Ferkous, une section du RIMA traverse la piste ; les soldats sautent hors des camions ; ceux du RIMA se couchent sur la caillasse, la tête appuyée contre les pneus criblés de silex, d'épines, dénudent le haut de leur corps ombragé par le garde-boue ; les femmes bercent les bébés contre leurs seins : le mouvement de bercée remue renforcés par la sueur de l'incendie les parfums dont leurs haillons, leurs poils, leurs chairs sont imprégnés : huile, girofle, henné, beurre, indigo, soufre d'antimoine — au bas du Ferkous, sous l'éperon chargé de cèdres calcinés, orge, blé, ruchers, tombes, buvette, école, gaddous, figuiers, mechtas, murets tapissés d'écoulements de cervelles, vergers rubescents, palmiers, dilatés par le feu, éclatent : fleurs, pollen, épis, brins, papiers, étoffes maculées de lait, de merde, de sang, écorces, plumes, soulevés, ondulent, rejetés de brasier à brasier par le vent qui arrache le feu, de terre ; les soldats assoupis se redressent, hument les pans de la bâche, appuient leurs joues marquées de pleurs séchés contre les ridelles surchauffées, frottent leur sexe aux pneus empoussiérés ; creusant leurs joues, salivent sur le bois peint ; ceux des camions, descendus dans un gué sec, coupent des lauriers-roses, le lait des tiges se mêle sur les lames de leurs couteaux au sang des adolescents éventrés par eux contre la paroi centrale de la carrière d'onyx ; les soldats taillent, arrachent les plants, les déracinent avec leurs souliers cloutés ; d'autres shootent, déhanchés : excréments de chameaux, grenades, charognes d'aigles ; ceux du RIMA escaladent les marchepieds des camions, se jettent sur les femmes, tout armés, leur sexe surtendu éperonne les lambeaux violets que les femmes resserrent au creux de leurs cuisses ; le soldat, sa poitrine écrasant le bébé accolé au sein, écarte les cheveux que la femme a répandus sur ses yeux, caresse le front de la femme avec ses doigts poudrés de poussière d'onyx ; l'orgasme fait jaillir de sa bouche un jet de salive qui mouille le crâne beurré du bébé ; le sexe ressorti repose en s'amollissant sur les châles dont il prend la teinture ; le vent ébranle les camions, le sable fouette les essieux, les tôles ; / les soldats s'engouffrent dans les camions : ceux du RIMA, appuyés contre la bâche appesantie sur leur cou par le vent de pluie, se reboutonnent ; leurs yeux brillent dans l'ombre accrue, leurs doigts scintillent sur les boucles des ceinturons ; les chèvres, poil mouillé de sueur dans la capture au bord des brasiers s'accroupissent, lèchent les lambeaux noués sur les cuisses des femmes ; un adolescent muet recouvert d'une toile

16

de sac, arc-bouté derrière le siège du chauffeur, pisse dans un quart d'émail bleu qu'il tient dans sa main mutilée : le chauffeur, retourné, lui caresse son front marqué d'une croix bleue ; l'adolescent baise la paume, le poignet où les veines saillent, bondées de sang alcoolisé ; / les chenilles des halftracks broient les pierres projetées sur la piste par le vent ; les soldats somnolent ; leur sexe teint roulé sur la cuisse, s'égoutte ; le chauffeur du camion où sont entassés mâles, bétail, ballots, crache une salive noire, une piqûre de guêpe gonfle sa joue, la boursouflure tient le bas de l'œil, ses poches sont chargées de raisin noir : la tête tannée, rubescente sous le poil blanc, d'un vieillard, tressaute sur la tôle, sous le levier des vitesses : du talon clouté, le chauffeur, salive noire séchant au menton, écrase, tire les mèches immaculées de l'occiput, sur la tôle frappée, par-dessous, de pierres éclatées ; / au camp, le soldat : « chiens, lavez mes tôles! » ; / les femelles accrochent aux buissons les haillons des nouveaunés ; / les mâles dressent les tentes le long du fossé d'ordures : la boue de déchets de viande, de vomissures, scintille, rosée, sous les arcs des roseaux atones ; les soldats repoussent avec leurs crosses les femelles qui déposent leurs bébés sous les tentes dressées ; ils frappent à coups de pied, de poing, les reins des mâles courbés sur les toiles déroulées ; ceux du RIMA s'engouffrent dans le foyer creusé sous la plate-forme du camp dans un gisement d'onyx ; tête échauffée, membres divaguant, ils jettent les bouteilles contre les murs : les éclats de verre retombés dans la rotonde obscurcie criblent, paillettent leurs sexes extraits durcis ballottés hors de la braguette ; la bière, le vin bromuré éclaboussent les épaules, les seins nus du serveur ;

17

ceux du RIMA roulent, vomissent aux angles ; le serveur, son short enduit de graisse glissant sur ses reins, foule, de son pied nu, tatoué, sur la cheville, d'un sein de femme, une serpillière ; contournant le comptoir, il la pousse jusqu'au bord des lèvres des soldats vomissants ; / deux mâles attachent les bêtes derrière les tentes ; les enfants, cul bourré de crotte embouclée, assis sur l'herbe rongée par le sel, halètent, le front couvert de poussière, la tête inclinée atone sur l'épaule, l'œil, violacé, scrutant le montage des tentes ; un soldat bouclé brun, joues bondées de viande noire attouchant les lobes grêlés, s'accroupit, sexe encrassé tressautant dans le slip, auprès d'une fillette, il lui caresse la nuque, sa main descend sous les haillons qui recouvrent la gorge, palpe les seins, les aisselles : la fillette ferme ses yeux, sa tête attouche le poignet enduit de jus de raisin du soldat ; une salive grise de faim coule hors de sa bouche sur sa joue, mouille le poing du soldat ; / un coup de vent soulève dessus les tas excrémentiels les pages de romans-films déchirées aux mains des soldats accroupis sur les fosses expulsant, crispés, la merde ardente des retours de viols : elles s'accrochent aux palmes des dattiers, leur relent d'excrément raisiné baigne la zerriba du lieutenant : accroupi, nu, dans un baquet d'eau tiède rayée par le soleil filtré aux claies, il siffle modulé, médaille tenue sur la pointe de la langue, chaînette soulevée sur le galbe des joues gonflées, gland violacé attouchant la mousse rosée par le raisin, pets baignant le rebord de bronze du baquet, forçant le sifflement ; des soldats, triqueurs du même bal métropolitain, au feu déclinant, errent autour des tentes, ils dénouent les lanières, ils rampent sur le sable, les pans de toile frôlent leurs reins criblés de gale ; les mâles, les femelles, tous nerfs phosphorescents, se resserrent autour des bougies, les adolescents, oreilles enfouies, mâchent la semoule crue dans les sacs ; les enfants écartent du fil des lèvres, du plat des dents, les haillons qui recouvrent, ensachent les seins des femmes, lèchent sur les lèvres des adolescents la farine mâchée ; les soldats, vautrés sur le sable jonché de haillons, d'ustensiles brisés, palpent, tirent les jambes nues des fillettes ; le père empoigne la bougie ; le bouclé brun, roulant la viande noire en sa bouche vermeille, dégaine son poignard : sa main, rapide, recouvre le sexe chargé de haillons écarlates, le pince, l'empoigne ; le bouclé brun attire à lui, par la cuisse, la fillette ensommeillée : elle glisse sur le sable jusqu'à l'ouverture de la tente ; deux soldats, l'un tempe scalpée au bec d'un aigle en son sommeil après viol dessus le nid bondé l'autre pores exsudant fiel, treillis retroussé sur jarrets pailletés de sel, maintiennent, baillonnent le père qui leur jette la bougie allumée dans les cheveux ; le bouclé brun prend la fillette dans ses bras : elle dort, ronronne, main ouverte sur le front, aux secousses du trot ; la lune voilée verdit le bas de son corps dénudé ; ichneumons, sbots, sphex vibrent au-dessus de son sexe quand le bouclé brun enjambe le cloaque des cuisines ; le bouclé brun trotte sur la paille souillée, le long du chenil ; son halètement, le gargouillis préludant au viol, le suintement de la sueur sur sa poitrine dénudée, éveillent la fillette : elle scrute, à travers la bouche ouverte dans le halètement, la viande accrochée aux crocs du bouclé brun, celle retenue en boule dans ses joues ; le bouclé brun la remet sur pied, il la plaque au grillage du chenil, il l'étreint, lui baise la bouche, le creux des oreilles où susurre le cérumen ensanglanté ; sa main déboutonne le treillis, sort le membre ; la fillette aspire la viande retenue dans les joues du bouclé brun, la mâche, yeux clos, mains déployées sur le grillage ; le bouclé brun, excité par ce mouvement de muscles depuis la joue jusqu'au ventre, tête nue, la paille soulevée en poussière autour de ses jambes, lui injecte un foutre clair, brûlant ; les chiens, réveillés au grincement du grillage, bondissent hors des niches, leurs chaînes scintillent, traînent dans les excréments ; le bouclé brun mordille les gencives de la fillette, il tire entre ses dents les filaments de viande que la fillette couvre de sa langue sur ses dents ; les chiens hurlent, les chaînes tintent sur le macadam, ils broient leurs excréments durcis sous leurs pattes ; le bouclé brun enserre les reins de la fillette entre ses genoux : un deuxième orgasme rafraîchit ses épaules ; la fillette garde ses mains jointes sur les reins ensués du bouclé brun ; le grillage cède ; le bouclé brun love sous lui la fillette ; ses ongles griffent la terre ; sa respiration contre la joue de la fillette aspire, souffle la poussière de paille ; la fillette meut son ventre corroyé aux muscles abdominaux du bouclé ; aveugle, ongles, crachats, les yeux divaguant du bouclé ; les boules sécrétives du bouclé se répandent, refroidies, sur la cuisse de la fillette ; sous les palmiers, ceux du RIMA traînent une femme prise évanouie sous une tente : un soldat blond front s'empourprant, pleurs noyant ses orbites lustrées par le charbon, urine stoppant foutre au gland, l'étreint entre ses bras ; « ... baise, taille-école ; trique ; gaffe aux macas », leurs mains, leurs lèvres caressent, lèchent le visage crispé de la femme renversé sur le bras maculé de cambouis, de vin, du soldat blond ; / la fillette, recouverte, enduite de poussière de paille — excepté sur ses lèvres prises, sur son sexe où le membre du bouclé déborde, garrotté —, geint, renifle une morve imbibée de sang dans la profondeur du nez ; / / la tête de la femme heurte le tronc scarifié : initiales, chiffres de classe, cœurs percés de flèches, du palmier stérile ; les soldats, déboutonnés, poings sucrés serrant leur sexe surtendu, se bousculent entre les jambes de la femme écartées par les poings de deux camarades au plexus allégé dont le membre repose, amolli, sur la cuisse moulée dans le treillis léopard ; / sous la tente, les soldats, assis sur le ventre, les bras, la poitrine du père, frottent leurs chevelures noircies du plat de la paume, pètent : la bougie, enfoncée dans la bouche du mâle évanoui, susurre entre ses lèvres desséchées ; / le mirador surplombe la palmeraie calcinée ; la sentinelle peuhl, iris jaune glissant sur le globe bleu, laine crânienne ensuée, bascule le projecteur : le faisceau fouaille les chairs ensuées des soldats arc-boutés sur la femme ; la sentinelle broie son membre dans son poing, tourne le projecteur : le faisceau traverse le lit asséché de l'oued, saisit une vibration, sous le zéphir, des lauriers-roses empoussiérés : une troupe de chacals y déchire une charogne d'âne emplie de pourriture liquide — leurs flancs, bondés, ballottent ; la sentinelle roule le projecteur sur le châssis, le faisceau arde les seins qui palpitent, pubescents, semés de sucre sous les pans encrassés du treillis : la sueur grésille dans les touffes emmêlées ; sur la gorge, le faisceau liquéfie le sang, le pus dans les entailles ; le membre pousse la braguette amidonnée, sort du slip, prolifère, arqué, dessous la toile serrée ; la sentinelle, du poing fait pivoter le projecteur vers la stratosphère, gémit, bâille, frotte ses

21

cuisses, ourlet bridant le cul, à la tôle de protection ; les soldats s'écartent de la femme recroquevillée autour du tronc ; les fourmis, les moustiques butinent la semence, le foutre refoulé sur les bords de son sexe découvert, lambeau — fleurs ocre sur fond violet — collé au pubis ; ils marchent, cuisses écartées, talons allégés, salive séchant au menton ; enfouissent leur membre, bouclent leur ceinturon, essuient à leurs hanches leurs mains fripées, leurs doigts enduits d'antimoine pris aux toisons de la femme ; pètent ; appuient leur dos à l'échelle du mirador, allument, pieds se lovant dans le sable imbibé d'urines, des cigarettes tirées de leurs poches enfoutrées, secouent leurs reins : le gland, décollé du slip, expulse le restant de foutre ; les pets frôlent leur cul ensué ; la sentinelle s'accroupit, boucles encrottées du cul se défibrant à l'écartement des fesses, appuie ses narines sur les trous du plancher ; le remugle de foutre monte, hors des chemises entrouvertes des soldats, mêlé au relent du tabac grillé contre leurs lèvres, leurs doigts barbouillés de semence ; à la relève, la sentinelle redescendue court, gland durci pincé dans l'élastique du slip, vers la palmeraie barbelée, traîne la femme, par les pieds, derrière le tronc, dans un marécage salé, se couche dessus elle qui ne respire plus, écarte avec ses doigts les lèvres flétries du sexe, y enfonce son membre qui se rétracte au contact des chairs refroidies, baise les lèvres desséchées de la femme, les yeux où s'évapore la salive crachée sur l'iris par les soldats ; le sexe de la femme se referme sur le membre du peuhl, le presse, le broie ; le peuhl, sueur froide exsudée par tous les pores, poussée au haut des poils, des boucles, se redresse, retire ses doigts hors de la chevelure flétrie de la femme

22

— poux, pucerons sautent hors des mèches où la sueur s'affadit ; mouches, ichneumons s'y abattent chargés d'efflorescences prises aux panaches à demi calcinés des palmiers mâles, s'y enfoncent vers le derme verdi du crâne —, les porte à son membre dont il presse la racine, tire les boucles prises dans le sexe de la femme ; sur ses boules de sécrétion qu'il palpe avec son autre main, une sueur blanche suinte : moustiques, fourmis s'engluent dans cette mousse, entre ses doigts ; le remugle de sel l'étouffe quand il respire ; il se redresse, soulevant contre son ventre la femme par les reins, avance, jambes écartées, titube, le poids de la femme hissée tirant son membre, étirant la peau sur les ver- tèbres de son cou, atlas, axis, sur le sternum ; sur une plate-forme de sable sec, en bordure de la palmeraie, il fait halte : mouches, moustiques grouillent sous sa casquette, dans le nœud de boucles de l'occiput ; les jambes de la femme roidissent, battent ses jarrets mou- lés ; il s'agenouille, se vautre, jambes de la femme dépliées, varices se fripant sur le sable, haletant, dessus le ventre froid, muscles de l'aine, tissus du membre forcés ; son poing frappe autour du sexe de la femme, ses doigts tirent les lèvres, creusent, sous leur retroussis, les muscles roides ; le peuhl dégaine, sur sa hanche, son poignard, trace avec la pointe de la lame recourbée à l'éventrée sur la paroi d'onyx, un demi-cercle autour du sexe de la femme, plonge la lame dans la chair muette, déchire, écorche, taille tous les muscles, les nerfs qui règnent sur le sexe de la femme, lacère l'en- tour flasque gainant son sexe garrotté ; le membre, redurci au contact des chairs remuées, jaillit, coiffé de chair sanguinolente ; le peuhl le cueille, le caresse, l'essuie avec un pan de sa chemise ensuée ; se relève, s'adosse au tronc, ramasse son fusil sur la plate-forme salée — le sable, crépitant, lui saute au visage —, revient à la femme, frappe le visage, les seins, avec la crosse — le sexe, se rétracte rouge, flétri, déformé, sur la cuisse du peuhl ; le peuhl s'accroupit, tête retournée, empoigne les aisselles érubescentes : ses mains ensuées glissent sur la chair froide ; les jambes éclaboussées du sang du sexe déchiqueté traînent, sur les ossements ; le peuhl roule du pied le cadavre disloqué dans le trou creusé sous le barbelé par les chacals, sur une litière de charognes, d'excréments déféqués par eux dans la précipitation de la curée ; les sphex, les sbots, soulevés dans l'appel d'air, assaillent, antennes, dards vibrants, son membre, ses yeux, ses narines, ses lèvres ; le peuhl enfouit sa tête dans sa chemise, une guêpe le pique sous le téton droit, une mouche excrémentielle boit la semence retenue sur le bord du nombril dénudé : un mouvement brusque du torse l'écrase dans la sueur entre deux bourrelets ; elle remonte, vibrant, conchiant la sueur, dans le pli de chair jusqu'à la hanche ; le peuhl se rue, membre butiné, mains ouvertes jetées en avant ; à l'infirmerie, deux soldats torse nu râlent, vomissent, joue contre joue, vautrés sous le lavabo, jarrets baignant rosés clapotant dans les vomissures, mèches rabattues prises aux déjections raisinées ; l'aspirant, accroupi, pique leurs fessiers mis à nu : deux infirmiers les maintiennent allongés sur le carreau ; le peuhl s'assoit sur le banc, sa tête renversée sur son épaule tressaute, mouchetée, ses dents vibrent ; son membre, où le sang sèche, sort de la braguette ; son téton enfle ; l'aspirant, membre efflorescent poussant sa braguette maculée d'iode, se redresse, yeux éblouis scrutant, au ras du galbe érectile

24

des joues, le plissage qui, étayé par la bandaison, prend sous la boucle du ceinturon ; les deux infirmiers soulèvent les soldats, ils les portent aux brancards disposés, au-dehors, le long du baraquement, sur des tréteaux ; le peuhl piqué au sein, gémit, une bave ensanglantée s'écoule hors de ses lèvres asséchées, en deux filets sur son menton ; l'aspirant lui arrache sa chemise, il la jette à ses pieds ; il essuie, panse la piqûre ; l'aspirant mouchoir au poing, du pouce frôle, force les lèvres, les dents du peuhl : son membre s'ébranle dans le slip ... « ... bouvier pétant, assoupi, reins calés par la trique.. longiligne coureur de drinn.. bouche à muguet.., douche ardente, insecticide, étrille ne peuvent t'arracher ton parfum de laine, de lait.. pâte, potasse, gonacrine, à ta bouche, le goût des venins sucés.. nulle enculée, même encrottée, à ton gland durci par la crispation panique des cartilages postérieurs, le suint amer des bêtes assises dans le sel... ». : le peuhl baise à travers la mousseline les ongles de l'aspirant, ses narines détectent sur l'étoffe un pli, un relent de foutre séché ; l'aspirant retire le mouchoir, caresse l'épaule nue du peuhl, cueille le membre, le roule dans le creux de la paume, fouille dans la braguette, tire les boules, les palpe sur les plis ; le peuhl, iliaques roués, écarte ses cuisses ; se lève, appuie ses cuisses contre l'évier, abandonne son sexe redurci aux doigts de l'aspirant qui le pressent sur le rebord de faïence, le plongent rediapré dans un bol d'eau oxygénée ; le peuhl sort : un nid d'alouettes accroché à l'auvent de palmes du poste susurre ; le peuhl caresse le nid, les alouettes jaillissent, conchient son poignet ; le peuhl s'accroupit, s'allonge sur la paillasse réservée aux prisonniers torturés, s'endort, cul bridé par la couture durcie du treillis; ses lèvres, mouillées d'une salive dégorgée à la palpitation des joues — les genoux, les jarrets, le front vibrent —, attouchent les taches de sang de l'oreiller... « ... je bois le sang du rebelle torturé dans sa bouche, contre son jarret, je garde le sang dans ma bouche, je cours entre les cassis baignés de feu, de venin, la faucille enchaînée au bracelet qui broie mon poignet, jusqu'au pré où sautent les poissons, hors de l'enceinte servile; au sommet du mont, je crache le sang dans une vasque d'onyx; d'autres, bousier incrusté sur l'occiput, front contre front, crachent d'autres sangs, dorés, bleus, noirs; le vent jette le sang sur mes reins découverts, une nuée excrémentielle obscurcit le sommet du mont : sous le surplomb du roc, les soldats soufflent sur un feu de branches dressé sur la bouche ouverte d'une femme morte, modulé, accroupis leurs hautes mèches torsadées balayant les seins; je frotte ma poitrine à la toison de son sexe, une alouette y est prise; à son cri, chaque fois que ma poitrine pèse sur le corps, jaillissent des larmes sur mes yeux; un sang chaud ruisselle hors de mes oreilles; la pluie d'excréments éclabousse le rocher; les sangs, dans la vasque, brûlent, bouillonnent; un jeune rebelle, ses pieds nus enduits de poudre d'onyx, ses lèvres, de farine, sort de terre, se penche sur la vasque, plonge sa tête, ses poings; relevant sa tête enveloppée de sang, il hurle un appel rauque vers les monts, les buissons bougent : des lions s'élancent; couchés aux pieds du rebelle, ils lui lèchent ses jarrets; le jeune rebelle, prenant les sangs mêlés d'excréments dans ses mains ouvertes en coupe, asperge leurs crinières; au camp, les femmes pèsent sur les barrières, le sexe des soldats se tend vers leurs mères, venues de métropole, sur

26

ordre de l'État-major, pour les Fêtes du Servage ; ma mère, je l'emporte dans ma chambrée de bambou, je la couche sur ma litière de paille empoisonnée : tête, épaules plongées sous sa robe, je mange les fruits, les beignets d'antilope sur son sexe tanné tandis qu'elle, fatiguée par le voyage en cale, en benne, s'endort ; à l'aurore, elle s'est échappée de dessous mon corps ; étreinte par les soldats sous le mirador où je veille éjaculant, leurs genoux la renversent sur le sable, une guêpe assaille son sein droit, les lèvres des soldats qui le tètent... ».. ; / contre le grillage du chenil, le soldat roule sous lui la fillette ; l'aspirant s'accroupit, il soulève, par les reins, le bouclé dont le sexe se retire, le bouclé se redresse, il s'échappe ; l'aspirant souffle la paille accumulée sur le menu corps contracté de la fillette, il la prend dans ses bras ; corps se dilatant aux souffles, vapeurs, sucs de l'aspirant qui l'étreint mâchant un biscuit de guerre, la fillette lui baise les lèvres, ramène avec sa langue les miettes agglu-tinées le long des gencives de l'aspirant ; il la dépose sur son lit dans l'infirmerie, lui lave son sexe trituré ; fébrile, la vomissure pesant en sa joue, il sort, éclaire les retraites excrémentielles du camp où les soldats travaillent les femmes regroupées, relève les soldats transis, caresse le front des femmes renversées, sépare ceux des supplétifs qui se chevauchent, désencule ceux que la compression du plexus tient collés ; au retour, il lave à grande eau ses mains, ses bras, sa gorge enduits de foutre, de semence ; vomissure dégorgée, il emporte dans ses bras contre sa gorge rafraîchie la fillette emmaillotée dans un linge opératoire, ouvre les tentes, alternées, renverse le visage de la fillette dans la lueur de la bougie ; la tente où les deux soldats retien-

27

nent le mâle est chargée de sable chauffé en profondeur par le remuement des membres étreints ensués, le rayonnement de leur crispation ; l'aspirant bouscule les soldats redressés membre se rétractant dans le coton, dépose la fillette aux pieds de la femelle, rallume la bougie sortie de la bouche du mâle, pousse vers l'ouverture de la tente les soldats déboutonnés — à la commissure des lèvres de la femelle, une goutte de foutre frais tremble ; /// dans les chambrées où le bambou ondule sous le vent auroral, les soldats insomniaques, nus, assis en tailleur sur leurs paillasses, épouillent leur sexe teint ; un suspect, adolescent surpris à lire un western conchié, devant la tente, est jeté torse nu dans le poste : sur sa joue, sur ses seins, sur son ventre, marques de mains, d'interstices, dans le sang ; le sergent coiffe sa tête ensanglantée du seau de café vide ; le sucre colle aux cheveux du suspect, sillonne le sang, comble les oreilles ; un soldat de corvée, treillis effiloché sur son fessier cambré, rapporte du chiotte le gourdin excrémentiel, il frappe trois fois l'épaule du suspect, sept fois sa mâchoire avec le bout du bâton enduit de crésyl, le lui fait tenir au poing ; un chauffeur prend dans son camion une clef, une manivelle ; avec la clef, il ouvre la mâchoire crispée du suspect, se déboutonne, pisse entre ses lèvres déchirées ; redressant le suspect de trois coups de clef frappés sur la gorge, il lui enfonce la manivelle à travers une déchirure du treillis, entre les fesses ; tous les soldats levés érubescents de leurs paillasses, saisissent la manivelle, la retournent dans le cul du suspect ; le suspect, sa tête renversée, toute ensalivée, sur l'épaule, occiput attouchant la braguette étayée de ses tourmenteurs, ses lèvres refoulant la salive excrémentielle, resserre ses dents sur la clef; la pointe de la manivelle force ses reins; le chauffeur la retire ensanglantée, il la jette hors du poste, la frotte aux sacs de sable de l'enceinte; le suspect, pâmé, s'effondre sur la paillasse; les soldats, crachant, pétant, le déboutonnent; avec le canon du fusil, ils soulèvent son membre, le rabattent sur le ventre où le soulier clouté du sergent le tient écrasé; un soldat roux, yeux excavés, gland sorti coincé violet entre deux boutons ébréchés de la braguette, se penche, empoigne les boules sécrétives, les noue dans un chiffon souillé tiré de sous la paillasse; ses doigts caressent la petite gorge formée à la racine du membre pressé où prennent les membranes liées; // ranimé le suspect dans le poste vacant, l'aspirant, agenouillé, dénoue le chiffon; la sentinelle, bouche rosée au feu auroral, marche sur la terrasse, jambes arquées, poing enfoncé dans la braguette; appuie son dos au tronc du palmier étayé par la balustrade de grès de la terrasse; raidit ses jambes, sort son membre; arme, chargeurs cliquetant sur ses reins, le branle, casque renversé sur la nuque, jugulaire laçant sa gorge éperonnée, langue sortie de la bouche; deux enfants accroupis conchient le barbelé; le soldat, braque le projecteur rallumé vers le point horizonnal de surgissement du feu; une femme des tentes, seins ballottés dans la soie rapiécée, soie à fleurs collée au pubis, croupe appesantie sur le barbelé, racle avec ses doigts la merde au cul des enfants, essuie ses doigts au sable; de son bras blanc, le poing rougi, faufilé dans le barbelé, touche un éclat de pain de guerre qui affleure au sable intact; le fusil du soldat glisse de dessus son épaule, le canon heurte le châssis du projecteur; un sein saute hors de la soie; la verge force les doigts du soldat; le pouce de son autre main, ébranlé par l'accélération du mouvement de branlée qui secoue, crispe l'épaule, le bras de traite, attouche, saccadé, la gâchette; la femme, gorge criblée, s'effondre, sa tête, cheveux ternis dans la mort, roule sur l'entrelacs conchié; le foutre gicle, éclabousse les souliers, la tôle; entre les seins, le sang frais bouillonne en un globe de sang caillé; le soldat annelle index à pouce déclencheur, serre le membre à la racine, refoule le foutre jusqu'au gland violacé, le cueille sur les doigts, le porte attiédi à ses lèvres; les enfants, visage, ventre bouffis sous les pleurs, rampent entre les jambes écartées de la femme, se faufilent sous les haillons, se lovent, pouce sucé, tête emmitouflée dans les lambeaux surchauffés, contre le sexe embouclé, s'endorment, sanglots secouant leur torse grêle, se réveillent hurlant, au refroidissement des entrailles, // Wazzag, essuyant sa bouche enduite d'œuf, de menthe, de foutre, sort sa jambe moite de sous le ventre du maître de foutrée endormi contre son côté droit; le drap collant à ses reins, il se lève du lit; il descend, nu, l'escalier; ses boucles d'oreilles tintent quand il courbe son front — où les rides retiennent de la poudre de foutre — sous le linteau qui ferme le comptoir; couché sur le ventre dans le cagibi parmi les serpillières, les seaux, les brosses, un garçon roux, butant son front, ses genoux contre le ciment, recompose son foutre; une oie est allongée le long de lui, son bec lui fouille l'aisselle; Wazzag soulève l'oie par le cou, sa main frôle le téton du garçon; il traîne l'oie hors du cagibi.. « je te prends la ribaude, Khamssieh, j'ai à travailler le pied-bot.. »; l'oie crie, Khamssieh se retourne sur le dos; son sexe tacheté jaillit d'entre ses cuisses,

dressé rebondit; sa langue déborde de ses lèvres;
un caillot de foutre clapote dans sa narine, il le mouche
dans ses doigts, roule sur le côté, enfonce la souillure
entre ses fesses; un fouillis d'étoffes frôle la paroi
du fond, le garçon tâte avec ses doigts le caniveau qui
fait communiquer le cagibi du bordel de garçons avec
le carrelage du bordel des femmes : du sang mêlé de
foutre mouille ses doigts; Wazzag jette l'oie dans le
premier chiotte du couloir qui mène au jardinet; un
garçon, le torse gros moulé dans un maillot de corps
blanc déchiré à l'emplacement des tétons, le reste
du corps nu, le pied droit pris dans un bracelet, est
accroupi dans l'angle : son pied glisse sur le bord du
trou, il retient la jambe avec ses mains croisées sous le
genou; son sexe, non circoncis, traîne sur le ciment
souillé; Wazzag contient l'oie par les ailes; le garçon
se blottit; un battement de ses longs cils fait tressaillir
l'oie dont le bec s'ouvre; Wazzag desserre l'étreinte,
l'oie bondit en avant vers le cou palpitant du garçon;
lui, se redressant le long du tuyau, empoigne le cou
de l'oie : attouché par le plumage, l'ergot, son sexe
durcit; il enfonce le cou de l'oie entre ses cuisses;
Wazzag sort dans le jardinet, les lièvres sautent dans
les cages, il leur donne son sexe à mordiller; s'adossant
à un éthel — au tronc duquel sont nouées les dépouilles
du pied-bot —, il noue autour de ses bras, de ses mains,
de ses talons, des feuilles arrachées à l'arbre, transperce la plus verte, du bout violacé de son sexe durci
aux petites dents des lièvres; il saute sur la terrasse
du bordel des femmes — dans le mouvement du saut,
ses boules sécrétives, encrassées, battent le dessous
de ses fesses; dans la ruelle, des adolescents ouvriers,
dattiers, mécanos, graisseurs, se disputent Khamssieh

31

adossé au chambranle de la porte, son large corps
laiteux planté en son milieu d'un fouillis noir où les
ouvriers jettent leurs mains ; Wazzag s'accroupit au
bord de la trappe : une section de soldats retour du
Sud est déboutonnée par les putains ; l'un d'eux monte :
avant de lui voir la tête, à la seule courbure de son
sexe dardé hors du treillis, Wazzag : ..« Rico, ma
fleur.. » : le soldat, venu sur la terrasse pour y frotter, à
l'écart des putes, la crasse de ses doigts de pied avec
son pouce humecté, y étreint Wazzag entre deux
rangées de draps suspendus, sous le feu rougissant,
après que le putain, agenouillé, un frais parfum de
semence d'insecte montant de ses membres enfeuillés,
lui ait épousseté sa toison empoussiérée dans les corvées,
les bivouacs ; sous eux, dans le bordel, un criard soldat
dont le crâne est ras, bleuté aux tempes, se jette sur la
putain noire, il la renverse sur l'escalier de bois rose,
la putain croise ses talons nus sur ceux, bottés, du
soldat : un boîtier anglais de poudre d'amour, troqué
dans le Sud contre une poignée de sucre, glisse hors
de la poche du soldat, la putain le prend, l'ouvre,
aspire la poudre ; cependant que le soldat lui fouaille
les reins, elle lui souffle toute la poudre à travers ses
dents emmiellées ; le soldat recrache la poudre sur les
lèvres de la putain ; les soldats enfoncent leurs poings
entre les seins des femmes, les retirent, lèchent la
sueur dont ils se sont imprégnés sous l'étoffe légère ;
les putains déboutonnent les soldats un à un renversés
sur leurs cuisses ; le sexe des soldats se dresse au contact
des doigts, des paumes, il se rétracte à celui des bracelets, des bagues ; la sueur du sexe des soldats embue
le corail, l'argent ; / épaules relevées, Khamssieh enfouit
son sexe entre ses cuisses ; les ouvriers, pressés contre

son corps moite, le lui caressent, essaient, glissant leurs doigts sous le fondement arqué, de libérer le sexe enserré; le garçon, ses bras levés, croisés sous la nuque, jette un rire rauque; le dessous de ses fesses est palpé par une main enduite de cambouis; le rire secoue l'épaule du garçon qui y frotte sa joue..
«.. à toi, mon cœur, le premier coup, viens cueillir sur ton bout, la sauce que tu m'as flanquée ce matin dans la narine; je l'ai mise au frais pour toi, ma chair.. »; le graisseur, d'une main tenant la fesse de Khamssieh, de l'autre se déboutonne, son sexe jaillit, frôlant la membrane polie des boules sécrétives de Khamssieh, refoulées vers le cul par la pression des cuisses sur le sexe; lequel tressaille, durcissant fait s'ouvrir la toison; Khamssieh baise la bouche d'un enfant noir qui, pendu aux épaules d'un ouvrier dattier, fait claquer ses lèvres; Khamssieh, baise les joues, la gorge scarifiée, la poitrine qui roule dans le blouson entrouvert; l'enfant tient dans sa main une grenade; une trace d'huile mauve chatoie suspendue sur sa chevelure crépue; Khamssieh, passant sa main sous l'aisselle de l'ouvrier dattier, palpe la cuisse de l'enfant, sa main enveloppe le sexe, les boules sécrétives à travers le jeans serré; l'enfant gonfle de salive sa bouche; tandis que Khamssieh la lui rebaise, il lui pousse toute cette salive entre les dents; dans le même temps, le graisseur, les pans de sa veste de jeans déboutonnée couvrant les hanches de Khamssieh, les frôlant dans le mouvement de l'érection, encule Khamssieh, sa poitrine en sueur accolée au dos du garçon /; un vol d'alouettes de sable s'engouffre dans la ruelle, s'égaille au-dessus d'un troupeau de moutons marqués au front, d'ocre, de rouge; les bergers, vérolés, reposent, le

33

temps d'une chierie de leurs bêtes, leur lent regard mouillé sur les grillages du bordel des femmes : les putains libres leur sourient, l'écume brille à leurs lèvres gonflées, elles découvrent leurs seins ; les poings des bergers creusent le grillage ; entre leurs cuisses, les haillons s'écartent sous la poussée du sexe ; au bas de l'escalier, la putain noire dont les lèvres sont enduites de poudre d'amour mouillée aux lèvres du soldat, tire le soldat déboutonné, sexe dressé, par les pieds, jusqu'au seuil de la chambre des passes ; le foutre répandu sur les boules sécrétives écrasées sous les fesses du soldat traîné scintille retenu dans les interstices du carrelage ; deux soldats, dressés, debout, nus, de part, d'autre du ventre d'une putain allongée à leurs pieds, se jettent au visage des filaments de leur commune giclée sur la toison de son sexe, ils se serrent à la gorge avec leurs doigts gluants, se crachent aux yeux ; les sexes, à nouveau échauffés, s'ouvrent ; les soldats poussent en avant leurs cuisses où le poil hérissé s'emmêle ; les deux sexes s'accolent en faisceau ; les soldats, menton couvert d'écume, se mordillent aux dents, s'étreignent, mains jointes de l'un pétrissant, soulevant les fesses de l'autre ; leurs lèvres sont abouchées, leurs narines aspirent l'écume qui baigne tout le bas de leur visage ; ils se caressent l'un l'autre sous le sexe.. « ..ma queue.., ma foutresse.. », empoignent leurs boules sécrétives ; leurs toisons s'emmêlent ; la putain, relevée, les détache, ils l'enserrent, se déplacent, pressés, à petits pas, vers le mur ; dans l'orgasme, le foutre refoulé, dans le même temps, hors du cul, hors du sexe de la putain, colle le poil hérissé de leurs cuisses ; une putain dont la tête rasée est marquée de traces de gale, susurre, plaquée au grillage ; les bergers

34

caressent ses seins nus écrasés contre le grillage empoussiéré, tirent les tétons au travers des mailles; ils
soulèvent leurs haillons, découvrent leur sexe tavelé,
le secouent, claquent leur langue infectée; la putain
remue ses lèvres, fait avec deux de ses doigts le geste
de la branlée; avec sa bouche : lèvres, dents, mâchoire,
le mouvement de la sucée; les bergers tirent des petits
œufs de sous leurs haillons, la putain ferme le fenestron
de bois sur le grillage ; le berger de tête, re-soufflant
dans sa flûte — la poussée de l'envie fait palpiter
sa gorge, son souffle tremble dans le sifflet —, entraîne le troupeau vers le boulevard périphérique; les
bergers de queue ôtent leurs doigts du grillage,
saisissent leurs bâtons, frappent leur sexe, le nouent
dans les haillons, secouent leurs boules sécrétives
assaillies par les mouches; dans le haut de la rue, des
vieillards, des enfants dorment sur le seuil des bou-
cheries tapissé de peaux, de toisons ensanglantées;
la putain noire tire le soldat aux tempes bleutées
jusqu'au pied du berceau; le soldat, son sexe durci
balancé dans le demi-jour, lèche la roue de bois rose
du berceau; la putain s'accroupit, s'étend, toute, sur
le soldat gémissant, lui branle le membre au bord de
son vagin entrouvert; le foutre déborde; la putain
écrase le sexe ramolli du soldat dans l'amas gluant
des boules, des membranes, des boucles, pétrit, enfonce,
le ramène, le rabat sur le bas-ventre, cependant que
le soldat s'endort dans une grande palpitation des
veines de sa tête diaprée; le troupeau traverse le souk
planté sur le bord du boulevard; sveltes, rieurs, nus
sous leurs robes légères, leurs hauts cheveux bleus
sortant de leurs voiles serrés en tresses sur la nuque,
les nomades déploient les pièces de ciré jaune qu'ils

ont découpées dans la gaine des canalisations souter-
raines de la base atomique — ils revendent ces pièces
aux nègres comme toiles de tente; les moutons pié-
tinent le ciré; un nomade adolescent, redressé — ses
boucles d'oreilles, secouées, tintent, brillent —, se jette
au-devant du berger de tête, son sexe éperonne,
mouille sa robe bleue; les deux garçons se baisent sur
la bouche; le nomade baigne l'oreille du berger dans
son souffle :.. «..akli.. mon chevreau, viens branler
moi...... »; le berger, agenouillé, baise le nombril du
nomade, il glisse sa flûte dans la ficelle nouée autour
de son genou; les bergers de queue se placent à la tête
du troupeau; le nomade pousse son frère de lait, à
travers le marché couvert, jusqu'à l'arrière-boutique du
barbier-dentiste; il s'assied dans un fauteuil tournant
faussé, écarte ses longues jambes sous la robe tendue;
le berger s'agenouille sur le sol jonché de mèches, de
dents, il retrousse la robe du nomade; un adolescent
paysan, la bouche noyée de sang, crie : son turban
ensanglanté enserre ses cheveux roux dont une touffe,
perlée de sueur, jaillit hors de l'étoffe au sommet du
crâne, touffue, filasse, croûteuse — de sexe, d'aisselle;
les cuisses, moulées dans le jeans, tressaillent; l'ourlet
blanc de la boutonnière sort de la braguette; la sueur
de l'amas sexuel transperce le jeans, imprègne le faux
cuir du fauteuil; les narines dilatées du paysan aspirent,
refoulent un sang mêlé de poussière d'émail; le berger
palpe les cuisses minces du nomade : un parfum de
suint de chameau sort de l'amas sexuel soulevé par
la main gercée du berger; le berger pose ses lèvres
sur la toison sèche : un filet de sueur perle le long de
l'attache de la cuisse quand le berger, empoignant
d'une main les boules encroûtées, de l'autre branle

36

le sexe court dont les petites veines, étirées par l'érection, pétillent contre sa joue; le nomade raidit ses
jambes; le foutre jaillit, le berger retourne sa langue
contre l'entrée de sa gorge; le foutre, lourd, frais,
emplit sa bouche : il en mâche les caillots entre ses dents
pourries par l'abus de l'huile, de la charogne; le nomade
re-raidit ses jambes, le sable, retenu dans le duvet,
coule sur les mollets durcis; un deuxième orgasme
creuse son ventre, son torse étroit, détend les muscles
de ses jambes; le berger presse avec ses doigts ses
joues emplies d'un foutre plus liquide, plus chaud;
le nomade, de ses doigts écartés, repousse la tête du
berger qui replonge entre ses cuisses; il se redresse,
écarte le berger qui demeure agenouillé, tête inclinée,
yeux fixés au sol, lèvres closes sur le foutre em-
mêlé dans ses dents; le nomade, du bout de son
pied nu, détache les haillons pris entre les fesses du
berger; le berger se redresse, il ramène ces haillons
souillés — détachés de la croûte excrémentielle — sur
ses hanches, écarte ses jambes, les fesses qu'il tient
ouvertes avec ses deux mains; courbe le haut de son
corps, bute son front contre un ballot éventré de linges
pourrissants; le nomade, ses mains croisées sous le
ventre du berger, les paumes, les phalanges du berger
frottant ses cuisses, enfonce son sexe dans le cul crotté
— les haillons arrachés ont découvert une couche
excrémentielle plus fraîche — touffu; le sexe glisse
sur la couche excrémentielle; le haut du corps du
berger s'abaisse, appesanti — le berger que sa posture
éblouit, laisse ses mains affaiblir leur pression, ses
fesses se resserrent sur le sexe du nomade —; le nomade
retient le corps articulé sur le fondement de son sexe,
en étreignant plus fort, avec ses doigts croisés, le

37

ventre du berger ; après l'orgasme, il incline le haut
de son corps sur le dos du berger, laisse couler hors
de ses lèvres sa salive sur l'oreille du berger : « .. ma
propriété tu es, mille dinars, nu, tu vaux... mon père
mort est dans le Tamesna.., avons enfoui nous, son
cadavre violet dans le sac de sel.. » ; / le troupeau
s'immobilise au bord de la falaise ; la brume exhalée
par l'oued en crue enveloppe le village nègre ; les
moutons heurtent les bébés nus adossés aux claies,
vautrés dans le fech fech ; les enfants excités par le
frôlement de la laine, se couchent sous le ventre des
moutons ; accoudés au sol, ils bombent leur ventre,
le frottent aux tétines des bêtes ; les bergers s'accroupissent au fond d'un ravin ouvert sur l'oued tumultueux,
passent le poing sous l'articulation du genou plié,
se branlent, changeant de posture sur les cailloux
lorsque la crispation des nerfs, des muscles porte le
genou au bord de l'éclatement ; un mouton femelle
soulève le sexe d'un enfant appuyé à la tôle rouillée
d'une pissotière — traînée là au soir d'une émeute
dans la haute ville, par les adolescents au crâne tumé-
fié —, lèche les éclaboussures d'excréments frais sur les
fesses de l'enfant ; revient à son agneau, lui lèche le
dessous de sa queue ; retourne, enfouit son museau
entre les jambes de l'enfant qui, écarte les cuisses,
caresse les yeux froids de la brebis ; dans les jardins
communaux, les femmes fauchent l'orge, le blé ; leurs
poignets, leurs bras sont marqués de cicatrices, d'entailles violettes : morsures de couleuvres, coups de
faucilles, coupures aux djérids ; un enfant, vêtu d'une
robe pailletée bleue, s'accroche à la robe de sa mère ;
laquelle, relevant la tête, reçoit en plein front, un
rayon cru du feu rougi filtré aux palmes ; éblouie, elle

se repenche sur le blé, jette sa faux sur son côté, dans une touffe épargnée; la faucille frappe l'enfant caché dans la touffe; le long de la déchirure du tissu, une ligne de sang se forme qui traverse le ventre bombé depuis la hanche droite jusqu'à l'aine gauche; la fillette s'effondre dans le blé couché, son front, ses lèvres pâlissent, la faucille reste fichée dans la chair; dans le village, des enfants se lancent au visage des crapauds vivants tirés des marécages de sable rose; les crapauds chient dans leurs poings; les enfants les empalent, gonflés, aux claies : ceux qu'ils ont empalés au travers d'une côte, tombent, la chair cédant, le long des claies dans les jardins où les enfants, assoupis, sont déposés, enfermés jusqu'à la tombée de la nuit, avec les agneaux, les chevreaux : ceux de ces enfants qui se réveillent au contact de la fraîcheur du sable, se rendorment rapides, bercés par les sonnailles des agneaux, des chevreaux lapant l'eau attiédie, salée, des canalisations, sous le couvert de l'orge; les bergers frissonnants, se redressent; leurs haillons traînés dans le foutre collent à leurs cuisses; les giclées étincellent sur les galets noirs; les bergers chevauchent leurs moutons favoris; à la toison, ils essuient l'attache de leurs cuisses, le bord de leur cul recouverts de sueur dans le mouvement de la branlée; au contact de la laine em-baumée, leur sexe, ramolli, redurcit, s'emmêle, violacé, dans la toison salie; les femmes, rassemblées autour de la fillette blessée, tournent la tête; les bergers, leurs boules sécrétives écrasées sous leur cul contre l'ossature des moutons, leurs pieds nus enfoncés dans le sable chaud, leur langue répandue sur leur menton, halètent, jappent; des chiens en rut se roulent dans le blé, mordillent les robes des femmes; se roulent dans le

sable, mordillent le sexe des bergers ; un chien roux
lèche la plaie de la fillette, va se frotter à la jambe
du mieux membré des bergers, lui jette sa langue
brûlante entre les cuisses ; la langue enveloppe le sexe ;
le souffle du chien baigne le bas-ventre du berger, la
bave ruisselle sur sa cuisse ; le berger, raidissant ses
jambes contre les flancs du mouton — le craquement
des muscles effraie le chien qui se jette de côté : sur
un plissement mouillé d'écume des lèvres du berger,
un pet léger de celui-ci qui bouffe la toison en arrière
de son cul, la bête revient, re-cueille le sexe sur sa
langue —, ahane, ses doigts accrochés aux oreilles du
mouton ; le foutre jaillit, le chien le retient dans sa
langue recourbée, le porte dans le blé, aux pieds des
femmes ; / dans la chambre des passes, le bébé, sorti
du berceau, rampe le long de la trace de foutre qui
sort d'entre les jambes du soldat aux tempes bleutées,
prises sous celle de la putain noire : un pan de sa bar-
boteuse de laine bleue traîne dans le foutre transparent ; une putain adolescente assise en tailleur sur le
carrelage, prend le bébé entre ses cuisses : elle peigne
avec une menue brosse de nylon bleu, la toison du sexe
d'un soldat blond marqué d'un grain de beauté au
pubis ; le dos du soldat ondule taché de peinture verte,
déteinte sur sa peau quand, branlé le premier par la
maquerelle, il se raidissait contre le mur vert de la
chambre des passes détrempé par sa sueur, à hauteur
de ses épaules, de ses fesses, de ses mollets, de son cou
incliné, tête empourprée ; debout, la main appuyée
sur l'épaule de la putain, le treillis descendu jusqu'aux
pieds, la chemise entrouverte sur ses seins barbouillés
de miel, il garde ses yeux voilés par les successives
branlées, fixés sur son arme jointe au faisceau disposé

40

dans l'angle du caniveau — par le trou, sort, assourdie, la rumeur du bordel de garçons —, soupirant lorsque la brosse démêle un nœud de boucles ; la putain tient dans son poing le sexe rougi qui colle à ses doigts, elle jette des baisers rapides sur le ventre du soldat : les boucles arrachées — celles dont la racine pourrissait dans l'épiderme pollué —, la putain les recueille dans un poudrier posé à ses pieds ; élevant le bébé, elle lui fait toucher du bout des lèvres l'extrémité violacée du sexe du soldat dont le front se réempourpre ; sous l'escalier dont le châssis, chevillé au mur du cagibi, est garni de réserves de confitures, d'œufs, les deux soldats, abandonnée la putain qu'ils enserraient contre le mur, s'accroupissent, soulèvent la cellophane, aspirent la confiture dans le même pot ; leurs langues se touchent dans la gelée.. : «.. elle rentrerait pas dans le pot, Khamssieh, ta langue.. » ; le rire rauque du garçon se répercute le long de la paroi, interrompu par le claquement d'une serpillière mouillée sur un corps nu.. «.. silence, mes queues, vous me faites débander» ; le soldat blond attire la tête de la putain contre son bas-ventre, lui prend la brosse, peigne les cheveux légers de ses tempes, ses sourcils collés par le foutre frais ; elle, de son bras droit, le gauche tenant le sexe, entoure les reins du soldat ; ses doigts s'enfoncent entre les fesses ; le sexe du soldat, durcissant, desserre le poing de la putain ; la main de la putain pétrit la fesse du soldat, les doigts palpent la membrane du cul, les ongles raclent la couche excrémentielle.... « la braise s'éteint sous le morceau à moitié cuit, le sang noir gicle dans le fond de ma gorge.. je coupe la queue du chacal éventré, je l'enfonce entre mes fesses, je m'accroupis sur le rocher, je dresse mes oreilles dans

41

le vent salé, la pluie crible mes lèvres closes sur le sang jailli.. Rico coupe la gueule de la bête, la creuse, la vide avec son poignard, y enfouit sa tête, s'agenouille dans la boue, marche vers le rocher, mon sexe accroche le silex.. Rico pousse, entre mes fesses écartées, le museau ensanglanté du chacal.. ôtant la dépouille, la tenant écrasée contre mes reins, il brasse ses lèvres sur mon cul.. une colique noire bout dans mon ventre.. expulsée, gonfle sa bouche.. il se redresse, il crache la bouillie excrémentielle.. ré-accroupi, broute la mousse trempée, la mâche en fixant — moi descendu, jambes raidies, la pluie criblant mes muscles crispés, branlant mon sexe ramolli par la pluie — le fouillis brun de ma toison mouillée.. redressé, il se jette sur mon corps ruisselant, nos genoux se heurtent, sa main remue sur le haut de ma cuisse le foutre qui a jailli.. il baise sur ma nuque l'empreinte des mailles du hamac, il tire avec ses dents le duvet qui recouvre ma nuque, les boucles grasses de mes cheveux sur les oreilles.. son genou monte entre mes cuisses.. mon short US, jeté sur la mousse, garde, sous l'averse, les plis que lui imprime le feu incessant de mon sexe.. je me laisse glisser le long du corps demi-nu de Rico.. mes lèvres, posées sur la toile humide, suivent l'avancée du foutre dans son sexe moulé par le short.. il jaillit, je le cueille en passant ma langue sous le short, un fade sang y est mélangé.. les singes sifflent dans les cèdres : nous marchons, nus, au-devant des rebelles, le sexe dressé, la joue inclinée sur l'épaule, l'œil bridé, o rebelles, votre ventre est léger, vos joues, tachées de fard.... » / le paysan, assis au bord de l'oued, mâche une charogne de souris entre ses cinq dents intactes ; il s'agenouille dans la boue, gonfle d'eau grise sa bouche tapissée de

sang, recrache dans le courant l'eau rougie, sort son
sexe du jeans, le trempe en le frottant, sous l'eau, avec
ses doigts déchirés, jusque dans ses replis... / Khamssieh, sur les jambes duquel coule le foutre du graisseur,
adossé à la porte du cagibi, laisse les ouvriers cracher
dans ses cheveux roux, tirer son sexe, empoigner ses
boules sécrétives, décharger sur le versant de ses fesses,
le gifler aux joues, au ventre, aux fesses avec leurs
mains souillées, enfoncer des serpillières entre ses cuisses,
lui bâillonner la bouche avec ces lambeaux imbibés ;
un sexe, sec malgré le foutre qui l'érige, s'enfonce plus
avant entre ses fesses, il desserre son cul, incline son
buste ; les hanches de celui qui l'encule labourent ses
reins ; une main, fissurée, doigts polis sur l'acier,
empoigne le sexe érigé, entre les fesses, l'extrait,
éclaboussant ; la bousculade, mains, sexes éclaboussés
frôlant la courbure de ses fesses, projette Khamssieh
contre l'enfant noir tenu aux épaules par deux ouvriers-
dattiers ; trois sexes érigés élargissent le cul de Khamssieh ; les tétons des ouvriers qui le pressent s'écrasent
contre la peau en sueur de son dos ; leurs mains maculées enserrent son cou ; l'enfant noir bondit ; le foutre
qui jaillit des trois sexes accolés ébranle Khamssieh ;
les jambes des ouvriers latéraux vibrent le long de ses
jambes ; un vagissement sort de ses lèvres lorsqu'ils
retirent leurs sexes gluants ; les sexes, se frôlant, redur-
cissent ; l'enfant noir se débattant, soufflant, sa morve
est refoulée sur la courbure de sa bouche haletante ;
au contact des boules sécrétives des ouvriers écrasant
contre le bord de ses fesses leurs fatras de membranes
poreuses attiédies, Khamssieh roule sa tête sur son
épaule dans le creux de la main fébrile d'un ouvrier ;
la main de l'ouvrier palpe l'oreille de Khamssieh ; au

moment de l'érection, les doigts s'enfoncent dans l'orbite de Khamssieh; après l'orgasme, la main, moite, glisse le long de la joue du putain, frôle sa gorge plissée, retombe sur le plat de ses fesses; les phalanges des mains des ouvriers retirant leur sexe roulent dans les bourrelets gluants des fesses de Khamssieh; les ouvriers s'écartent; les deux dattiers lâchent l'enfant noir; il se jette sur Khamssieh; le sexe érigé du putain appuie contre son torse suant; ses bras étreignent les reins de Khamssieh, sa tête palpite, chauffe, enfouie dans les cuisses du putain; la toison de Khamssieh s'englue de morve bleue; la langue de l'enfant fouille entre les bouclettes, atteint l'épiderme infecté; le graisseur, sorti reboutonné, du chiotte, frôle, tout enveloppé d'odeur excrémentielle, Khamssieh; d'un coup de langue lui lèche ses lèvres, le bout de langue qui les tient entrouvertes; le sexe du putain rebondit contre l'aisselle de l'enfant noir, soulève l'épaule du blouson; Khamssieh, torse incliné, palpe les fesses de l'enfant, l'amas sexuel serré dans le jeans; l'enfant s'accroupit sur ses talons, écarte les jambes de Khamssieh, s'agenouille, se faufile entre les jambes poisseuses, pivote sur ses genoux; riant, sa courte langue rose léchant le duvet pris dans le foutre, les boules sécrétives de Khamssieh traînant sur le col de son blouson, se redresse, accolé au putain; lequel, creusant son dos, cambrant ses reins, d'une main faufilée dessus le galbe de son fessier redressé ensué, palpe le bas-ventre du garçon, déboutonne le jeans, sort le sexe par-dessus l'élastique du slip; l'enfant lui suce le creux de la clavicule; ses hanches tressaillent contre les reins de Khamssieh; lequel, avec deux doigts, retrousse le prépuce encrassé de l'enfant, glisse ces deux doigts annelés le long du sexe durcissant ; l'enfant accroche ses doigts aux bourrelets des côtes de Khamssieh, ses jambes se raidissent contre celles du putain détendues par le mouvement d'écartement des fesses ; le foutre bouillonne dans le sexe palpitant contre l'ouverture lisse du cul du putain ; l'enfant se secoue, le cul de Khamssieh gaine son gland ; le foutre jaillit ; alternés, las, les ouvriers, leur foutre répandu, prennent sur le comptoir la grenade apportée par l'enfant comme paiement pour Khamssieh, l'emportent, la lèchent, accroupis, sang affluant au crâne, dans le chiotte, la mouillant de l'écume qui mousse à leurs lèvres quand leur ventre force l'expulsion des excréments ; le souffle rafraîchi de l'enfant sur le duvet de ses épaules — dans l'orgasme, l'enfant lève le cou — fait frissonner Khamssieh dans les reins duquel refroidit le foutre des ouvriers ; Khamssieh, rapide, pivote, étreint le garçon dégrisé, s'agenouille, lui empoigne son sexe gluant, le presse, extrait un filament, le porte à ses lèvres, se redresse, baise la bouche du garçon dont les cils mouillés d'une sueur froide, battent ; Khamssieh remet le sexe ramolli dans le slip, reboutonne le jeans, prend la grenade immobilisée au bord du comptoir, s'assied sur l'escabeau, ouvre, avec ses dents, la grenade ensalivée, y plonge son mufle poisseux ; de sa main libre, il fouille sous ses boules sécrétives, démêle un nœud de boucles collé par du foutre ancien qui lui tire la peau quand il bouge la cuisse ; son sexe, intact, miroite, chatoie, tendu à l'extrême — les ouvriers rient, halètent, ahanent dans les chiottes, la souillure terreuse des marchepieds crisse sous leurs espadrilles remuées par le mouvement d'une branlée suspendue, une touffe de poils bleus lustrés par le foutre sort du jeans à demi boutonné d'un qui sort, une tache mouillant l'enflure de la toile où porte, de l'intérieur, son sexe ramolli grossi par un reste d'envie —; le graisseur, son front ceint d'un turban maculé, rôde, les mains aux poches, le jeans tendu entre les cuisses; son regard bleu transperce les yeux voilés de Khamssieh, sa langue sort d'entre ses lèvres; son ventre découvert, ballonné, luisant de graisse, sue, une sueur encrassée sort du nombril; le garçon noir se frotte à la jambe de Khamssieh, l'écarte de l'escabeau en la tirant vers lui, la palpe, raidie; les boules sécrétives du putain, membre surtendu battant le versant bouclé de l'une à l'autre cuisse, suintent écrasées sous lui, dessus le bois souillé; l'écart de la jambe les fait se répandre sur l'angle de la tablette; le graisseur y met la main; Khamssieh repousse le garçon noir, ramène ses boules sécrétives sur la tablette où le graisseur les empoigne, les soupèse cependant que Khamssieh, se redressant, étreint les reins du graisseur déhanché, couvrant avec l'une main gauche déployée, la fesse soulevée, maintenue par la barre plissée du jeans, palpant avec sa droite l'autre fesse relâchée; Khamssieh baise le court front ridé du graisseur, la racine de ses cheveux empoussiérés; le graisseur tressaille, son poing enserre les boules sécrétives de Khamssieh; le putain, cils touchant le haut du galbe des joues, détache les doigts du graisseur, se déplace, reins frôlés, vers l'arrière du corps; le graisseur se redresse; sa fesse relâchée remonte le long de la cuisse de Khamssieh; le putain, rabattant son sexe sur son bas-ventre, ses boules sécrétives suspendues le long du pli du jeans entre les fesses, déboutonne le graisseur, fait glisser vers le bas, l'arrière du jeans, l'arrière du slip — l'ayant retenu au niveau du bas-ventre par la courbure du sexe tendu —, se détache du graisseur : le sexe, libéré, darde, horizontal, gland effleurant l'élastique du slip ; riant, Khamssieh, accrochant ses doigts aux épaules du graisseur, lui courbe le dos, plonge dans le cul crotté son sexe où le foutre bouillonne ; se brandille : ses orteils ensués se crispent sur les espadrilles du graisseur ; son gland, cul touché, expulse un foutre ardent ; le graisseur se redresse, il fouille, de ses deux mains jetées en arrière de lui, le ventre ramolli de Khamssieh ; vif, le putain écarte ses mains, se reraidit ; le foutre suinte d'entre les fesses du graisseur, colle au bas de celles-ci le haut du slip ; Khamssieh enfonce plus avant son sexe mal circoncis, décharge un foutre plus fluide ; le graisseur laisse rouler sa tête sur son épaule, Khamssieh lui baigne l'oreille dans son halètement séminal ; le foutre refoulé hors des fesses du graisseur s'égoutte dans le slip fripé ; Khamssieh y glisse sa main, lui fait remuer l'amas sexuel dans le dépôt de foutre ; le graisseur vagit, sa langue lèche l'écume qui mousse sur les lèvres grosses de Khamssieh ; la coulée de foutre, après le quatrième orgasme, atteint le pied de Khamssieh enfoncé dans l'espadrille du graisseur ; / le pied-bot, sa jambe assaillie par les vers de chiottes chassés hors de la fosse par le froid qui saisit les excréments, tousse ; l'oie, excitée par l'odeur excrémentielle, lève le cou, crie, se débat entre les cuisses du pied-bot ; le dattier accroupi dans le chiotte adjacent, redresse son corps géant ; plaquant ses mains sur le haut de la cloison, d'un coup de reins, son jeans bouclé en hâte sur son cul souillé, se suspend à la cloison, le haut de son corps basculant vers l'intérieur du chiotte obscurci : ses yeux, l'éblouissement cessant, composent le corps du pied-bot reblotti dans

47

l'angle, le bracelet qui enserre la jambe blanche agitée de tremblements, l'enflure du maillot à l'emplacement des tétons, le sexe amolli étiré traînant dans la souillure de la cuvette, le duvet de l'oie voltigeant au-dessus des cuisses moites; le pied-bot relève la tête, sa gorge bat, ses yeux, pâles, fixent le visage du dattier; le salpêtre coule dans ses cheveux; le dattier plonge le bras, saisit l'épaule du pied-bot, tire, soulève le garçon; lequel, son mollet crispé mordu par l'oie, s'élance, le torse accolé, râpé, à la cloison; le dattier soulève le garçon, se remet sur pied dans son chiotte, tire le garçon qui, juché jusqu'à mi-corps sur le rebord du petit mur, couvre son sexe avec sa main; le dattier, d'un coup, le fait basculer; le ciment hérissé écorche le sexe du pied-bot, une touffe de la toison reste accrochée au ciment; le sexe blessé frémit contre la cuisse du dattier; le pied du garçon restant soulevé au-dessus du sol, le dattier le lui piétine; le garçon, déhanché, se laisse étreindre, baiser sur la bouche; lorsqu'il sent battre, durcir contre son bas-ventre le sexe du dattier, il rue, se dégage de l'étreinte, se rue dans le couloir; le dattier le poursuit jusque dans la salle commune où le garçon, redressé dans un angle, le maillot tiré serré entre ses cuisses, son pied-bot embracelé, relevé contre l'orteil de l'autre pied, halète; le dattier se déboutonne, sort son sexe du jeans, oscille latéral, mains plaquées sur la nuque; sexe dardé captant rayons rougis du feu déclinant, bondit; le pied-bot, relâchant l'étreinte de ses cuisses sur le pan du maillot de corps, se projette en avant; son bras, levé en protection à hauteur de sa gorge, reçoit le choc du corps bondé de sang, de foutre : sa main, rapide, empoigne le sexe du dattier, le tient serré rabattu sur le bas-

ventre; le corps du dattier s'amollit, s'appesantit;
le pied-bot s'agenouille, il porte le sexe du dattier
à ses lèvres, l'enfonce dans sa bouche; sa langue
fouille, pointe s'éfilant, dans les replis, les membranes
poreuses, les cicatrices, les incisions rituelles; ses lèvres
vibrent; un mouvement vif du dattier ébloui par le
feu rougi enfonce son gland dans la gorge du pied-bot;
lequel, ses dents mordillant la chair crispée du sexe,
suffoque, tousse; la morve expulsée de la gorge tuber-
culeuse du pied-bot éclabousse le sexe du dattier; / ..
couchée sur la terrasse embaumée du feuillage d'éthel
tombé du corps de Wazzag, en ses robes ocres, bleues,
la maquerelle, jambes ouvertes, regarde le soldat — une
tache de vin tapisse l'orbite droite, jusqu'à la paupière
grêlée — qui, pouffant, suspend sa glace à la cheminée
de toub, pose un verre d'eau chaude sur une chaise
haute — où le bébé démailloté, livré aux courants
de brise, prend sa bouillie du soir —, rase ses joues,
sa gorge; le savon ruisselle sous la chemise entrouverte
jusqu'à la ceinture desserrée; la maquerelle lèche ses
doigts, elle élève sa jambe, touche du bout de son pied
la cuisse du soldat.. « paix, mon sein. »; l'essaim
d'alouettes assaille la terrasse; leur reflet tremble
dans le miroir; les femelles, les petits nichent dans les
poches des tabliers suspendus; les mâles cueillent
les boucles de cheveux, de toison, de laine tombées
des corps des bergers, des corps des moutons; le soldat
rase le tour de ses lèvres, la maquerelle appuie son
pied sur le sexe ramolli du soldat, lequel, posant ses
lèvres rincées sur le miroir attiédi, baise leur reflet
ensoleillé; Rico, Wazzag, accouplés, reculent, entre
les draps, vers le bord de la terrasse; la toison de
Wazzag frôle le plat des fesses de Rico; dans le haut

49

du miroir, le torse — peau tirée vers le pubis —, la tête rieuse de Wazzag traversent, vermeils ; le soldat, rasoir au poing, se jette sur la maquerelle, à pleins doigts presse ses tétons collés à l'étoffe ; appesanti sur la femme, il pivote sur son ventre, enfouit sa tête entre les cuisses de la putain dans le fouillis d'étoffes froissées ; la maquerelle, écartant les pans du treillis, empoigne le membre, le trait durci au-dessus de ses lèvres ; le soldat découvre le sexe de la femme ; rase, lent, la toison — repoussée depuis la pleine lune —, distrait, ses lèvres léchant le pollen retenu dans les broderies souillées de la robe, son œil, voilé par l'orgasme, fixé sur la crispation du talon soulevé de Wazzag ; les putains redressent les soldats déboutonnés contre le mur de la chambre des passes, aspirent le restant de foutre qu'elles recrachent sur leurs doigts teints de henné, se le donnent l'une à l'autre à manger ; la tête des soldats assoupis pèse sur leur épaule : le soldat blond aux épaules marquées de vert pisse entre deux branlées sur les genoux de la putain qui, de sa main libre — l'autre, éclaboussée, presse le sexe gluant — enduite d'excréments au fort parfum de chacal pris entre les fesses du garçon, depuis la commissure des lèvres jusqu'au lobe des oreilles, lui peint des crocs, des babines de chacal ; / dans le haut de la rue, sur le seuil d'une menue boucherie peinte en rouge, des enfants, moulés dans de la toile à sac, noient dans la flaque de sangs mêlés une couvée de hiboux brachyotes : la femelle, perchée sur l'angle de la terrasse du bordel, crie — son cri, perçant : les enfants saisissent ses petits, plaintif : ils les noient, réveille les soldats branlés que les putains couvrent, défendent contre la fraîcheur de la ténèbre foulée ; / le boucher fourre dans le poing de son commis une monnaie ensanglantée; sort, sa main frappant du plat les fesses du commis lequel, courbé — le mouvement élargit la déchirure du jeans à la couture de la raie des fesses : une touffe de forts poils bleus s'ouvre sous la paume du boucher —, verrouille le rideau de fer; repousse les enfants occupés à déchirer les pattes, le cou, des oiseaux noyés; descend la rue, ouvre le robinet de l'oasis, entre dans son champ de blé, écrase les mulots blottis dans la terre attiédie avec le talon de sa botte unique — l'autre pied étant chaussé de poil de chèvre imbibé de sang —, arrache l'excédent de blé vert, le lie en bottes qu'il suspend à sa ceinture; derrière lui, les blés ensanglantés se referment; les canalisations débordent; les essaims d'alouettes criardes poursuivent le courant qui palpite sous les blés; de jeunes nègres femelles, mâles, s'accouplent sous le remblai des puits rituels; la teinture du grès rose se mélange à la sueur, au foutre, à la semence, au henné qui baignent leurs hanches frottées, leurs mains convulsives entrelacées; le boucher bondit sur le marécage dont la boue est griffée par les pattes des grèbes; sur le seuil de sa villa, il étreint contre son tablier sanglant ses enfants nus, il pose ses couteaux précieux sur le berceau du bébé; son poil hérissé par les courants de brise, ses enfants se battant au-dehors avec des roseaux enduits de mazout, il relève d'un coup de main la robe de sa jeune femme adossée au petit escalier de la terrasse, lui touche son sexe; lui retrousse les lèvres, avec son pouce lui desserre les dents, enfonce deux doigts dans la bouche, en retire un filament de foutre; il se jette sur le lit défait, pose ses lèvres sur la laine mouillée de la couverture, sort

51

de la villa. arrache un roseau à son plus jeune fils, retourne vers la femme occupée à ravaler front tout empourpré le filament, la frappe; le garçon de son premier lit, sorti du bosquet de roseaux, joue au milieu des autres enfants, sa jambe tressaille, son short colle à sa cuisse.. / ; le vent secoue les balises, les épineux, dévie le vol des essaims, arrache, emporte les vautours vers les reliefs tabulaires; les galets vibrent; le sable reflue dans le trou des chiottes, crible les fesses des ouvriers accroupis, fume dans les ruelles, crible les pansements ensanglantés des soldats pressés en pyjama sous les abricotiers de l'hôpital, crible la pommade étalée sur l'impétigo, l'oreille où est enfoncé l'écouteur du transistor; crible les tôles, les toiles; assaille les plateaux noirs aux entailles mauves bondées de nichées d'alouettes grises, comble les pistes éventrées par les pneus géants, les plaques, recouvre les squelettes, les dépouilles; / le paysan adolescent sort de l'eau son sexe rétréci, il remonte vers la haute ville, son visage moulé dans le voile; / la femme du boucher veille, allongée auprès de l'homme lavé, étrillé — le sang rôde dans la chambre, de la poudre de sang séché coule dans la petite oreille du boucher que les cauchemars font vibrer; la femme descend du lit, marche, pieds nus, dans le jardinet; le garçon du premier lit, accroupi dans l'opium clandestin, saisit le pied de la jeune femme, l'enserre entre ses cuisses; la jeune femme relève le garçon embaumé, arrache une touffe d'opium, l'écrase sur le gland du garçon; le jeune boucher roule dans le lit; la femme se jette dans la chambre, s'attarde, seins nus, auprès du feu, frotte ses tétons au linge mouillé de son époux, suspendu dans l'angle; fouille dans le tas de ses vêtements ensanglantés, contre l'âtre ; le boucher, assis, nu, sur le bord du lit, mange des morceaux d'omelette, des dattes ; la femme s'accroupit devant lui, elle cueille avec sa langue les miettes tombées sur la toison ; redressée, elle lui lave les oreilles en y introduisant un bâtonnet piqué dans un pan de linge ; elle coupe, lui redressé regardant ses dents dans un miroir brisé, les boules de merde séchée accrochées à la toison du cul ; un nerf vibre le long de la jambe du boucher ; la femme recouche l'homme, elle s'assied sur le bord du lit, caresse les doigts des pieds de l'homme nu sous les ongles desquels pourrit le sang qui transperce, au moment de l'abattage, la toile des espadrilles dépareillées ; sa main remonte le long du corps étendu sur le côté jusqu'au sexe rabattu contre le bas-ventre dans un pli du drap : retourné, l'homme, endormi, dont un poing est serré entre les cuisses, baise.. la touffe du cul, les lèvres duvetées du commis, mord sa chevelure garnie d'excréments de vampire.. ; / le paysan adolescent s'agenouille au bord de la flaque de sangs mêlés, l'épaule appuyée au rideau de fer de la boucherie ; sa main fouille dans la poubelle entre les chairs déchiquetées, prend un cœur de chevreau transpercé, le porte à la bouche ; les chauves-souris, prises dans la chambre froide, s'agrippent aux quartiers suspendus ; le paysan, mâchant le cœur de chevreau, entre dans le bordel des femmes ; la maquerelle le prend entre ses bras, elle le pousse vers l'escalier, il s'accroupit, découvre les pots, lape la gelée ; la maquerelle le déboutonne, elle l'étreint barbouillé ; les putains le déshabillent, elles le décrassent à menus coups de langue dans tous les replis du corps ; lequel, redressé, apparaît tatoué, brillant sous le néon, dans l'écume

53

qui le recouvre tout entier; la putain noire baise
ses genoux grossis, infectés par l'errance; la maquerelle
lui met un piochon dans les bras, il l'empoigne, il
frappe le carrelage : vives, cinq mains lui arrachent
l'outil; il s'accroupit, pioche le carrelage avec ses
deux mains jointes recourbées; la maquerelle le relève,
appuie une pelle contre son ventre, il bêche l'interstice
du carrelage : vives, enfoutrées, cinq autres mains
lui arrachent l'outil; il raidit son pied, foule le carrelage, lance son pied en avant; la maquerelle lui
met un râteau dans les mains, il place les dents du
râteau dans les interstices du carrelage : vives, fripées,
cinq nouvelles mains lui ravissent l'outil : il traîne
sur le carrelage les doigts écartés de son pied droit;
la maquerelle apporte un étau : vives, chaudes, les
mains, toutes, le saisissent, l'enfouissent : le paysan
croise ses mains, enserre son genou entre ses paumes;
redressé, il s'élance, il se jette, écumant, sur la caisse
d'orangina, empoigne les bouteilles, les décapsule
une à une avec ses dents valides, cherche du regard,
de la main, tout autour de la chambre, le métal,
le mord : tuyaux, clous, serrures; coupe, tord, arrache,
avec ses dents mouillées de salive rose, dénoue les
nœuds de fil de fer, se déchire les gencives, se brise
les dents; les putains le retiennent par les hanches :
érubescentes, baguées, leurs mains glissent sur la bave
dont elles ont enduit sa peau; il s'effondre sur le
fouillis de dépouilles militaires; s'y rasseyant, les
jambes repliées sous les fesses : ... « paysan, jette tes
outils dans le fleuve... tu as ton sexe... ouvrier, tu as
ton sexe.. », il tourne son sexe dans sa main, il le retrousse, il palpe les boules sécrétives, il les empoigne,
il les étire en les rabattant le long du sexe grossi, sur

son bas-ventre, il pince le gland, il crache dessus, il pique avec son ongle les petites lèvres, jusqu'au sang; s'agenouillant, il saisit son sexe dans son poing, incline le haut de son corps sur le côté, se traîne sur le carrelage en éperonnant l'interstice avec son sexe durci : un filet de sang brille dans l'interstice. / ; la femme du boucher couche le garçon du premier lit sur la terre nue, à l'emplacement de la tombe de la femme du premier lit morte en couches — la nuit qui suivit l'ensevelissement, les rats sortaient la tête fardée, parfumée, hors de la terre, sans la ronger —, elle s'étend sur le garçon; un couple de gypaètes tombe, enlacé, le long de l'eucalyptus, leur bec griffe l'écorce, leur semence éclabousse l'écorce, ils s'affaissent sur la terre, dans leur sang; la main de la jeune femme glisse sous le short du garçon, le long de la cuisse, jusqu'à la toison dont elle caresse la surface ensuée : les pulsations du sexe frémissant s'accordent aux battements des veines de sa main; le boucher, sorti du lit, bondit dans le jardinet, il tient ses couteaux dans ses poings; il se jette sur les deux corps enlacés; il les égorge, fouille la chair du cou avec les lames; // le feu crève; le boucher, redressé, s'enfuit, tout le devant de son corps nu éclaboussé de sang; il s'élance dans le marécage, traverse les blés; ralentit, sa tête enfouie dans ses mains, le long du mur des bordels; les branchages fleuris, jettent, secoués, des flammes violettes dans l'aurore; le boucher, assoupi, s'écroule; sa main, doigts agités par le cauchemar, dessine au sang, sur le bois de la porte, un sexe d'homme; un coup de vent réveille le boucher; il se lève, il ouvre la porte, sa main remue le sang accroché à la toison de sa poitrine; Khamssieh tire hors du

chiotte le géant accouplé au pied-bot; il redresse
son cou; le boucher avance vers le comptoir, ses pieds
empoussiérés foulent dans la vapeur les corps des
ouvriers endormis sur le carrelage; le sang enveloppe
son sexe dressé; Khamssieh, cœur tressautant sous
les poumons empoissés, lâche les deux corps enlacés;
il va au-devant du boucher; sa poitrine soulevée
touche celle, ensanglantée, du boucher; il étreint
l'homme qui enfonce ses poings serrés entre les fesses
du putain; l'homme resserre l'étreinte, tout le haut
de son corps accolé à celui de Khamssieh; ses poings
sanglants tournent dans le cul du putain; il les retire,
se détache du putain ensanglanté, s'enfuit; Khamssieh revient aux corps enlacés, il arrache à l'étreinte
du dattier le pied-bot dont les tétons saignent, triturés
entre les doigts de l'homme; il traîne le dattier par
les épaules jusqu'à la porte, un sillage d'écume, de
foutre mousse sur le carrelage; Khamssieh, seul,
traîne les corps nus, leurs vêtements noués à leur cou,
jusqu'au sable; il ferme la porte du bordel, étire ses
bras, lustre ses cheveux fauves avec ses doigts enfoutrés, secoue son sexe d'un seul ébranlement de ses
reins luisants, va s'étendre dans le cagibi, sur les
serpillières; sa main caresse une carcasse dorée de
transistor où sont serrés un savon, une brosse à dents,
un bouton de nacre, une fermeture éclair; Khamssieh
appuie son oreille sur les trous du haut-parleur, s'endort,
feu fouaillant son corps où les touffes se démêlent,
s'ouvrent, frisent au dilatement des pores; / Wazzag
sort du lit du maître de foutrée, il plaque sa main
sur la vitre criblée par l'averse ensoleillée; comme,
ventre bombé, main rafraîchie caressant sa gorge,
il repasse près du lit, le maître de foutrée lui empoigne

le sexe avec sa main sortie du drap, attire le garçon, le renverse sous lui, remonte le drap sur sa nuque ; Wazzag, rieur, enfile ses doigts dans les boucles brunes de la poitrine du maître de foutrée penché sur lui ; le genou de l'homme, hérissé, fouille, entre ses cuisses, son amas sexuel souillé par les excréments pris au cul de Rico ; le drap, tendu au-dessus d'eux, filtre une lumière rose ; le maître de foutrée baise les yeux grands ouverts de Wazzag.. : « .. mon or s'échappe par tes yeux.. », les lui ferme avec ses lèvres ; la sueur luit dans les plis de sa gorge, les menus poils durs de son menton piquent la joue imberbe de Wazzag ; le garçon lui lèche sa moustache bleue ; les rides du front de l'homme roulent jusque sous son turban ; le rire de Wazzag porte l'écume à ses lèvres ; le sexe du maître de foutrée, durci, remonte le long de l'aine de Wazzag ; la toison balaie les côtes du garçon ; les jambes du maître de foutrée tournent par-dessus la tête de Wazzag ; le drap s'effondre ; Wazzag, éternuant, écarte de sa bouche le sexe du maître de foutrée, repousse du genou la gorge penchée sur ses cuisses, se lève du lit, descend l'escalier, baise sur le linteau l'ardoise de disponibilité, en face de son nom ; jette sur son corps nu un lambeau d'imperméable, traverse le couloir, le jardinet, retire des cages les lièvres nouveau-nés, les emporte dans la resserre où sont ses oiseaux, ses porcelets ; se laisse tomber parmi les bêtes éparpillées dans la paille ; ses boules sécrétives roulent sous ses fesses ; les porcelets lui tètent son sexe ; ses oiseaux s'emmêlent dans sa chevelure, chient dans ses oreilles ; il rit, il caresse son ventre roué ; la porte — par sueurs, foutres, crachats, vermoulue — de la salle commune est restée ouverte sur le couloir : à travers celle, plus basse de moitié, ouverte, de la resserre, Wazzag, oreilles remuées, relevant sa tête du fouillis de pelages ensués, humant l'air, voit palpiter le bas du corps sanglé d'un ouvrier dattier; lequel, appuyé au comptoir, sexe éperonnant le jeans, claque sa langue dans sa bouche, frappe le comptoir; Wazzag se relève, ses bêtes l'accompagnent jusqu'au seuil; Wazzag resserre l'imperméable autour de son corps, bondit sur le sable mouillé; l'ouvrier dattier fume, un branchage d'abricotier couronne son turban, une touffe de poils lustrés sortie de son maillot de corps, foisonne sur sa gorge; ses yeux rient à travers la fumée; les rides roulent sur son front bouclé bas; son corps sue, déhanché : ...« .. je me marie ce matin... je ne veux pas que mes beaux-parents me voient bander pour leur fille... travaille-moi, mon cœur.. »; Wazzag tire une bouffée à la cigarette prise aux lèvres du dattier; se met nu; il déshabille le dattier secoué par un menu rire qui libère : le parfum de sa bouche, quelques gouttelettes à l'extrémité de son gland; Wazzag se place derrière le dattier, flaire les épaules, la nuque, surchauffées, embaumées dans la station suspendue au cœur auroral des panaches balancés de la palmeraie, frotte son sexe à ses reins, riant, l'encule; sans l'étreindre, : il tient à deux mains la racine de son sexe, cambre les reins; ses boucles d'oreilles tintent; la sueur luit sur le duvet durcissant de ses lèvres; l'orgasme tire les boucles de sa toison bleutée, la peau du pubis tendue, rosée dans le sommeil, dessus les muscles, les os bleutés, vers le cul du dattier; la sueur roule le long du pli horizontal de la fesse cambrée; Wazzag, à chaque nouvel orgasme, secoue sa lourde chevelure; le foutre avance sur sa cuisse; le dattier, courbé sur le comptoir, ferme ses yeux voilés, sa langue sort mouchetée d'entre ses lèvres; son sexe durcit contre le zinc; au cinquième orgasme, Wazzag, incliné sur la croupe du dattier, lui baise la joue; éructant, d'un coup de reins, se détache du corps; il passe sa main fripée sur sa nuque où la sueur refroidit; son sexe pend, ramolli arqué; Wazzag se pousse devant le dattier, appuie le haut de son ventre au comptoir, il écarte les fesses, place le sexe du dattier dans la fente de son cul, courbe son dos;.; la jambe de Khamssieh, agitée par le rêve, entrouvre la porte du cagibi : une tarentule est noyée dans le fouillis spongieux du sexe du garçon étendu sur le côté..; / le nomade se met nu, jette sa robe dessus les poignets tendus du berger, entre dans le bassin; l'eau rougit dans le creux de sa main; il se couche dans le courant, ses reins soulevés sur le sable dur; le berger donne à boire aux chameaux dans une coupe de cuivre doré, il asperge leur croupe avec le restant d'eau; l'eau fume autour de la tête du nomade enfoncée dedans jusqu'aux oreilles; le désert vibre; le ciré jaune suinte, déballé sur le sable; les soldats noirs du poste-frontière, pressés autour du bassin, épaule contre épaule, déhanchés, juchés sur une seule jambe, regardent le bain du nomade; torse nu, les reins moulés dans des shorts légers, courts, d'où le sexe, au repos, dépasse, gland rosé sur la cuisse imberbe, ils fument dans de longues feuilles d'éthel séché; le chef de poste, accroupi dans le sable du remblai, enfonce un biberon de lait concentré entre les dents d'une dorcade; quelques nomades enveloppés dans de longues robes couleur de cendre, sont couchés au pied du mur de l'infirmerie; deux soldats, le bas-

59

ventre moulé dans un slip de laine kaki, remplissent
des guerbas, au jet; quand ils courbent salive moussant aux lèvres les reins pour nouer les cordelettes,
le slip glisse sur leurs fesses, découvrant le haut de la
fente mauve du cul ourlé de merde fraîche; dans un
angle de la cour, des femmes, abritées sous un auvent
fait de peaux de chèvre cousues, cajolent un bébé
prématuré enduit de goudron, enfoui entre les cuisses
d'une fille pâle dont les yeux sont clos, le sein, haletant;
les chameaux, arrosés, se roulent dans le sable; le
berger, accroupi, lave ses poings dans l'eau; les poux,
enfouis dans les replis de son corps, grouillent sous
ses haillons; le nomade, la toison de son sexe gonflée
par le courant refoulé, s'endort, la tête appuyée à la
vanne de bois; le berger remplit les guerbas; les
soldats mâchent du sucre; le nomade ouvre ses yeux,
le sucre brille aux poings des soldats; le nomade se
lèche les lèvres; il roule sa tête dans l'eau, il se renverse
sur le ventre, sort ses lèvres de l'eau.. : « ..akli..
branle-les.. je veux du sucre.. »; / le soleil sèche le
sang accroché aux boucles rousses des aisselles de
Khamssieh endormi sur le côté; la tarentule issue
de la toison engluée, remonte sur le ventre bombé
du putain, son abdomen affaissé partage le sang sur la
poitrine; le putain tressaille, sa main suit la marche
de la tarentule autour du téton droit : « ... tette plus
bas, l'homme.. »; son sexe, renversé dans le creux
de l'aine, durcit quand la tarentule frôle la pointe
de sa langue sortie d'entre ses lèvres; le foutre pris
dans le cul de Wazzag, clapote, refoulé, expulsé le long
de la paroi anale, par le sexe du dattier; Wazzag retient
son fou rire; Khamssieh s'éveille : la tarentule, alertée
par le frémissement des muscles, s'enfonce dans la

narine du putain; lequel, flairant l'odeur, se retient
d'éternuer, ramène ses jambes l'une contre l'autre,
réprime le tremblement de son corps enduit d'une
sueur froide qui fait suinter le sang séché, perler le
sang frais sur le rein; la narine gonflée de foutre
comprime l'insecte; le rire de Wazzag éclate; la tarentule pique la narine : le venin, poussé par le sang,
voile les yeux du putain, amollit la paupière; la main,
affaiblie, de Khamssieh, écrase la tarentule dans la
narine : le venin durcit son front; les ongles de ses
doigts raclent le sang refroidi sur ses seins; il tire, par
ses pattes engluées, la tarentule morte, hors de sa
narine, l'enfouit entre ses fesses; il repose ses coudes
exténués sur les amoncellements de serpillières :
son sexe s'effondre dans ses boules desséchées; le
relent de l'enculée baigne la salle; le frottis du jeans,
les pets, réguliers dans le silence auroral; le maître
de foutrée blotti dans le creux du matelas — une
empreinte unique marque le drap au lever, l'homme
ne se désenlaçant jamais du garçon, Wazzag ou Khamssieh alternés, qu'il prend au soir dans son lit —, yeux
clos, la couture centrale du drap prise entre ses fesses,
mange du sucre : tout son corps respire recouvert
par le drap que le sexe érigé soulève, mouille en son
milieu; le dattier enserre la taille de Wazzag avec
ses bras, palpe le creux du ventre sous le torse; dans
le même temps qu'un nouvel orgasme le couche sur
la croupe du putain, ses mains lui empoignent les
côtes, roulent la peau sur l'arête de la cage thoracique :
Wazzag suffoque, il se détache du zinc, desserre les
doigts du dattier; lequel, les doigts moites, fripés
du putain s'entrelaçant aux siens, bande, décharge
une courte giclée; ses doigts remontent sur les seins

61

de Wazzag, jusqu'aux bourrelets du cou du putain dont la tête est courbée sur le zinc embué par son souffle, tortillent la peau en sueur sous le menton hérissé d'un poil bleu clairsemé coupé à mi-boucle ; le dattier, sa main enveloppant la gorge de Wazzag, baise la bouche du putain, à la commissure des lèvres, lèche, aspire le filament d'écume répandu sur les gencives d'icelui dont la gorge bat contre la paume du dattier / ; Khamssieh vagit : le foutre des ouvriers, mêlé, fade, à sa salive, l'écœure ; son sexe fripé se rétracte dans la toison / ; l'autre main du dattier empoigne le sexe de Wazzag, l'écrase, durcissant, contre le bas-ventre, la paume creusant le pubis, dans le temps que l'orgasme — un filet de foutre au parfum de sang, ruisselant, sans secousse, hors du gland — rayonne et crie dans tout le corps du dattier ; lequel, roulant, accolé au putain, sur l'étendue de plancher qui longe le comptoir, extrait son sexe d'entre les fesses de Wazzag, se redresse debout, garde ses jambes nues écartées de part, d'autre de la croupe du putain vautré sur le ventre, ses doigts de pieds lui fouillant le poil, sous les aisselles ; lent, lui caressant, avec son talon empoussiéré, l'épaule, le cou, les boucles grasses des cheveux sur la nuque engluée, il palpe ses boules sécrétives contre sa cuisse enfoutrée ; les doigts de son pied ferment les paupières du putain contre le bois : .. « dors, mon soleil, tu m'as tout asséché. » ; Wazzag roule sa tête sur son bras dont le duvet brille couché par le foutre, son autre bras traîne sur le plancher jusqu'au pied nu du dattier qui reboutonne son jeans : les doigts de Wazzag caressent les ongles des doigts de pied du dattier, se faufilent entre les phalanges dont ils frottent,

62

gluants, la crasse sucrée ; le rire secoue les épaules, les reins du putain ; le soleil frappe la masse ambrée de ses fesses enveloppées de foutre, le foutre colle à son coccyx rougi les boucles du sexe du dattier ; Wazzag roule sur le côté, un filet de foutre coule dans le pli de la fesse écrasée, sur le plancher où un mouvement de recul de la fesse le délaie sur le bois ; la paume de Wazzag enveloppe le pied du dattier, le dattier dégage son pied, le lance contre la poitrine de Wazzag ; le putain prend le pied, le lèche, aspire la crasse sucrée retenue sous les ongles, mordille l'ongle craquelé ; le talon du pied, par saccades, se recourbe, ensalivé, sur la joue ; le jeans, collé aux membres par le foutre, couture enfoncée entre les fesses jusqu'à la couche excrémentielle, se défibre — sur le galbe de la fesse droite — éperonné, sur le devant, par le sexe redurci ; lequel soulève la bande supérieure de la braguette — la bande inférieure restant collée sur l'attache de la cuisse —; par cette ouverture engluée, Wazzag, redressé sur son séant, sa main écrasant le pied du dattier sur le plancher, enfouit son mufle empoussiéré : sa langue ramène sous le sexe dressé les boules sécrétives, ses narines aspirent le foutre dans les boucles, son oreille palpite roulée, sur la cuisse, dans les plis englués du jeans ; les boutons de la braguette marquent son front ; le dattier lui gratte les démangeaisons de sa chevelure ; un coup du vent force la vitre ; Wazzag engloutit les boules sécrétives du dattier, resserre ses dents sur leur racine ; la main de Wazzag est accrochée à la fesse du dattier ; le cul de Wazzag repose sur le talon de son pied, les ongles de son pied accrochent son gland ; le dattier faufile ses doigts gros dans les cheveux de

63

Wazzag ; son sexe, arqué sur la ligne des sourcils du putain, s'amollit, frôle, retombant, les cils de Wazzag ; le putain déglutit les boules sécrétives, sa langue cueille le sexe du dattier ; le dattier lance son genou dans la poitrine de Wazzag ; le putain, renversé, s'écroule, sur le dos, jambes ouvertes ; le dattier, reboutonnant son jeans, appuie son pied sur le poitrail de Wazzag ; le rire les secoue : le dattier, son menton écrasé dans les bourrelets de son cou, ses yeux ouverts enfouis dans le bord inférieur de la paupière, son front baissé, ses joues gonflées, sa bouche relâchée, suit le mouvement malaisé de ses doigts dans la boutonnière du jeans, Wazzag, la peau de son torse roulée sur les os par le pied du dattier, mord son poing ; le dattier, des corps frôlant la porte, ramasse ses espadrilles, les jette sur le ventre de Wazzag, prenant appui, les chausse sur le corps suffocant : redressé, il tire de son jeans une monnaie engluée qu'il verse sur la cuisse du putain —; il s'accroupit dans le chiotte ; Wazzag essuie, avec le dessus de sa main, son visage baigné de foutre jusqu'au front ; souffle, sa lèvre inférieure avancée en surplomb, les boucles du dattier emmêlées à ses sourcils ; se lève ; étale, sur son bas-ventre, sur le versant de ses fesses, avec ses deux mains ouvertes, les dépôts de foutre ; saute par-dessus le comptoir, entre dans le cagibi, pousse son pied entre les cuisses de Khamssieh — sous l'amas sexuel —, se dresse, regarde son visage, son cou, dans le miroir terni suspendu au haut du rayonnage ; Khamssieh, gémissant, enserre entre ses cuisses le talon de Wazzag ; le pouce du pied de Wazzag se recourbe sur la membrane d'ouverture du cul de Khamssieh ; Wazzag lève ses bras, les accoude au rayonnage : un pet léger s'échappe sur le versant poisseux de ses fesses ; son doigt racle le foutre dont ses sourcils bleus sont enduits, son ongle perce un abcès formé dans le temps de l'étreinte, sous les lèvres du dattier, à la gorge ; les rides de son front, les plis formés sur le bord latéral de l'orbite sont marqués de l'empreinte des doigts du dattier ; l'amas sexuel de Khamssieh colle au pied de Wazzag ; Wazzag s'accroupit, son amas sexuel se répand sur le genou de Khamssieh, sa main caresse le bas-ventre du putain, glisse sur l'aine, s'enfonce entre les cuisses, empoigne l'amas sexuel, le soulève, le rabat sur le bas-ventre ; Wazzag, s'agenouillant, se couche sur Khamssieh, le baise sur la bouche, sur la narine : « .. Wazzo, les hommes frappent le zinc, jette une serpillière sur mes cuisses ; au lieu de foutre, les larmes bouillonnent dans mon ventre, le venin de la tarentule a glacé mon sang, tire-moi par les pieds vers le soleil ; la tarentule qui saute sur l'assassin à l'endroit de sa douleur est passée, demi-morte, du sexe du boucher sur le mien.. » ; Wazzag se relève, tire Khamssieh par les pieds, sous le fenestron ; les larmes baignent le visage ensanglanté de Khamssieh : l'œil bleu repose dans l'orbite violacée ; Wazzag jette une serpillière sur les cuisses de Khamssieh ; une tête maculée de cambouis, surgit, corps redressé le long du mur, au fenestron : le crâne ras, bleuté, s'encastre ; la bouche, grande ouverte, découvre des dents éclatantes où la salive circule, refoulée par une langue pourpre : « .. je t'enculerais à travers le mur, chien. » ; l'haleine du tôlier souffle la poussière de toub ;.... / ses yeux, ses dents mordent la haute bouche du putain, sa haute gorge, écorchent sa poitrine, mordent son sexe tendu, ses boules durcies /.... ; le tôlier, sortant sa tête, jette son bras, à travers le fenestron, vers la gorge de Wazzag; lequel, déhanché, tête inclinée sur l'épaule, se redresse, saisit la main du tôlier, la retourne, en baise le creux, l'enserrant dans son poing lui fait toucher sa cuisse, le dessous de ses boules : la main du tôlier, sue, se rétracte dans le poing de Wazzag; le putain lâche la main, se jette en arrière; le tôlier crache; le crachat éclabousse le bas-ventre du putain; lequel, adossé au rayonnage, le menton enfoui dans les bourrelets du cou, délaie le crachat dans sa toison, jusque sous les boules; sa bouche mâche le mégot pris aux lèvres du dattier; son amas sexuel, ensalivé, luit dans la pénombre; Wazzag s'élance hors du cagibi, le ferme à double tour, monte dans la chambre du maître de foutrée, jette la clef sur le lit; le maître de foutrée, nu, pisse par la fenêtre; Wazzag, rapide, lui caresse le plat des fesses avec sa main : une trace de foutre séché sort d'entre les fesses du maître de foutrée, descend jusque derrière le genou; Wazzag, s'accroupissant, lèche cette trace, depuis sa naissance jusqu'à son interruption; la jambe tressaille; le jet scintille dans les rayons; dans la ruelle, debout, appesanti contre la porte, le tôlier lèche sa main embaumée de l'odeur séminale de Wazzag; Wazzag baise le tressaillement de la jambe; le maître de foutrée secoue son sexe, l'étire, essuie ses doigts aux cheveux de Wazzag; Wazzag cueille le sexe du maître de foutrée sur sa langue, le prend dans sa bouche; des gouttelettes roulent sur son menton, sur ses narines; le sexe grossit dans sa bouche :« .. laisse, j'ai le Khamssieh.. y a un tôlier en bas.. descends vite lui poncer les fesses. » ; Wazzag, étranglé, suffoque, crache un peu de morve sur le gland :« .. c'est lui qui va me poncer

66

les ailes... t'as pas vu son profil.. », remâche, ayant
parlé, sa morve, la ravale ; il lèche le gland, introduit
le bout de sa langue entre les petites lèvres, maintient
le sexe horizontal devant sa bouche grande ouverte ;
l'écume monte entre ses dents, déborde au coin de
ses lèvres ; le maître de foutrée lance riant son genou
dans la gorge de Wazzag ; la tête du putain porte
sur le bois du lit ; le maître de foutrée s'assoit sur le
bord du lit, prend la tête entre ses cuisses ; sous ses
doigts, une bosse se forme dans les cheveux de Wazzag : « .. le tôlier te la décabossera, Wawa. » ; Wazzag
se relève, le maître de foutrée lui essuie sa hanche
empoussiérée : « .. le Khamssieh, il est tari.. la tarentule l'a piqué.. » ; le maître de foutrée se vautre, jambes
écartées, sur le lit, il enfouit sa tête dans l'oreiller :
« .. le foutre lui reviendra avant l'aurore.. prenez
garde aux bouchers, aux commis bouchers, les taren-
tules aiment nicher dans leurs plafonds, par-dessus
la vapeur de sang.... après l'étreinte, secouez-vous.. » ;
Wazzag descend, le dattier sort du chiotte ; Wazzag
ouvre la porte de la rue, le dattier resanglé sur chair
assouvie, le tôlier sanglé sur chair érectile, se frôlent ;
Wazzag palpe la fesse du dattier : « .. reviens me voir
avant les naissances... » ; le jeans est enduit de foutre
froid, Wazzag essuie sa main à sa hanche ; dans le
même temps, le tôlier, déboutonné, se jette sur lui,
l'étreint par-derrière, lui frappe la nuque — Wazzag
courbe le haut de son corps —, l'encule, avec un cri
aigu, noyé dans la salive ; ses mains, enduites de vert-
de-gris, ses poings, recouverts de poussière d'aluminium,
pressent le ventre de Wazzag ; son pied mutilé — pouce
tranché par une tôle — se recourbe moulé dans l'espadrille contre l'orteil du putain ; le tôlier siffle modulé :

deux apprentis, sexe éperonnant le jeans, surgissent ; leurs narines sont maculées de cambouis ; dans le mouvement qu'ils font pour s'accouder au zinc, — / s'ouvrent, se relèvent les pans de leur veste de jeans boutonnée à cru sur la poitrine / —, la peau du ventre apparaît, bombée, nacrée ; le corps projeté en avant, une jambe repliée sous la fesse, pied calé contre le zinc, cuisse relevée au versant de laquelle le sexe étiré est serré dans le jeans collant, la couture de l'entrejambe bridant les boules sous la fesse contre le bord du cul, ils mâchent des bâtons de réglisse ; leur regard enveloppe la masse appesantie — malgré la pression des cuisses du tôlier — des fesses de Wazzag, l'amas sexuel d'icelui, rétracté sous la toison ; ils accordent leur respiration au halètement du tôlier ; leurs coudes, accolés, vibrent sur le zinc ; pendant l'orgasme, les yeux, vagues, voilés, du tôlier, sont assaillis, par les mouches ; le sexe des apprentis palpite sur la cuisse, des boucles de leur toison prises sous la couture tirent la peau bridée de leur sexe ; le tôlier rehalète sur la croupe du putain ; le jeans qui moule les fesses du tôlier, Wazzag, jetant ses mains en arrière de lui, le lui pétrit aux endroits où la sueur mouille la toile ; les mains du tôlier empoignent l'amas sexuel de Wazzag, le lui rabattent sur le bas-ventre, caressent les membranes, lissées, tendues jusqu'au bord du cul : .. « .. chien.. chien.. les jumeaux veulent te foutre... jusqu'à l'os... ils t'ont vu hier chez les femmes.... leurs mains suent.. la sueur marque les tôles qu'ils travaillent.... la peinture ne prend pas.. le patron dit : « que Wazzag ou Khamssieh me sèche mes apprentis ».... ils sont du nord... ils se font les ongles.. ils se boutonnent, le dimanche, sur les reins.. ils l'ont coupante, acide..

68

au garage, ils déchargent dans le loockeed.. au chiotte, le pied glisse sur le marchepied : cuvette, marchepied, tapissés de foutre... la gomina colle le sable à leurs cheveux.. le patron dit : « fais flairer le plus faible au chien brun, le plus fort au chien roux »... ils dorment dans le même lit, derrière l'atelier de tôlerie.. le plus fort pose des enjoliveurs sur les seins du plus faible, il l'entortille tout entier dans le drap, se couche sur lui.. au matin, je les désenlace, glacés par le vent de nuit.. »; Wazzag, courbé, lève ses yeux vers le bas du corps des jumeaux, sa langue lèche ses lèvres, les rides de son front, du bord de l'orbite, s'éclaircissent; dans le même temps qu'un troisième orgasme couche le tôlier sur ses reins, il racle sa gorge, crache; le crachat gicle devant l'espadrille d'un apprenti : le jumeau, son œil frais rivé à l'œil nu de Wazzag, écrase, dilue le crachat sur le bois — son sexe, cependant que la semelle de corde glisse sur le caillot de morve, se tend, grossit contre sa cuisse, forçant les plis horizontaux du jeans; la morve écrasée mouille la peau du pied à travers la corde défibrée, se mélange à la couche excrémentielle — chiens et hommes — collée à la corde par-dessus la couche de cambouis; le tôlier, rapide, retire son sexe, écrase, presse son gland violacé se teignant d'une transparence rosée, sur la fesse de Wazzag, le promène sur le versant : le filament s'arrache aux racines du sexe — le tôlier soupire, frissonne —, se colle à la fesse, trace une figure tremblée sur le duvet noir; le tôlier, dégrisé — son sexe rétracté refroidit sur la fesse de Wazzag —, frotte son crâne ras au dos suant du putain redressé; les jumeaux, avec leurs doigts enduits de minium, pressent leur sexe, à travers le jeans; le tôlier, projette, d'un

coup de tête, Wazzag sur les apprentis : le plus fort
lui empoigne le sexe, l'attire contre lui en étreignant
ses reins avec son autre bras, lui baise la bouche, lui
crache le jus de réglisse dans la gorge, continue de
mâcher la tige contre les dents de Wazzag, leurs
lèvres restant accolées ; dans le même temps, l'apprenti
roule le sexe de Wazzag contre le sien serré dans le
jeans, de pli en pli ; il lève son genou le long de la
hanche de Wazzag, sa jambe enserre le dessous des
fesses du putain ; l'articulation du genou moulée
dans le jeans frottant les bourrelets, le foutre séché
dans les plis glisse en poudre sur les mollets du putain ;
auquel, l'apprenti l'étreignant par saccades violentes,
un cri bref jaillit de sa poitrine pressée ; les mains
impassibles de Wazzag caressent les fesses frémissantes
de l'apprenti, leur pouce accroché aux passes du jeans
sur les reins : les autres doigts frôlent la couture du
cul, se faufilent entre les fesses où elle est prise, jusqu'au
cul ; l'une des mains — pouce accroché à la poche
arrière réduite par la retaille du jeans — enveloppe
la fesse, les ongles raclant, sur le versant de la cuisse,
la couture imprégnée de sueur séminale ; l'apprenti
enfouit sa mâchoire ouverte dans le creux de la joue
de Wazzag, sa main, dans le même temps, empoigne
les boules sécrétives de Wazzag, les tire vers le bas :
le putain, colleté, boules traîtes, jette, rapide, sa main
occupée à gratter le cul de l'apprenti, à travers le
jeans, de côté, sur la hanche de l'autre apprenti, son
doigt frôlant le bourrelet olivâtre de peau nue libéré
par la déchirure de la poche arrière, laquelle pend sur
l'arrondi des fesses ; l'apprenti, fixant Wazzag, laisse
déborder, couler, le jus de réglisse sur son menton,
jusque sur sa gorge palpitante, donne un bref coup

70

de reins vers la hanche étreinte de Wazzag : le
mouvement plisse les bords de la déchirure, le dessous
des fesses, lesquelles, moulées jusqu'au cul dans le
jeans — l'usure, la sécrétion incessante de l'*amour*
ont adouci, amenuisé le tissu —, se détachent, relevées
d'un coup de nerf, du zinc froid où le garçon les appuyait
pour débander ; les reins se déplacent vers Wazzag,
les pans de la veste de jeans frottent le ventre creusé
où la sueur scintille ; Wazzag lèche les cheveux durs,
noirs, du plus fort des apprentis, la gomina graisse
ses lèvres ; l'apprenti bute son front contre le menton
de Wazzag, il baise la gorge du putain, à pleines
lèvres, sa morve, expulsée par sa respiration saccadée,
éclabousse la gorge ; l'apprenti, geignant, écrase sa
narine dans le dépôt de morve, le dilue sur la peau
vertébrée ; sa jambe frotte le mollet durci de Wazzag ;
lequel, à pleine main, empoigne l'amas sexuel du plus
faible, relevé en ergot sous le jeans dessus le versant
de la cuisse, le tire, son pouce accroché à l'ourlet
inférieur de la braguette ; le plus fort frappe avec
son poing serré le milieu du bras de Wazzag, bouscule
le haut du corps du putain ; tenant, vif, dans son
poing, les boules sécrétives de Wazzag, il se tourne
vers son jumeau, lui crache dessus, lui lance son pied
entre les cuisses : le jumeau gémissant, plié en deux,
se prend le sexe à deux mains, déboutonne la braguette,
cueille sur l'index son membre érubescent, moulé
dans un slip de coton blanc maculé de cambouis ;
le plus fort pousse Wazzag tenu au sexe, jusqu'au
premier chiotte du couloir où le tôlier, accroupi, les
excréments éclatant sous ses fesses, d'une main tout
empoissée mange une grenade ramassée sur le ciment,
de l'autre arrache un filament de foutre à son sexe

71

redurci aux souffles, aux grincements des muscles, des apprentis pressant Wazzag; l'apprenti serre Wazzag contre le mur souillé; le tôlier jette la grenade sur la coulée d'excréments rouges, racle avec ses doigts enduits de jus, la merde accrochée à son cul, trempe ses doigts dans la boîte d'eau, essuie sa main au mur, au mollet de Wazzag, se redresse, se reboutonne, approche sa bouche de l'oreille de l'apprenti :« qu'est-ce que tu attends pour le foutre... que mon foutre sèche dans son cul... tords dedans un pan de serpillière mouillée.. un chien ne se lave jamais.. il se lèche ou se fait lécher... celui-là n'est pas assez souple pour se lécher lui-même son cul... c'est Khamssieh qui le lui lèche.. Khamssieh, à l'aube d'un seul jour dans le mois, après les étreintes, sort dans la rue, ses fesses, frottées l'une à l'autre, luisent dans le soleil rouge; il frôle le mur des poubelles, monte sur un monticule jonché sur son sommet de carcasses de poulets assaillies par des chiens blancs, il refoule les chiens, s'agenouille, s'étend sur les carcasses; jetant ses mains en arrière, écarte ses fesses; le soleil, un chien dont le poil est mouillé de rosée, jettent leur langue chaude dans le cul entrouvert; Khamssieh hurle, les chiens fouillent, le long de son corps, la couche spongieuse d'ordure que les menus vers, réveillés par, la pesanteur du corps, le rejaillissement du feu, percent; une chienne lèche la chevelure enfoutrée; dans le temps que sa langue enveloppe l'oreille du putain, Khamssieh sort sa langouse, la recourbe sur sa joue; les deux langues se touchent; le chien qui fouille le cul de Khamssieh, gronde, par-dessus le corps du putain saute sur la femelle, la mord à la gorge; Khamssieh avale les sucs de la langue de la chienne, faufile son bras entre les

72

pattes arrière du chien arc-bouté dans un tourbillon de boue, saisit son sexe, le palpe ; le chien s'appesantit, s'assoit le cul contre la joue du putain, sa lourde queue fourrée lui bridant le cou ; revenant au cul de Khamssieh, il s'arc-boute, frotte son sexe rougeoyant, gluant, sur le versant des fesses écartées ; un peu de semence brûlante coule sur la main de Khamssieh qui tient la fesse écartée ; Khamssieh, d'un coup de reins, repousse le chien, se redresse debout, nettoie le devant de son corps piqué de boue ; un menu abcès se déchire sur sa gorge.. » ; l'apprenti pousse Wazzag hors du chiotte — dans le mouvement de sortie, leurs deux corps se bloquent effervescents entre les linteaux —, il l'appuie au mur du couloir, ouvre le robinet fixé au mur entre les jambes écartées de Wazzag, dévie le filet d'eau dans sa main recourbée vers la cuisse du putain ; le tôlier traverse la salle commune, ses reins embaumés respirent chauds sous le jeans qui les bride ; l'apprenti frotte la cuisse ruisselante de Wazzag avec le plat de sa main ; le sexe du putain, tendu, s'emmêle dans un pan de la veste de jeans de l'apprenti incliné le long de lui ; la main de l'apprenti s'immobilise sur le dessous de la fesse de Wazzag .. « Khemissa... la merde me fait peur... » : le plus faible des jumeaux, la douleur chauffant son bas-ventre, se tourne accoudé au zinc, face à la porte entrouverte par le tôlier : sa hanche frôle celle du tôlier ; lequel, par-devant Khemissa, jette de la monnaie sur le zinc ; Khemissa bombe le torse jusqu'à toucher le coude du tôlier qui se retire ; ses yeux, mi-clos, fixent ceux, brillants, du tôlier, ses crocs, découverts, sa poitrine ronronne, sa gorge gronde ; ... « Khemissa... tes mains nerveuses torchaient les bébés,...

récuraient les casseroles... décrassent les carburateurs bloqués.. », Khemissa roucoule, tête inclinée sur l'épaule; son sexe sorti dans le slip hors du jeans, éperonne le coton *souillé*, tend l'élastique de l'ourlet, une touffe de poils filasse coiffe l'arc du sexe apparent dans l'ouverture de la braguette; le plus fort des jumeaux tire d'un trou dans le mur un boyau de tissu spongieux, il le tord sous le robinet, le plonge au fond d'un carton de poudre à récurer, le soulève, d'un coup de poing sur la nuque courbe Wazzag — lequel écarte ses fesses avec ses mains —, lui nettoie le cul avec ce lambeau tendu à bout de bras; la mousse mêlée de foutre, d'excréments, pétille dans la raie du cul, s'égoutte sur les jambes du putain : soulevée sur le lambeau secoué, éclabousse le devant du corps de l'apprenti, son front, les plis du jeans entre les cuisses; Khemissa accompagne le tôlier, le déboutonne, le reboutonne sur le seuil; l'apprenti jette le lambeau souillé dans le chiotte entrouvert, il pousse les reins de Wazzag courbé vers le robinet, place le coccyx du putain contre le robinet, ouvre à fond le robinet, se jette de côté : l'eau expulse la mousse brune du cul de Wazzag; lequel, hébété, sexe, boules, rétractés au froid dans la toison trempée, mains aux genoux, fixe, avec ses yeux grands ouverts, l'avancée de la flaque, où ses pieds baignent sur la terre battue, jusqu'au carrelage de la salle commune; l'apprenti ferme l'eau, entraîne Wazzag frissonnant dans le jardinet, lui essuie les jambes avec la bâche qui ombrage les lièvres grillagés; il enfonce dans le cul du putain un pan de la bâche durcie, il le retourne dans le cul ruisselant; Wazzag geint; le poing de l'apprenti serre sa hanche; projeté en avant par la torsion de la bâche entre ses fesses, Wazzag vacille, il appuie ses mains au châssis de bois de la cage, son sexe redurci — le poing de l'apprenti pétrit sa hanche tirant la peau du bas-ventre, de la racine du sexe vers le rein — s'écrase sur le grillage, le gland bloqué dans une maille est criblé par le sable soulevé par la fuite des lièvres; l'apprenti débourre le cul de Wazzag, la bâche s'effondre à ses pieds; grince, triturée par les pieds furieux de l'apprenti re-jeté contre le putain, par-derrière lui mordant le cou avec toute sa mâchoire; Khemissa, sur le seuil, palpe la fesse du tôlier, lequel faufile un doigt sous l'arc du sexe du garçon soulevé hors du slip contre l'élastique : face au bordel, sur un monticule dont le sommet dépasse le mur de la rue, un couple de chameaux bâtés s'étreignent agenouillés dans le sable brûlant; dans le mouvement du spasme, leurs genoux creusent dans le sable plus frais, plus lourd en profondeur, la semence scintille sur leur pelage blanc; gueule ouverte assaillie de mouches excitées par le feu auroral; le filament de bave, secoué dans les spasmes, pend hors de la mâchoire inférieure; Khemissa laisse sa salive mêlée de réglisse déborder de sa lèvre, couler hors de sa bouche grande ouverte, sur son menton, faire reluire sa gorge, le col poisseux de sa veste de jeans; les chameaux se désenculent, se vautrent sur le côté, yeux clos, gueule à demi fermée : une femme enveloppée de voiles bleutés, surgit, un seau de plastique vert au poing, suivie d'un enfant nu dont le sexe court est recouvert de gros sel : d'un coup de pied nu dans le poitrail palpitant de la chamelle, elle fait se redresser la bête; sous le ventre de laquelle, elle cale le seau; s'accroupissant, son enfant vautré sur le flanc du mâle jouant

avec le sexe gluant rétracté dans les chairs plissées,
elle empoigne le pis de la femelle, le trait, ses paupières
cuivrées closes sur ses yeux rougis par, le sel, la fureur
amoureuse de la nuit; Khemissa frotte ses yeux
encroûtés; le tôlier disparaît à l'angle de la ruelle;
Khemissa ferme la porte, s'adosse à la porte, enserre
le loquet entre ses cuisses, jambes raidies, manœuvre
le loquet contre son sexe ramolli dans le slip sorti
du jeans, empoigne sexe, loquet, dans ses deux mains
mêlées, les remue, son espadrille diluant un dépôt
de foutre — celui, le fluide noyant l'épais, du tôlier —
sur le plancher; le maître de foutrée descend dans
l'escalier, une assiettée d'omelette tenue contre sa
poitrine velue par son avant-bras, son regard effleurant
en oblique les yeux de Khemissa; le sexe du garçon,
sa gorge poisseuse, battent sous un coup de sang;
le maître de foutrée ouvre le deuxième chiotte du
couloir; ses fesses, polies par le mouvement de levée
du pied sur la marche, roulent dans la pénombre bleutée
du couloir, les reins, le dos, ondulent; l'œil, épie le sexe
de Khemissa, jailli, marbré, hors du slip; le maître
de foutrée dépose l'assiette devant le pied du pied-
bot accroupi en tailleur sur un marchepied, endormi,
sa tête appuyée dans l'angle, son visage piqué de menus
ergots de foutre durci, son maillot zébré de traces
excrémentielles; le maître de foutrée sort, referme
la porte à double tour; clef au poing, il revient dans
la salle; son sexe étiré amolli, bat ses cuisses velues;
Khemissa lève son bras devant ses yeux, son cœur
saute dans sa poitrine, ses genoux fléchissent; le
maître de foutrée remonte dans sa chambre : le haut
de son corps disparaît dans le haut de l'escalier, le
foutre scintille sur le duvet noir du dessous de ses

fesses ; Khemissa s'étend sur le côté, contre la porte,
il roule sur le ventre, rampe, haletant, dans la poussière soulevée, le long du comptoir ; la couture du jeans
se déchire entre ses fesses écartelées ; il se hisse dans
l'escalier, léchant l'empreinte des pieds du maître
de foutrée sur la poussière des marches ; au haut de
l'escalier, il se redresse : rasoir au poing, le maître
de foutrée, dressé sur une seule jambe, l'autre repliée,
talon appuyé sur le genou de l'autre jambe, démêle
le poil bouclé qui recouvre le versant de sa cuisse ;
Khemissa tressaille, il se jette, sexe éperonnant le
slip, sur le maître de foutrée, lui arrache le rasoir
au poing, s'agenouille, baise la touffe : le parfum,
le goût de la sueur séminale qui, baigne ses narines,
se dépose sur la pointe de sa langue, détendent ses
muscles, ses nerfs ; son front s'allège, ses vêtements
— slip, jeans, veste, espadrilles, gomina — se détachent
de son corps mûrissant ; / Wazzag, vautré dans le
foin de la resserre, son cul rafraîchi éperonné par le
sexe de l'apprenti, mâche, sa tête secouée à chaque
décharge, le foin empoussiéré ; sous l'écartement des
fesses de l'apprenti moulées dans le jeans braguette
demi-déboutonnée, suintent, polies, dans le foin,
les boules ocres encrassées du putain dont les mains
convulsées, exsudent, sur les brins, le sucre pris au
corps du dattier — son membre forçant sous lui,
rabattu contre son bas-ventre ; le jus de réglisse
s'écoule hors de la bouche de l'apprenti sur l'oreille
emmiellée du putain ; l'apprenti, orgasme suspendu,
s'appesantit sur le putain, lui enfonce sa tête dans
le foin ; Wazzag se débat ; vif, fort, se retourne sur
le dos ; l'apprenti, son sexe tordu, hurle, s'effondre,
jambes écartées, sur le dos, dans le foin ; Wazzag

77

s'accroupit le long de l'apprenti, il lui lèche la sueur froide qui perle à son front, à son nombril; il déboutonne, avec ses dents, le haut de la braguette, écarte les pans du jeans, de part, d'autre, du sexe — lequel rougi vibrant, repose sur l'élastique du slip; Wazzag, son dos frappé par le poing de l'apprenti, enfouit sa bouche dans le slip, aspire les dépôts de foutre accrochés sur le coton; sa langue recourbée, ensalivée, ramène sous le sexe les boules sécrétives, les engloutit en les aspirant; happe le gland par-dessus; la main de l'apprenti lui caresse les vertèbres du dos.. « cherche.. cherche... apporte... apporte.. », Wazzag secoue sa gueule bourrée, tire sur les racines, pose son bras sur la raie de son cul, l'agite en panache sur ses fesses roulées : le foutre qui jaillit contre sa gorge étranglée se réacide à la colère; l'apprenti se redresse, Wazzag déglutit, essuie sa bouche avec son poignet : une nausée lui courbe la tête sur le foin où il crache une salive mêlée de sang; l'apprenti, relevé debout, bombe les fesses.. « chien, lèche le plat. »; Wazzag, le menton baigné de bave rosée, se redresse, il flaire les fesses de l'apprenti, le jeans, mouillé, de sueur dans les plis, de foutre sur la couture de l'entrejambe; étreignant agenouillé, les reins de l'apprenti, il le déboutonne, fait glisser le jeans sur les genoux, hume le slip gluant, donne des menus coups de langue sur le coton lâche à l'endroit du cul.. « c'est trop chaud ?.. dépêche-toi... j'ai du travail d'homme qui m'attend hors d'ici.. »; Wazzag, avec ses dents, tire le slip sur le rein : comme le coton est collé à la peau par, du foutre durci, des traces excrémentielles fraîches, il lèche ces dépôts; le coton, mouillé, se détache; avec ses poings, Wazzag roule le slip dessous les fesses; pose ses lèvres sur la raie du cul bourrée d'un duvet brun soyeux ; Wazzag écarte les fesses avec ses mains, bloque son mufle entre les fesses relâchées ; yeux clos enfouis dans le gras des fesses, jette sa langue sur la membrane encroûtée ; l'apprenti, secoué par le rire — ses narines expulsent une morve mêlée de cambouis —, resserre ses fesses sur le mufle du putain, se courbe, main appuyée au mur de brique, écarte une fesse engluée avec sa main libre ; Wazzag, la lécherie remuant le haut retroussis de ses oreilles sur le gras du versant, donne des coups de langue réguliers dans l'ouverture engorgée : un coup de vent claque la porte contre ses fesses, l'obscurité resserre, refroidit, les corps, la langue se recourbe vers la gorge dans la bouche, le sexe de l'apprenti se rétracte ; l'obscurité s'évaporant, le sexe refleurit, les fesses tressaillent, la main de l'apprenti couvre les cheveux moites du putain ; lequel, d'un coup de pied, repousse la porte, à contrevent : le feu frappe son dos suant ; / dans la chambre, en travers du lit, le maître de foutrée, Khemissa, nus, dorment côte à côte sur le ventre : la clef du chiotte, du cagibi, enfoncée entre les fesses de Khemissa, oscille au rythme de la respiration du garçon ; sur le versant de la fesse du maître de foutrée, un dépôt de foutre transparent tremble entre les boucles / ; / les nègres, branlés, s'endorment sur le sable ; le berger lave ses mains enfoutrées dans le fossé d'eau rougie ; agenouillé, il boit, gonfle ses joues, recrache l'eau mêlée de foutre, sur le sable ; le nomade s'assied dans le bassin : le sucre crisse entre ses dents ; le sucre gonfle les poches des nègres endormis, une tache de foutre mouille leur short ; deux jumeaux sont couchés côte à côte à l'écart des autres soldats : leur long

79

sexe marbré, dépassant du short, repose sur les galets mauves affleurant, vifs, au sable ; une poignée de sucre ballonne leur short depuis la poche jusqu'à la braguette ; le berger trempe dans l'eau un lambeau de toile à sac accrochée à la cordelette qui serre ses haillons autour de sa taille ; il tord le haillon ruisselant, il le frotte entre deux galets ardents, le trempe à nouveau, le retord, le déploie ; il écarte les haillons qui recouvrent ses cuisses, gaine son sexe, ses boules, la raie de son cul, avec le lambeau rincé qu'il noue, sur ses reins, à la cordelette ; le nomade se redressant, le berger ramasse sa gandourah, la tient déployée devant le svelte corps ruisselant ; le nomade sort du bassin, lève ses bras, le berger roule la gandourah, habille le nomade, la gandourah colle au corps, le nomade frissonne, le berger lui souffle son haleine, chauffée par la sucée, sur l'oreille ; les jambes des jumeaux tressaillent sur le sable, le blanc de l'œil du nomade étincelle au bord du visage ambré : le sucre glisse hors des poches des jumeaux tourmentés par le rêve ; le nomade ouvre sa bouche, mâche le dépôt de sucre retenu dans ses gencives, plaque sa main sur la fesse du berger, le pousse vers les jumeaux, lui, gorge ébranlée par un rire sourd, mâchonnant, bouche ouverte, le sucre qui déborde de sa lèvre inférieure ; le berger s'approche des jumeaux ; le nomade redresse les chameaux, fourre les coupes de cuivre dans le sac de bât, noue les guerbas aux flancs des chameaux, pousse, tire les deux bêtes vers un cirque tapissé de galets, de charognes décornées ; le berger s'accroupit auprès des jumeaux, prend les sucres répandus sur le sable, enfonce sa grosse main écailleuse dans la poche d'un jumeau, empoigne les sucres; se déplace, accroupi, vers l'autre jumeau, suce un sucre bloqué entre ses dents, vide la poche du soldat; lequel, réveillé au bruit de succion, au frottement d'un pli de son short sur sa cuisse — le frottis allégé de la main du berger dans la poche, ébranle, progressif, les plis du short enfoncé entre les cuisses sous le sexe —, se dresse, saisit le poignet du berger, le tord — le sucre broyé scintille entre les doigts serrés du berger —, se relève debout, empoigne dans son autre poing l'oreille du berger, lui crache au visage une salive noire, mêlée de petits os de lièvre.. « carne de vautour.. »; le soldat pose son pied nu sur le pied nu du berger, creuse le sable dessous, frotte son talon au talon du berger, tord l'oreille : le berger vagit rauque : l'autre jumeau, réveillé, se redresse, tout un côté de son visage est enduit de sable..« .. Hamza.. regarde.. quand je lui tords l'oreille, sa peau se tend sur l'orteil, la corne de son talon tressaille.. », le berger lèche le poignet du soldat qui lui tire l'oreille.. « sangsue.. pour toi, mon foutre, le sang des moutons blessés... pour mon jumeau, mon sang d'homme jailli sous, l'aiguille, la dent de la fourchette.. »; Hamza, passant derrière le berger, nez pincé entre ses doigts, lui saisit la jambe, applique sa paume rose sur le talon du berger; le jumeau tord l'oreille, son avant-bras est baigné de la salive sucrée crachée par le berger dont le front ridé s'arrondit, durcissant : la peau, coriace, se tend sur la mâchoire, sur le torse, sur la hanche; sous la paume du soldat, la corne du talon frémit; le soldat rit, tord le pied; l'autre pince la peau tendue sur la joue, empoigne la mâchoire du berger, creuse les joues avec ses doigts, sa paume écrasant le nez du berger, serre la gorge :

le berger déglutit le sucre entre ses dents pourries ;
les deux soldats lui palpent tous ses membres, sous
les haillons ; le berger referme sa bouche ; ses lèvres,
sucrées, luisent : un soldat, redressé, en caresse les
plis avec ses ongles moites.. « .. Hamza.. sur mesure..
faites pour le gland .... toi, ton maître, l'amour ni
le poids de la nourriture n'alourdissent le foutre
dont il crible ta gorge.. » ; Hamza, découvrant la flûte
nouée au genou du berger, la prend, se dresse debout ;
cependant que l'autre jumeau retord l'oreille du
berger, Hamza oriente la flûte vers la bouche ouverte
sous le coup de la douleur, le souffle rauque du berger
force le sifflet : le coassement de la flûte éveille d'autres
soldats, ils se dressent debout, sexe éperonnant le
short ; le souffle halète dans le sifflet ; les soldats encerclent le berger pressé par les jumeaux, écartent ses
haillons, grattent avec leurs ongles recourbés, la peau
écailleuse de ses reins ; les phalanges roulent sur son
coccyx ; le souffle geint dans le sifflet ; les jumeaux
repoussent les soldats ; colletant le berger, ils le tirent
hors du cercle, sur le sable où, le relâchant, ils le
poussent, du pied, du bout d'un manche carbonisé
ramassé près d'un feu éteint, jusqu'au cirque ;
le nomade, assis sur le bord du cirque, ses jambes
enfouies dans le sable mêlé d'ossements, écorche
un lézard vivant : un feu brûle dans une anfractuosité
de la falaise ; le berger, ses reins, son dos, poudrés de
cendre, s'accroupit devant le feu, l'attise, rassemble
les braises avec ses mains nues ; les jumeaux sortent
des allumettes longues de leurs poches, les versent
dans le creux de la gandourah : « nous te louons ton
akli.. pour le nourrir... après, tu auras aussi un médi-
cament.. » ; le nomade, galbe des joues palpitant,

derme y glissant, en transparence, sous l'épiderme, prend les allumettes, les serre dans l'un des sachets de cuir suspendus à son cou, empoigne le bras du berger accroupi, le renverse dans le sable contre ses genoux, le baise sur la bouche, lui enduit ses lèvres de sable, redresse d'un coup de genou le berger, du pied le pousse vers les jumeaux ; lesquels, saisissant l'adolescent aux épaules, lui bourrant le gras des fesses avec leurs poings, le rejettent hors du cirque, le renversent dans le sable, le forcent à ramper côte à côte, entre eux deux, jusque derrière le camp ; ils se redressent, enjambent le barbelé ; le berger, poussé par Hamza que le rire secoue, titube, le barbelé accroche le lambeau humide qui serre son amas sexuel, Hamza lui frappe sa grosse main empêtrée dans les haillons, ramasse un bâton enduit de merde jeté hors du camp par les hommes de corvée, le faufile entre les jambes du berger, écrase l'extrémité souillée du gourdin sur le nœud du barbelé, relève le milieu du bâton contre la raie du cul ; le barbelé déchire le lambeau, griffe les boules sécrétives du berger ; Hamza, violent, empoigne la jambe de l'adolescent, le fait basculer de l'autre côté du barbelé ; dans sa chute, le berger laisse rebondir sa jambe sur le barbelé ; Hamza, saute ; le sang jaillit le long de la jambe dénudée ; Hamza jette du sable sur les plaies ; les jumeaux traînent l'adolescent sur le sable jonché d'ordures ; Hamza tient la flûte entre ses dents ; l'autre jumeau, du pied, pousse la portière d'une écurie basse construite dans la carcasse d'un véhicule blindé recouverte de tôles, de peaux ; les jumeaux jettent le berger sur le foin mêlé de coloquinte broyée, contre le flanc d'une vache assoupie ; Hamza s'accroupit devant l'adolescent; son jumeau sort; Hamza rit; avec le gourdin souillé, il triture l'amas sexuel du berger; lequel, vautré sur la vache, écarte ses cuisses dans le foin; Hamza, pourpre du rire affleurant à ses joues ébène, enroule au bâton les boules noires; la vache s'étire, creuse son ventre, le haut du corps du berger glisse le long du ventre de la vache, son dos écrasant les mamelles; Hamza promène le bâton sur le torse du berger, creusant sous les côtes, fouaillant les aisselles, le creux du cou — l'adolescent suffoque, crache, tête secouée, une salive rosée sur la souillure du gourdin —; la vache jette sa tête sur son encolure, sa langue enveloppe, le bâton souillé, la mâchoire du garçon; lequel, pâlissant, la secousse le redressant, tousse, sa main écartant le bâton; un feu brûle sa poitrine, ses yeux fument, Hamza les pique avec le bâton; le berger enfouit son visage dans le ventre de la vache, le bâton frappe sa tempe; il allonge ses jambes le long du ventre, enfouit ses pieds nus dans les fanons de la vache, jette son bras autour de la croupe; la vache lèche les blessures de ses jambes; l'adolescent tousse dans le pelage; Hamza lui frappe le gras des fesses; la vache jette sa corne contre le bâton; le jumeau surgit, tenant entre ses bras une marmite dont la vapeur sifflant sur l'eau heurtée baigne tout le haut de son corps luisant : un enfant, nu, titube, accroché à sa jambe; le jumeau dépose la marmite sur le foin; Hamza empoigne le cou du berger, tire la tête, la maintient au-dessus de la marmite, dans la vapeur; le jumeau, écartant le berger, cale le bébé dans l'angle de la cuisse de la vache, prend le pis, le fourre dans la bouche du bébé; s'accroupit, face à Hamza, souffle sur la bouillie de fèves;

le berger saisit une anse de la marmite, plonge son
mufle dans la vapeur ; Hamza lui empoigne les cheveux,
se redresse, traîne l'adolescent par ses cheveux, vers
le fond de l'abri ; le bébé, son visage éclaboussé de
lait, tète ; les jumeaux se jettent sur la bouillie, lapant
la surface refroidie, creusant dessous à pleines mains,
portant les boules malaxées à leurs lèvres ; les yeux,
les lèvres du berger luisent dans la pénombre vapo-
reuse : la bave baigne son menton ; le short des jumeaux
accroupis glisse sur leurs fesses à mesure que leur ventre
se remplit ; leurs narines aspirent des fèves ; entre les
bâfrées, ils se renversent sur le dos, sortent leur sexe
du short, l'orientent, dardé vers le berger ; lequel,
ses paupières vibrant sur ses yeux, suçote des brins
de foin trempés dans ses blessures ; les jumeaux,
ayant bâfré, se renversent sur le flanc de la vache,
le mufle barbouillé de bouillie, des fèves écrasées
sur le coin de leurs yeux, pressés ardents, leurs hanches
accolées, leurs lèvres s'abouchant contre le pis : le
bébé, déposé par Hamza contre le cul de la bête, la
tête appuyée sur la racine de la queue, dort, le lait
sèche bleuté partout sur son menu corps tressaillant ;
les deux jumeaux, riant cul relâché, tètent, dents
contre dents, le pis gonflé ; joue contre joue, entre les
tétées, ils s'arc-boutent ; butant leur front contre le
sol tapissé de foin souillé, ils guettent, leurs yeux
renversés sous l'arc des cuisses, le berger assoupi,
assis sur son séant, sa tête renversée soutenue dans
ses mains croisées sous sa nuque ; le berger, les deux
jumeaux se réabouchant au pis, marche, à quatre
pattes, vers la marmite où la vapeur fume sur les restes
de bouillie, langue pendante, salive accrochant la
poussière de foin ; Hamza, d'un coup de pied, renverse

la marmite, son talon frappe la bouche du berger ;
lequel, mastiquant ses gencives ensanglantées, recule
vers l'ombre ; Hamza, sa main empoignant le cuir
de la croupe, se hisse sur le ventre de la vache ; retourné
sur le dos, écarte ses jambes, les raidit, rehausse sa
tête sur le faîte de la croupe, se déboutonne, rabat
les pans du short sur ses cuisses, dégage son sexe
dont le gland est pincé dans la couture de l'entrejambe ;
le sexe jaillit, rebondit sur sa racine ; rabattu sur le
bas-ventre, rejaillit, chairs circoncises tirées vers
le milieu du membre ; l'autre jumeau se redresse
debout, s'adosse contre la porte de l'abri, se déboutonne,
laisse le short léger glisser jusque sur ses genoux,
raidit ses jambes, heurte le faîte de la porte avec le
haut de sa nuque, sa gorge annelée rit ; les deux jumeaux
ainsi dénudés, le rire tressaillant du haut en bas de
leurs corps, expulsant la morve hors de leurs narines
relâchées, leur bouche susurrant, entrouverte, à travers
l'écume, provoquent, bas-ventre ondoyant, hanche
remuée, le berger re-surgi hors de l'ombre avançant
sa main vers la marmite ; Hamza, redressé, l'empoigne
aux cheveux, l'attire agenouillé, sa hanche heurtant
l'anse de la marmite, entre ses jambes détendues, lui
force la nuque, enfouit la tête couronnée de cheveux
âcres entre ses cuisses imberbes, frappe la nuque,
se renverse sur la croupe de la vache ; les jambes de
Hamza durcissent contre les épaules du berger :
l'adolescent, les rides de son front attouchant le bas-
ventre de Hamza, ouvre ses lèvres sur le membre
spongieux du soldat, relève la tête — une trace de sang
marque sur le sexe l'emplacement du baiser ; le berger,
agenouillé, le sang circulant dans ses tempes, prend
le sexe dans ses deux mains, le caresse durcissant,

tirant les boules, empoigne dans une main les boules imbibées, branle avec les doigts gourds, crevassés, de l'autre main, le sexe dressé grossissant contre sa paume sous la poussée du foutre; lequel, giclant, tapisse sa gorge, déborde à la commissure de ses lèvres; l'adolescent mâche le foutre contre le gland, sort le gland de sa bouche, l'enfonce dans sa large narine encroûtée, aspire l'ultime filament, lequel, gland retiré, s'écoule hors de la narine sur le bord de la lèvre supérieure; le berger lèche ses lèvres; Hamza, dégrisé, resserre ses jambes; l'adolescent recule, éternuant, toussant, vient se placer, genoux, poings, au sol, devant les jambes longues lisses de l'autre jumeau le long desquelles il se redresse, happe le sexe ébouillanté, le branle, muscles bridés de la cuisse attouchant sa joue; alertés par Hamza redressé, sorti hors de l'abri, tous les soldats, gavés de bouillie, le short relevé en hâte sur les fesses éclaboussées d'excréments flatulents, sortis de la sieste, détachés, se pressent, nus, demi-nus, nus les reins ceints d'un ceinturon garni de cartouchières, nus l'épaule bridée par le PM, nus le casque enserrant la tête plissée par la couchée, demi-nus le short collé à la fesse par la bouillie, demi-nus le torse suant une sueur transparente; Hamza prend sucre, tabac, dans leurs poings, dans leurs poches, ouvre la porte de l'abri; l'adolescent, menton baigné de foutre, déglutit le membre du jumeau; sur sa lèvre supérieure relevée, foutre, morve, mêlés, scintillent; les soldats, bousculant Hamza, le jumeau branlé, poussent du genou, du pied, l'adolescent, vers le fond de l'abri; ils plaquent pêle-mêle leurs sexes inégaux contre sa bouche, le lui font tenir dans ses mains ouvertes, leurs doigts s'entre-

87

laçant aux siens; l'adolescent, ses joues creusées par les glands durcis mêlés, son visage tout entier attouché par les glands — sucés par lui au bord du bassin, redurcis aux rêves de l'assoupissement —, ses orbites comblées, ses cheveux roulés, ses tempes battues par les boules fauves, happe le gland le plus proche de ses dents, dégage une de ses mains saisies, attrape, ses doigts remontant le long d'une jambe raidie, les boules suspendues sur la cuisse nue : un sexe tressaillant contre son oreille, sa main fouille entre les cuisses pressées devant son visage, empoigne toutes les boules : le gland recouvert par ses lèvres, vibre, quand sa main enveloppe, commence de traire des boules répandues sur le versant d'une cuisse velue où le sable glisse dans les boucles sèches; l'adolescent suce le gland, l'engloutit dans sa bouche ensalivée; les chairs circoncises se dilatent sur le tranchant de ses lèvres; ses lèvres, le gland calé contre son palais, roulent sur le membre coriace; sa main resserrée sur les boules, remonte vers la racine du membre, deux doigts la pressant dans le même temps que les lèvres travaillent le milieu du membre; la sueur flue sur la cuisse du soldat, perle sur les phalanges, sur le rebord des lèvres du berger; des jambes nues glissent le long de ses chevilles, des cuisses nues, l'amas sexuel d'un soldat attouche ses orteils recourbés dans l'agenouillement; lequel soldat, jetant ses bras autour des reins du berger, se déplace sur le gras de ses fesses, accole son torse nu au dos de l'adolescent, écrase ses boules sur les orteils rugueux d'icelui qui suffoque, sursaute, recule, sa bouche emplie d'un foutre lourd, nacré — le soldat branlé resserre ses cuisses sur la bouche gonflée vers l'avant : la racine du membre, pressurée, expulse un foutre intermittent qui se répand en caillots sur la langue du berger ; lequel, avec sa main enfoutrée — à l'autre, ouverte, broyée, écartelée, les soldats font toucher, palper, pétrir, retrousser, caresser, ballotter leur sexe —, tâte d'autres boules, yeux clos sous les glands ardents, lèvres suçotant le membre ramolli du soldat ; pris entre deux autres, déhanchés, le short, déboutonné, retenu par la hanche soulevée un soldat, nu, casqué, la jugulaire bridant sa gorge haletante, se branle, épaules comprimées, jette son sexe éjaculant sur les lèvres du berger ; l'adolescent, au contact de la chair gluante, cale le gland du sucé dans sa joue, sort sa langue, lèche le sexe, plaqué contre sa joue, du soldat casqué : le sexe décharge, le foutre baigne le menton de l'adolescent ; le soldat casqué, bousculant les autres soldats, approche son ventre de la bouche du berger ; lequel, d'un coup de langue, lui happe le sexe ; cependant que le soldat, nu, ceinturé de chargeurs, assis à l'arrière du berger, enfonce son sexe entre les fesses — dénudées par le frottement de son bas-ventre — de l'adolescent, celui-ci roule dans sa bouche, contre le sexe du soldat branlé celui, toujours éjaculant, du soldat casqué ; la vache, sur laquelle repose Hamza, yeux mi-clos — entre les jambes, raidies tour à tour, des soldats dolichocéphales, le remuement des chairs, des peaux, sucées, bridées, gonflées, rétractées, scintille, depuis la gorge, les oreilles, du berger, jusqu'au torse, du soldat branlé, à la gorge, du soldat casqué, plus bas, au ras du foin, depuis les seins, les chevilles, du soldat ceinturé, vers son bas-ventre étiré dans la fente des fesses du berger —, jette sa langue entre les cuisses de Hamza, fouille, peaux, membranes, pans du short, boucles de la toison, mêlés, collés par le foutre / .. « Maman Présidente, fais-nous vite une génisse... même encroûtés, même vérolés, les orifices de ce coûteux akli, sont plus étroits, plus doux que les tiens, ses dents pourrissantes ne peuvent blesser notre membre retroussé.. coûteuse carne, pour trois poignées de tabac, cinq de sucre.. carne bubonneuse... sa bouche suce le membre d'un seigneur immaculé... O Mama Présidente, offerte à nous affamés à la frontière du grand désert par notre Président du fleuve, de la brousse électrifiée.... O Mama Présidente Odalisque Maquerelle.... »; un reflet mauve ondule sur le coccyx suant du soldat casqué lequel, raidi pour un deuxième orgasme, plaque ses mains déployées sur le crâne du berger couronné de glands; la bouche de l'adolescent, vive, les deux sexes retirés, est investie par d'autres sexes, effilés, tordus, noueux, vérolés, lisses; le soldat ceinturé, se hissant sur la croupe du berger, le renverse en avant, le plaque au sol, appesantit son corps suant sur celui, haillonneux puant, du garçon, raidissant ses hautes jambes cuivrées, l'encule; les genoux creusant la poussière de foin, les chargeurs labourent les reins de l'adolescent, le ceinturon baigne dans la sueur, bridant les fesses de l'enculeur; les soldats s'agenouillent devant la tête du berger; prenant appui sur le foin, abaissent leur bas-ventre vers son crâne empoussiéré, approchent leur sexe dardé du visage écrasé *sous la pierre noire*; lequel adolescent, son cœur refroidissant sous ses poumons compressés, avance sa bouche en avant de ses joues gonflées, ouvre ses lèvres, s'abouche aux glands; les soldats, cuisses, jambes raidies de part d'autre du genou bridé, se branlent, déchargent entre les lèvres épanouies, s'écrou-

lent sur le haut des deux corps accouplés; l'enculeur, au bout de trois giclées, se redresse, la merde
bouillonnant à l'ourlet de son cul; il enjambe la
croupe de l'adolescent, sort, les rayons happent,
mordent son sexe gluant; il s'accroupit contre le
barbelé, sur le revers d'une éminence, goudron boursouflé qui surplombe l'inclinaison incandescente du
désert; les excréments éclatent sous ses fesses, le ceinturon bride son estomac, son sexe pend encrotté au-
dessus du sable; à chaque coulée de merde, un caillot
de foutre est expulsé par le gland violacé; sur le seuil
de la chambre du morse, vautré, short léger, chemise,
échancrés sur le nombril, le chef de poste, soulève
dans ses poings la dorcade gavée de lait concentré, la
laisse retomber, pattes vacillantes, sur son ventre
bombé; progressif, le cul duveté de la bête attouchant,
plus chaud à chaque retombée, son bas-ventre, il
roule sur le côté, pressant contre sa poitrine la dorcade
au poil tressé par la sueur, élève sa jambe, repousse
la bête vers ses cuisses, enserre la patte arrière supérieure dans l'articulation de son genou; ses mains
palpent le museau, ses doigts s'enfoncent dans les
oreilles de la bête qui couine; son sexe éperonne, à travers le short, le ventre, le cul, de la dorcade; le soldat
ceinturé torche son cul avec ses doigts, les essuie au
sable; des vautours, au bord du bassin, gobent les
caillots de foutre; les soldats, un à un, sortent de
l'abri, riant, se poussant du genou, allégés, la cuisse
brillante; dans l'abri, les deux jumeaux, gorge altérée
par la branlée, tètent, vautrés, doigts entrelacés au
pis; seul, le soldat casqué — son casque a glissé sur
sa nuque, libérant sa chevelure bleue —, couché sur
l'adolescent, l'encule à forts coups de reins, ses che-

91

veux dressés en mèches flamboyantes balancés brillants ; son foutre vif refoule, dans le cul corrodé du berger, celui, glu excrémentielle, du précédent soldat ; le rire assaille son torse haletant ; la marmite renversée luit dans la poussière de foin : les yeux libres du berger fixent la coulée de bouillie sur le foin le long du rebord du récipient ; le casqué, tête redressée, mains croisées à plat sur la nuque de l'adolescent, hennit ; les fesses du berger, pressées par les cuisses du casqué, tressaillent : pendant l'érection, l'épiderme écailleux adhère à celui, imberbe, lisse, du casqué ; s'en détache, après l'orgasme, sous l'effet du refroidissement de la sueur de l'enculeur ; redressé, le casqué, son membre dégainé battant sa cuisse, soulève, avec son pied enfoncé sous le menton, la tête du berger : les joues de l'adolescent, son front, ses mains éparses dans le foin, se dessèchent, pâlissent ; ses yeux se révulsent ; le casqué ramasse dans le foin une étrille, peigne de tonte, s'accroupit, frotte les fesses, les reins, le dos, du garçon : les abcès éclatent sous les dents ; le sang affleure, le front, les joues, les mains, du berger, rosissent, la sueur fait luire la crasse dans les plis, dans les rides ; le casqué jette l'étrille, cambre ses reins — un caillot de foutre, expulsé hors du membre par la crispation des nerfs, des muscles des reins, jaillit sur la cuisse du soldat, roule sur son genou —, se hausse, jambes raidies, sur ses orteils suants, durcit son sexe, le crante au niveau ; crache, sur la tête du berger ranimé, une salive mêlée de bouillie ; l'adolescent, rumeur des lèvres suceuses, des muscles tendeurs vers le sexe, geint : le casqué recrache ; le berger enfouit son visage dans le coude de son bras nu ; Hamza, du bout du pied, déplace la marmite ; l'adolescent relève la tête, se redresse, poing appuyé au

92

sol; le casqué, muscles détendus, avance, enserre
l'épaule du berger entre ses genoux; l'adolescent pose
ses lèvres — où le sang revient sous l'épiderme fébrile —
sur le gland du casqué, lèche la pellicule de foutre
encrotté, yeux clos, jambes resserrées sous les fesses,
le cul, la gorge, englués, les épaules affaissées; aspire
l'ultime filament; le casqué, joue inclinée sur l'épaule,
élève sa main, cueille sur l'ongle une larme au coin
de sa paupière; les yeux du berger s'ouvrent, fixent,
pâles, piquetés de rouge, ceux, cuivre-sang du casqué
lequel, pressant le visage du garçon contre ses cuisses,
laisse couler sa salive brune, hors de sa bouche entrouverte, en filament, sur la nuque du berger; Hamza
sort de sa poche, la flûte prise au garçon, il l'enfonce
dans son short, entre ses fesses, tournillant le sifflet
dans son cul souillé; se redresse, marche, à genoux,
vers le berger, saisit la jambe du casqué : « .. Assa,
tu fais du flan? »; le casqué, sursaute, détache son
gland des lèvres bubonneuses de l'adolescent, l'essuie
aux cheveux d'icelui que la fièvre éblouit, un fort
soupir gonfle, creuse son torse où poil, cendre, mêlés,
frisent dans la sueur entre les seins; le berger, libéré,
étire son bras vers la marmite; Hamza bondit, frappe
le poignet du garçon avec l'étrille souillée de pus, se
jette, agenouillé, sur lui, l'étreint, par-devant, bouche
ouverte mimant, écartée du visage vérolé, les morsures
du baiser dans les cheveux; le berger avance ses lèvres
vers la bouche ensalivée de Hamza; Hamza crache;
le berger retire ses lèvres éclaboussées; Hamza ramasse
des poignées de foin; touffes entrelacées aux doigts,
ses poings labourent les reins du garçon, creusent le
gras de ses fesses : le lambeau mouillé — écarté du
cul par les enculeurs —, dégorge, sous le poing, le

93

foutre refoulé qui le boursoufle; Hamza, se détachant du berger, se redresse, s'adosse, debout contre la porte rabattue : le soldat casqué, accroupi contre le dépôt d'essence, chie dans le sable, yeux clos, aine, bas-ventre, haut des cuisses, moulus, sexe broyé — devant le lieu où ils enfouissent leurs déjections, les doigts souillés des soldats ont moulé dans le sable le corps d'une grande femme couchée, sur le ventre de quoi les foutres sèchent superposés; Hamza enfonce le sifflet de la flûte entre les lèvres du berger, introduit, jambes raidies, son sexe encore ramolli dans l'extrémité évasée de l'instrument; l'haleine attiédie du berger, comprimée dans le tuyau, émeut le sexe de Hamza, le durcit; Hamza le branle; la flûte siffle; le foutre jaillit, noyant la trille; le berger aspire la giclée qui ruisselle dans le tuyau secoué; son sexe asséché, Hamza abandonne le berger; lequel, relevé, nettoie ses haillons — dans le foin, à l'emplacement de la foutrée, les haillons arrachés à ses reins, à ses fesses, dans l'enculage, gisent englués, parmi les gerbes enfou-trées; Hamza, son jumeau, bondissant, empoignent le garçon aux épaules, le poussent dehors, leurs poings serrés glissant sur le fessier luisant de foutre, de pus; au barbelé, ils couchent l'adolescent sur le sable; lui tenant chacun une oreille, ils s'accroupissent, chient, de part, d'autre, de la tête vérolée; au cirque, ils le jettent, tout ensablé, aux pieds du nomade; lequel, déchirant entre ses dents le lézard rôti — le voile qui bride ses lèvres est souillé de cendre, de graisse —, enfourne la queue, les pattes, dans la bouche du berger; Hamza, courant, revient au camp, traverse la cham-brée bondée de corps effervescents nus, demi-nus, assoupis à l'écart des cloisons incandescentes, ouvre

son sac, y prend un vaporisateur d'eau de Cologne
qu'il fourre dans sa poche, recourt à longues enjambées,
recourt vers le cirque : le nomade, son lézard dévoré,
essuie ses lèvres avec le pan d'un lambeau de voile
répandu sur la poitrine du berger; lequel, assis entre
les cuisses du nomade, croque les écailles de la queue,
les griffes, sa langue sortant, épaisse, d'entre ses dents,
pour lécher les doigts graisseux du nomade; Hamza
s'accroupit, vaporise, haletant, entre les cuisses du
berger, le lambeau qui gaine l'amas sexuel; le berger,
sursautant, plaque ses mains sur son amas sexuel; le
nomade arrache le vaporisateur au poing d'Hamza,
caresse le flacon bleu, la poire grise, vaporise le crâne
du berger pressé contre sa poitrine, dépose ses lèvres
bridées par le voile sur le crâne parfumé; dans le
lambeau, le sexe du berger tressaute, se tend; le
nomade y met la main : les abcès crèvent dans le
durcissement; le berger relève sa tête retournée, avance
sa bouche vers les lèvres bridées du nomade; lequel,
rejetant sa tête en arrière, resserre ses doigts sur le
sexe durci du berger, à travers le lambeau; ses doigts
descendent sur le versant de la cuisse; au contact
de l'aine suintante, se rétractent; les jumeaux, ventre
bridé, gorge nauséeuse, cul, sexe, suintants, s'écartent;
le regard de leurs têtes retournées sur le haut de leurs
corps arrêtés fumants au bord du cirque, perce, à
travers la brume d'incandescence, les yeux or piqué
de sang du berger barbouillé; au mouvement de ses
lèvres enrobant, suçant, la tête calcinée du lézard, leur
sexe se tend sous le short; au barbelé, ré-accroupis,
ils rechient sur l'empreinte, dans le sable, du corps
traîné de l'adolescent; adossé au portail du camp,
face au bassin, le jeune nomade tient par l'épaule

95

son akli; les jumeaux, la merde graissant leurs fesses frottées, foulent le sable; le nomade se baisse, visage bridé, saisit la jambe de l'adolescent, caresse les blessures, relève la jambe dénudée, souffle sur le talon ensanglanté, relâche la jambe, se place devant l'adolescent, jette sa longue main lisse entre les cuisses, écarte, du poing, le lambeau cache-sexe, empoigne l'amas sexuel embaumé, le rabat sur le ventre, ses ongles frôlent les membranes écorchées; le berger lève sa cuisse écartée; ses yeux roulent sous ses paupières vérolées; Hamza dégrafe son short, rabat un pan sur sa cuisse, le nomade pose le pouce sur une médaille d'alphabétisation épinglée au revers du tissu; Hamza la dégrafe, la lui met dans le poing; le nomade l'agrafe au voile qui bride ses yeux; il pousse le berger hors du camp; Hamza, son jumeau, épaules jointes, s'accroupissent, boivent à longs traits au baquet, arrosent d'eau rouge leur corps tout entier avec le tuyau tenu au poing; redressés, ruisselants, ils se jettent l'un contre l'autre, s'étreignent, tombent, se roulent dans le sable, s'appesantissent, écrasent l'un contre l'autre leur sexe tendu, se mordent au front, rampent, accolés, le sable recouvrant leurs épaules nues, leur tête secouée dans le baiser : crâne, oreilles, gorge scarifiées, nuque marquée par les mailles du hamac; les poings d'Hamza creusent le sable sous le ventre, s'enfoncent dans le short, comblé de sable, de son jumeau; Assa sort de la chambrée, nu, recasqué; ses pieds mauves broient le sable ardent; le sable est accroché aux traînées de foutre sur ses cuisses, de merde sur le gras des fesses; derrière lui, se pressent tous les autres soldats, sexe dardé nu, dardé sous le short, dardé sous le slip; ils lui tiennent le gras des fesses; le nomade, le berger, pressés contre les chameaux, s'éloignent, courbés sous le vent, le nomade, sa médaille étincelant sur le voile entre ses deux yeux, vaporisant le crâne, les cuisses, les fesses, de l'adolescent, que le vent dénude à chaque rafale // le maître de foutrée, redressé au bord du lit, le foutre sec pétillant sur sa peau bridée, foule du pied les vêtements de Khemissa, faufile le pouce de son pied soulevé à travers la déchirure du jeans, sur le bord extérieur de la poche arrière, appuie ses orteils sur la couture de l'entrejambe, cueille le slip collé au jeans, sur le bout de son pied, le sort du jeans ; il élève sa jambe, saisit le slip dans son poing ; cependant que Khemissa, geignant — sa gorge gronde, ses lèvres relâchent un peu d'écume sur le drap —, resserre, endormi, ses fesses sur la clef, le maître de foutrée enfile le slip du garçon : l'ourlet du slip baigne dans les sécrétions de l'attache de la cuisse ; le maître de foutrée écrase son sexe tendu contre sa cuisse, le coton prend l'humidité de son amas sexuel augmentée quand, reins cambrés, doigts déliés sur les hanches, il scrute, alternés, le plat des fesses de Khemissa, sa joue lisse, rosée ; son sexe, gland recourbé sur le coton, éperonnant le slip, il se rapproche du lit, se penche sur Khemissa, projette la chaleur de ses cuisses sur le corps nu, sa main allégée tourne la clef dans le cul du garçon ; lequel, sursautant, sa hanche heurtant le sexe surtendu du maître de foutrée, se renverse sur le dos, élève, joue barrée d'écume, son genou vers le sexe du maître de foutrée, le genou touche les boules sécrétives sorties du slip étayé ; le rire, éclatant, secoue le torse du garçon ; lequel, ses yeux, enfouis dans les joues plissées par le rire, fixant ceux, obliques sous l'auvent des cils, du maître de foutrée, retire la clef

97

de sous son amas sexuel ; le maître de foutrée se penche,
il s'accroupit, sa bouche avancée à niveau du ventre
de Khemissa ; le garçon délie ses doigts sur les lèvres
du maître de foutrée ; son rire tremblé — le souffle du
maître de foutrée baigne sa hanche, le versant de son
ventre — libère des gouttelettes au bout de son sexe,
d'urine retenue depuis l'enculage du maître de foutrée,
pendant le sommeil ; les gouttelettes roulent sur le
versant duveté de sa cuisse ; le maître de foutrée, passant son bras sous les épaules baignées de sueur dans
le drap, se redresse, il soulève Khemissa enserrant
dans son poing son amas sexuel encore gluant ; le
maître de foutrée étreignant, de dos, le garçon, le
pousse le long du lit embaumé jusqu'à la fenêtre ;
d'une main, il fait glisser le slip sur ses cuisses, de l'autre,
il enveloppe la main du garçon, celle-ci tenant le sexe
gonflé d'urine ; dans le même temps que Khemissa,
sur une pression des doigts du maître de foutrée sur
sa main, relâche l'étreinte de sa vessie, le maître de
foutrée faufile son sexe dardé entre les fesses du garçon ;
urine, foutre, jaillissent ; tous les muscles des jambes
accolées, se détendent ; le maître de foutrée jette sa
bouche dans les cheveux bouffants de Khemissa, sa
main lui fouille ses boules sécrétives ; sous sa paume,
le membre du garçon se vide : le jet, arqué, troue le
sable où chie le commis de boucherie ; la cordelette
du tablier trempe dans les excréments ; le jet éclabousse
brûlant le pied nu du commis ; lequel, sa tête redressée,
renifle une morve ensablée ; sa langue sort de sa bouche
dans le même temps qu'un étron rouge sort de son cul ;
le maître de foutrée baise le torse riant de Khemissa :
le sexe tendu du commis attire au gland le sable ;
l'étron reste fiché dans le cul ; le commis jette sa tête

98

de côté, il secoue ses reins, gémit, mord son épaule, pousse, le vent a asséché son cul : il saboule son fessier, l'étron, balancé, se plaque au coccyx ; un enfant, noir, nu, tire une mécanique sur le sable : bidon de Shell monté sur roues, le commis lui jette une pièce devant ses pieds, tourne vers lui son fessier souillé ; l'enfant lâche son jouet, il s'accroupit devant le fessier, il racle l'étron avec ses deux mains entrelacées ; le commis prend une autre pièce dans la poche de sa chemise ensanglantée, il la jette par-dessus son épaule, dans le sable, l'enfant met son pied dessus ; l'étron glisse sur le sable, un autre, truffé de menus os broyés, sort du cul du commis, l'enfant, appuyant sa joue sur son genou, empoigne l'étron, le tire vers le sable ; ouvre sa main sous le cul du commis ; lequel pousse : la sueur délaie le sang de boucherie sur les rides du front crispé ; l'enfant secoue sa main sous le cul, fait tinter ses dents ; le commis, son cul resserré, rafraîchi, se redresse, repousse du genou l'enfant qui, par-devant, lui saisit les pans de son jeans ; se reboutonne ; l'enfant mâche la monnaie, essuie ses mains au mur du bordel ; le commis, ses lourdes fesses ensachées dans le jeans, marche vers le mur souillé par le jet de Khemissa, redresse sa tête vers la chambre ; Khemissa, secoué par les décharges violentes du maître de foutrée, plaque ses doigts écartés sur ses cuisses moites ; la sueur circule dans sa toison noire ; les bras du maître de foutrée enserrent son torse ; la hanche du maître de foutrée se vide, se remplit contre son rein ; le commis lèche la trace du jet sur le mur, il se dresse sur ses orteils ; Khemissa étire son sexe vers le bas jusqu'aux lèvres épanouies du commis ; une décharge plus vive du maître de foutrée projette Khemissa en avant, son gland touche les lèvres du commis; lequel enveloppe le gland dans sa langue; les cuisses de Khemissa tressaillent contre le rebord; le maître de foutrée tire Khemissa vers l'intérieur; le commis appuie sa langue à l'empreinte, sur le toub, des cuisses de Khemissa; le maître de foutrée, son sexe patouillant dans le cul enfoutré de Khemissa, pousse, pied à pied, le garçon vers l'escalier au bas duquel, le commis, son tablier troussé, tordu dans la chemise échancrée, mains aux hanches, reins cambrés, jambes écartées, sa lourde chevelure crépue semée de menus os, de lambeaux de nerf, de chair secouée, darde, hors de la braguette déboutonnée, son sexe violacé au gland duquel pétille le sable; le maître de foutrée se désencule, pousse Khemissa dans l'escalier, le foutre coule sur les jambes du garçon; Khemissa, frissonnant, s'assied sur une marche, le torse, la tête, tournés vers le mur, l'arête de la marche écartant ses fesses engluées; le commis, balançant son sexe dans sa main, pose le pied sur la première marche; le maître de foutrée essuie son sexe enfoutré à son index recourbé; le commis élève sa jambe, pose son pied sur la deuxième marche, courbe son torse vers son genou — son sexe dardé rentre dans la braguette tirée par le mouvement de la cuisse —, avance sa main ensanglantée vers la fesse de Khemissa, saisit le gras de la fesse du garçon, le soulève, sa tête, yeux plissés, se renversant sur l'épaule, le palpe, fouille dessous, tâte l'amas sexuel; dans le même temps, il empoigne la chevelure tabac de Khemissa, baise le visage renversé du garçon, sur la bouche, à pleines lèvres cueillant l'écume; Khemissa, les lèvres du commis frôlant son front, la racine de ses cheveux, sa main, ses reins, se laisse glisser, jambes écartées,

vers le bas de l'escalier; le plat de ses fesses touche
le sol, le foutre sec pétille sur ses boules durcies; le
corps empuanti, du commis, où le foutre circule, pousse
le sang, dans les lèvres, s'accroupit, se penche sur celui,
alangui, dégrisé, de Khemissa; appuyé au mur du
couloir, en face du chiotte, Wazzag, lèvres souillées,
gratte un ergot de foutre durci sous son sein gauche :
l'apprenti descend du chiotte, sexe sorti du jeans;
ses mains éclaboussées d'urine lustrent ses cheveux;
le mouvement des bras soulève les pans de sa veste
de jeans, découvre les bourrelets de la hanche contre
le haut du jeans; Wazzag attire à lui l'apprenti, par
le jeans; reboutonne la braguette tachée de minium,
remonte le jeans au-dessus de la taille, couvre les
fesses moulées avec ses paumes, les caresse jusqu'à ce
que le foutre dont les fesses sont enduites, perce la
toile du jeans; lors il remue du bout des doigts la
souillure engluée; l'apprenti, cambrant ses reins, prend
la tête large du putain entre ses paumes, écrase,
essuie, sur le front, les lèvres d'icelui, ses narines emplies
de morve; Wazzag, ses paumes massant les fesses
engluées de l'apprenti haletant, lèche, aspire sa morve;
laquelle, acide, du front, coule, se colle aux sourcils
du putain; le commis s'étend, tout habillé, sur Khemissa, il le retourne sur le ventre; le tablier ensanglanté recouvre le dos, la nuque, de Khemissa; l'apprenti, jeans collé à la peau, avance vers le comptoir;
Wazzag essuie ses mains à ses hanches, s'adosse à
l'angle du couloir; l'apprenti, arrêté au milieu de la
salle, palpe son entrecuisse spongieux; le commis,
alerté par l'odeur de Wazzag, se redresse, poing écrasant le plat des fesses de Khemissa, pivote, bondit,
sexe dardé, sur Wazzag, l'étreint de dos, haletant

101

grondant, contre le mur salpêtré; le putain, sa tête recourbée dans les bourrelets de son cou, lui lèche ses doigts entrelacés sous ses seins : coups de langue réguliers sur les phalanges, entre les doigts, sur les ongles : le salpêtre saupoudre sa chevelure secouée; les boules sécrétives du commis, froides, pendent au gras des fesses de Wazzag; l'apprenti relève son jumeau, lui nettoie, avec les pans de sa veste de jeans, ses fesses souillées de poussière engluée, marquées, sur le plat, de l'empreinte du poing ensanglanté du commis; le maître de foutrée, du haut de l'escalier jette les vêtements de Khemissa; il retourne l'ourlet du slip — enfilé à l'envers, sur son bas-ventre; la toison transparaît bleue sous les mailles du coton; le maître de foutrée chiffonne l'étiquette de luxe; Khemissa se rhabille, à cru; son jumeau, la toile collée lisse à ses fesses, un mince pli frisant sur le bord du cul, fume une cigarette entre ses lèvres souillées de morve; ses pouces sont enfoncés dans le jeans, au-dessus de la braguette; la fumée enveloppe sa tête poisseuse; le commis graisse Wazzag; le maître de foutrée fait claquer l'élastique du slip contre son ventre : « ..je le garde comme paiement.. mon futur, reviens vite, qu'il serre ensemble nos cuisses, nos fesses, nos deux sexes... mon putain, je te le donnerai aux moments d'apparat, ton luxe.. va.. sécrète à cru.. » ; le maître de foutrée retourne à son lit, s'y étend sur le ventre, la fatigue de l'enculage l'enveloppe de sommeil; l'apprenti va au mur, il empoigne le menton de Wazzag, le commis lui lance son genou dans la cuisse; Wazzag, rapide, caresse la hanche de l'apprenti; le commis lui crache dans l'oreille, ses yeux injectés de sang percent ceux, voilés par l'alanguissement, de l'apprenti :

« .. laisse.. c'est ma bête.. c'est mon tour d'abattre.. elle est sous le charme.. elle découvre sa gorge.... je la connais depuis toujours.. je lui faisais manger les épineux de la steppe.. sa langue en est encore toute déchirée.. » ; Wazzag garde dans sa bouche sa langue balafrée ; l'apprenti écarte sa hanche : « ... monte, prends, rapporte ici le luxe de mon frère.. » ; le commis empoigne la veste de l'apprenti ; lequel, écrasant la braise de sa cigarette contre sa fesse engluée, arrache le poing du commis ; le sexe du commis rétrécit dans le cul de Wazzag ; un écart violent du commis le désencule ; l'apprenti se jette sur le commis, le force à genoux, le couche sur le sol, poing sur la nuque ; Wazzag s'échappe, monte dans la chambre, se penche sur le maître de foutrée endormi, pince le slip sur les reins, le tire vers les jambes ; le commis, redressé, frappe le sexe de l'apprenti, bondit en avant, retourné face à l'apprenti, s'adosse au chiotte, déploie son tablier, le relève devant son torse, s'élance sur l'apprenti qui, poings entre les cuisses, fond sur lui ; lui jette le tablier au visage ; Wazzag, tire le slip sur le haut des jambes, passe sa main sous le ventre du maître de foutrée, dégage le sexe ; le maître de foutrée grogne, Wazzag lui caresse la nuque, les cheveux ; Khemissa, rhabillé, mordille la grenade abandonnée sur le comptoir par Khamssieh, son poing est refermé sur la partie entamée par Khamssieh ; Wazzag, serre le slip dans son poing, il baise l'étiquette luxe, il élève sa jambe, enfile le slip, s'accroupit, fouille dans les affaires du maître de foutrée entassées sur le sol, dans un angle, retire le miroir brisé — dans lequel, les soirs d'orage sur la steppe, au haut de son bordel déserté, ses chiens frissonnants rôdant, enduits de vieux foutre, dans la salle, sous la

103

lumière secouée, le maître de foutrée regarde le dessous
duveté de son amas sexuel rabattu sur le bas-ventre —;
l'incline contre sa cuisse, sous le sexe revêtu; rit; le
tient en arrière de lui, étiquette retroussée, effilochée,
sur la peau de sa fesse; le commis enserre la tête de
l'apprenti dans son tablier ensanglanté, l'apprenti crie;
Wazzag jette le miroir sur le tas, redescend dans la
salle; ses fesses tressaillent, moulées dans le coton;
au bas de l'escalier, il frotte ses cuisses au coton,
remonte le slip sur son nombril, élève la jambe, saisit
son pied, en frotte la corne à son amas sexuel gainé
dans le coton; Khemissa s'avance, dents crochetant
la grenade, il frappe le ventre du putain avec ses deux
poings, jette sa jambe en avant, accroche ses orteils
à l'élastique du slip, le tire vers le bas; la grenade
tombe dans sa veste de jeans bouclée sous les côtes :
« .. chien, rends-moi mon luxe.... ton vêtement à toi,
c'est le cul des hommes.. »; Wazzag, courbé, ôte le
slip; Khemissa le lui prend au poing; Wazzag, appuyé
au mur, se caresse les cuisses, l'amas sexuel, les fesses;
Khemissa fourre le slip dans sa poche; le commis,
l'apprenti, tête couverte, s'étreignent contre la porte
du chiotte, mains au cou, genoux butés; le sexe, rétréci
dur, du commis, dardé hors du jeans ensanglanté,
se recourbe sur la braguette de l'apprenti; renversés
sur le sol, ils se frappent du poing, au visage; Wazzag
s'approche, les deux adolescents se redressent, l'enserrent, haletants, Wazzag leur empoigne leur sexe,
à cru dans le jeans; leurs muscles se détendent, leurs
souffles se mêlent sur la gorge du putain : « garde la
bête.. », l'apprenti, respirant à grands traits, écarte la
main de Wazzag de sa braguette, lustre ses cheveux cou-
verts de sueur : « ... contre quoi coupe-nous deux cœurs

104

de chevreau pour ce soir.. »; l'apprenti s'éloigne, il prend l'épaule de Khemissa, pousse son jumeau vers la porte, tourne le loquet poisseux :« .. épuise ta bête... tu as tes couteaux.. moi, j'ai mes maillets, mes marteaux.. »; au-dehors, les deux jumeaux, accolés, se baisent sur la bouche, cambrés dans le sable soulevé; l'enfant noir nu abandonne son jouet sur le versant d'une dune jonchée, d'excréments, d'os, il s'approche des deux adolescents, ramasse une poignée de sable, frotte les fesses engluées de l'apprenti; le sable chaud, colle à la toile du jeans, boit le foutre; l'enfant frotte la couture de l'entrejambe; l'apprenti mord la bouche de Khemissa, les deux jumeaux mêlent leur salive; les fesses moulées de l'apprenti s'arrondissent, le sable mouillé glisse sur les jambes, l'enfant racle avec ses ongles le restant de pellicule de foutre; l'apprenti prend une pièce dans la poche arrière de son jeans sous la paume de l'enfant, la jette dans le sable; l'enfant la ramasse du bout du pied, la lance en l'air, la rattrape dans sa main luisante; Wazzag, se replace contre le mur salpêtré; le commis, se re-crispant, essuie son front suant avec un pan de son tablier; d'une main, il écarte les fesses du putain, pouce écarté de l'index dans les boucles engluées; avance son sexe regrossi, l'enfonce entre les fesses, le retire, s'écarte du putain, entre dans le chiotte ouvert, pisse dru, chaud, sort du chiotte, plaque ses jambes éclaboussées contre celles de Wazzag, empoigne les bourrelets du rein du putain déhanché dans le temps de sa pissée, tord son tablier dans sa chemise, racle avec son pouce le foutre qui englue le duvet du cul de Wazzag, y loge son sexe marbré, secoue son doigt, le donne à lécher aux lèvres du putain; le pied-bot, remue dans le chiotte verrouillé;

le commis s'échine sur le râble du putain, joue contre joue, langue sortie, engluée d'une salive relevée par la colère léchant les grosses lèvres asséchées de Wazzag : « .. t'es ma deuxième bête de la matinée... la première.., un veau... j'ai pris du temps pour l'abattre... », les yeux de Wazzag palpitent sous la paume du commis : « .. son sabot avant droit tressautait sur mon pied nu..», les genoux du commis heurtent les jarrets de Wazzag, son foutre ardent, expulsé, rayonne dans les reins du putain : « .. sous le choc du maillet, sa tête enfeuillée, couverte de rosée, glisse le long de mon ventre, le cornillon crochète mon jeans, le mufle s'ensanglante dans le creux de ma main.. brebis, chevreaux marqués, bêlent dans la cour obscurcie.. les troupeaux libres roulent entre les murs de toub strié.. mon sexe bande à cru contre l'encolure du veau..»; le maître de foutrée roule, geint sur le lit : « .. boucher.. maître de foutrée... la bête a de l'amour pour moi, sa queue.. son bras s'enroule autour de mes fesses.. ses naseaux expulsent une morve d'amour.. », le foutre, refoulé à la quatrième décharge, dans le cul du putain, déborde, coule sur ses jambes, enveloppe le jarret ; le talon ; les pieds de Wazzag, ceux du commis, baignent dans le foutre, le commis empoigne les oreilles du putain, se re-raidit, s'échine, décharge, membre noyé dans le fatras de boucles enfoutrées : « .. mes pieds nus pataugent dans le sang du veau.. boucher, maître de foutrée, à toi la terre, l'eau, la chair, le foutre, la viande, le sang, à toi l'engrais, l'œuf, le foin.. nomade, enterre tes excréments.. putain, retiens ton foutre.. bétail, fuis... »; la langue du commis ondule, râpeuse, sur l'épaule de Wazzag ; sa chevelure buissonneuse, secouée, balaie la nuque, la joue, du putain, sa main tripatouille l'amas sexuel du putain; lequel, renversant de côté sa tête, cou musclé mordillé par les dents gâtées du commis, rit rauque avec des éclats aigus, arrondit, creuse sa croupe en sueur, se déhanche — le membre du commis se désencule —, jette ses mains en arrière du corps du commis — qu'il attire, mains plaquées aux fesses, ongles accrochés à la couture de l'entrejambe, à celle de la poche arrière du jeans, contre son corps frémissant; se rehanche; le membre du commis, excité par la pression des mains, le grattement des ongles du putain sur son jeans, regrossit, se reloge dans le cul de Wazzag — d'où le foutre, dans le temps que le putain, désenculé, ramenait à son corps le commis pris par le rêve, encoléré, a ruisselé sur les jambes détendues; s'égoutte sur les boucles de la tombée des fesses, engluant les plis du jeans sur les cuisses du commis; le commis, son sexe s'effeuillant sous la poussée du foutre, courbe du poing la nuque de Wazzag; le putain, torse incliné, mains plaquées aux genoux, bute son front au mur salpêtré; le commis plaque ses poings sur l'articulation médiane du corps de Wazzag dans les plis de l'aine, s'échine sur le râble; le frottis mouillé des fesses du putain sur le jeans englué couvre le halètement; sur le coccyx du commis, la trace excrémentielle fond en sueur rouge; un long orgasme bride, voile les yeux du commis, son torse frissonnant tressaute saccadé; les mains de Wazzag couvrent celles, moites, convulsives, du commis, accrochées à son ventre; le commis, re-raidit ses jambes, frotte ses cuisses aux fesses du putain, crispe tout son corps frénétique; les ongles de ses doigts de pied se recourbent sur ceux de Wazzag, les griffent : une courte fluide giclée expulse hors du gland le dépôt

107

de la décharge précédente, nettoie le conduit encom-
bré de foutre lourd; Wazzag, les rides de son front
carré roulant sous ses boucles brunes rabattues sal-
pêtrées, renifle la morve de l'apprenti; les mains du
commis dégrisé palpent son ventre, les doigts tirent
les boucles de sa toison; le maître de foutrée, descendu,
glisse ses doigts dans la poche arrière du jeans du
commis, tire; dans le même temps, secoue l'épaule,
faufile sa main entre les deux corps enrobés de sueur —
froide : le commis, chaude : Wazzag —, dessus le
fessier de Wazzag, appuie sur la racine du membre
du commis, son haleine aigre baigne l'oreille du commis : « .. décroche, petit-tueur,.. combien de coups,
Wazzo ?.. »; le putain, tête au mur, frappe du pied,
le sol, huit fois : .. « .. huit foies, petit-tueur, avec du
cartilage, des boyaux, pour mes chiens.. »; le maître
de foutrée, avec son pouce, fait sauter le sexe du commis;
Wazzag, désenculé, se déplace le long du mur, vers le
chiotte : il y entre; jambes écartées, sexe ballotté
sur les cuisses, il pisse, amolli, dans l'obscurité empoissée, salpêtre coulant sur son cou, talon patouillant
le foutre sur le marchepied; le maître de foutrée monte
dans l'autre chiotte, retire l'assiette aux pieds du
pied-bot; lequel, bouche mâchurée d'œuf, chie, fesse
contractée soulevée sur le bord de la cuvette, pied
calé sur l'ergot du marchepied; Wazzag, genou duveté
ruisselant de pisse, sort, va au commis appuyé, jambes
écartées, sexe ramolli sur le jeans, contre le mur
taché; le tablier retroussé, torsadé, gonfle sa chemise
ensanglantée; Wazzag, dans le temps que le maître
de foutrée ramasse l'assiette léchée, saisit dans son
poing le membre du commis; son autre main empoigne
les boules à travers le jeans; riant, les palpe; le commis,

tête inclinée sur l'épaule, geint, raidit ses jambes ;
Wazzag branle le membre poisseux, s'accroupit, le
lèche, le re-branle ; le sexe reste ramolli, le commis
relâche ses muscles ; le maître de foutrée sort du
chiotte ; Wazzag, redressé, sa poitrine, bombée, touchant celle du commis, à travers la chemise ensuée,
remet le sexe dans le jeans, reboutonne le jeans, sort
le tablier de la chemise, le détord, le déploie sur le
devant du corps du commis, écartant sur le côté son
sexe dardé, du tablier cousu de peau mal tondue,
de toile de sac ; le maître de foutrée pose l'assiette sur le
zinc ; Wazzag jette un baiser sur la bouche asséchée
du commis ; lequel retient un vomissement — le
putain plaque ses lèvres sur celles, resserrées par la
convulsion, du commis ; le maître de foutrée empoigne
la chevelure de Wazzag, attire à lui le putain, le pousse
du genou, vers le jardinet ; Wazzag, son corps ensanglanté mordu par les rayons, se vautre dans le sable
ardent, hisse sa tête vers l'ombre mouvante de l'éthel ;
le commis se laisse glisser le long du mur ; le maître
de foutrée, l'empoigne sous les aisselles, le redresse,
ouvre le robinet, lui trempe la main au jet, prend un
peu d'eau dans sa main, la lui jette sur le front ; le
commis renifle les gouttes, tousse, crache sa morve
sur le mur, se dégage du maître de foutrée, lace son
tablier sur ses reins ; Wazzag tressaille debout, à
contre-jour sur le seuil du jardinet, redressé, le sable
coulant sur sa peau poisseuse, face au couloir, son
gland rose vibrant au bout du sexe durci, sur le fond
noir-cuivre du bas-ventre ; un sourire rôde en transparence, sous la peau ambrée de ses joues, de son front,
de ses lèvres ; en arrière de lui, sur le goudron qui
borde la barrière du fond du jardinet, un groupe de

femmes marche contre le vent, bijoux cliquetant sous les plissées écarlates, mauves, de la gandourah noire ; elles portent des ballots de blé, d'orge, verts; sur les épaules, contre les seins quand elles rient ; Wazzag, lèvres épanouies, jette sa tête en arrière ; de sa main ambrée, duvetée sur le dessus, rose lisse au-dessous, il caresse son membre, ses boules, son œil tiré blanc vers les femmes ; le commis sort ; le maître de foutrée vient au putain, tourne autour ; le regard tiré de Wazzag est dévié par la rotation rapprochée du maître de foutrée ; lequel, sa hanche frôlant celle du putain, sa main, les plaques de sang séché sur la croupe :.. « .. secoue-toi, cheveux, poils, toison, sourcils, cils, oreilles, phalanges.. » ; Wazzag secoue son corps tout entier, lève ses bras, souffle dans ses aisselles, dans ses yeux, époussette sa toison, écarte, secoue ses doigts, écarte, courbé, ses fesses, passe son pouce dans la raie du cul :« ... laisse ici.. adultes, petits, œufs, s'y noient..», se redresse, le sang séché s'effrite sur ses reins :« ... aux bouchers, ôte leur tablier... tu pues le sang de veau.. qu'importe au dattier le cambouis, au graisseur le sucre de datte, à tous le sang jailli, de tes lèvres, de tes narines... le sang de boucherie, nul ne l'aime sinon bouilli,... pas même le garçon d'hôpital.. » ; Wazzag, le maître de foutrée plaquant ses paumes, fripées dans le sommeil, sur le plat de ses fesses, approchant ses lèvres de son cou duveté dans le creux des muscles, garde son œil fixé sur les lèvres roses des femmes : « .... à leurs hommes, les foreurs d'Amguid, prends tout leur foutre... arrivés du désert ce matin, ils déchargent leur matériel au château d'eau... touchent leur paie..., tout empoussiérés, muscles durcis, vêtements macérés, ils se ruent au bordel, se jettent sur

110

toi.... ils sont cinq... les muscles du ventre durcis par
le manche du marteau-piqueur... ils baiseront couchés... je n'ai que toi, le pied-bot, à mettre dessous... »,
le maître de foutrée pelote le gras des fesses de Wazzag,
le coccyx, le bas des hanches, ses doigts effleurent
l'empreinte de l'élastique du slip ; le sang bouillonne
dans la gorge du putain ; le maître de foutrée pince
l'empreinte : « ... mon foutre repose dans ses reins ;
j'ai bandé, éveillé, dormant, dans son slip... je le
nourrirai au foie... » ; le maître de foutrée monte dans
la chambre, s'accroupit sous la tablette du gaz, ouvre
le seau de plastique vert, tire à pleines mains les
lambeaux de viande bouillie : cartilages, boyaux,
dont la masse rose gonfle le plastique transparent ;
Wazzag s'élance dans l'escalier, il se déplace, lent,
frémissant, le long du mur de la chambre, jusqu'au
gaz encroûté ; la bave mousse à la commissure de ses
lèvres ; le maître de foutrée replonge les lambeaux,
tire le seau, le soulève contre sa poitrine, descend
l'escalier ; haussé sur ses orteils ensués, éclat de sa
chevelure de sa peau de ses yeux de ses ongles de
ses poils renforcé, galbe de ses joues de ses épaules de
sa poitrine de ses fesses de ses jarrets se reformant
captant toute lumière, Wazzag, au-devant, tête retournée, tressaille, yeux fixés sur la masse secouée,
attiédie, contre la poitrine du maître de foutrée ;
lequel, devant le chiotte verrouillé, dépose le seau,
s'écarte : Wazzag, piaulant, s'accroupit, plonge sa
tête dans le seau, lape la sauce ; ses dents crochè-
tent un os carné ; le visage surgit, barbouillé de jus,
l'os recourbé sur les narines ; replonge ; Wazzag,
recrache l'os, happe la viande molle, les cartilages
broyés par la cuisson, les avale, non mâchés ; happe,

111

engloutit; les muscles de son cou, bandés, se dilatent sous la pression des morceaux engloutis; le haut du ventre se creuse, le bas enfle; le mufle refoule les os, renifle le jus; le sexe du putain, ramolli, ballotte sur les cuisses, ses mains tremblent sur le bord du seau; le maître de foutrée tire le putain par les hanches, empoigne la chevelure, le cou, tire; Wazzag gronde, son cri se noie dans le jus; le maître de foutrée saisit les épaules, frappe, du genou, le dos, retient la tête de Wazzag hors du seau, caresse la nuque; sur le mur, la morve du commis, glisse; sur le sol, son foutre sèche en s'étalant; le maître de foutrée relâche la tête : la mâchoire du putain recrochète les lambeaux, les cartilages; le maître de foutrée, la bouche de Wazzag grondant contre son bras, sort du seau l'os carné, le suspend entre ses doigts au-dessus de la bouche de Wazzag redressé accroupi, ses fesses rebondissant sur ses talons; la langue du putain touche l'os; le maître de foutrée lâche l'os, Wazzag le bloque entre ses dents, se déplace, accroupi, le long du mur, jusqu'au jardinet; adossé à l'éthel, il mordille l'os, arrache la viande, l'engloutit, cou recourbé, lisse, éperonné sur le dessus par la masse engloutie, tendu; il se re-dandine dans le jardinet; le maître de foutrée ouvre le chiotte, dépose le seau sur le marchepied; le pied-bot se redresse, il plonge sa main dans le seau, retire un lambeau de viande rose ourlée de gras, il élève son poing au-dessus de son visage renversé, le lambeau juteux traîne sur ses lèvres : il le happe; le maître de foutrée élève sa jambe; caresse avec ses orteils la gorge tendue du pied-bot, lui cale le cou dans l'angle; le corps suffoque; le lambeau, à moitié englouti, non mâché, obstrue le gosier; le

112

maître de foutrée empoigne la chevelure du corps, lui courbe la tête vers la cuvette, met le pied sur le lambeau collé par le bout à la couche excrémentielle, repousse la tête du corps vers le haut, vers l'angle; le lambeau sort, ensalivé; le corps, haletant, le bloque entre ses dents, avant qu'il ne se décolle de son menton, recommence de l'engloutir en l'aspirant; le maître de foutrée le lui retire de la bouche, le lambeau se love dans le trou; le corps, ahanant, se blottit dans l'angle; le maître de foutrée soulève le seau, ouvre sa bouche au regard du corps, incline le seau vers les lèvres grasses du corps; elles s'entrouvrent, il verse le jus, à petites gorgées; les yeux du corps, après chaque gorgée, se lèvent, brillants; le couvercle bat contre sa gorge; Wazzag, assis en tailleur sur le foin, dans la resserre où l'odeur de l'apprenti rôde, acide, mordille son os, hume les points d'air embaumés de foutre, de minium, décarne l'os : tout autour, dans le foin remué, le foutre s'égoutte, mêlé de poussière, de sable; ses porcelets grognent dans l'appentis, ses oiseaux, rejetés dans la charpente pendant l'accouplement, attirés par l'odeur de viande, se posent sur ses épaules; son sexe, redurci au fracas de la suffocation du pied-bot, rebondit sur ses talons joints : lesquels enserrent ses boules dans leur corne gluante; le pied-bot, ventre gavé, se soulève, se place, accroupi, sur le marchepied; le maître de foutrée, serrant contre sa poitrine le seau allégé, referme la porte; les excréments éclatent, recouvrent, roses lustrés, dans le trou, le lambeau dégluti; le maître de foutrée remonte le seau dans la chambre; Wazzag fourre son os dans un trou salpêtré du mur, il se redresse, essuie ses mains à ses hanches; les femmes errent

113

sur le goudron ; Wazzag s'approche, il appuie son ventre bondé à la claie, faufile son membre entre deux tiges de roseau, halète : les femmes se détournent ; l'une d'elles, tête rasée dévoilée, joues rosies au henné, ses seins noirs collés au haut de la gandourah échancrée, se jette contre la claie, courbée, le poil scintillant sous l'aisselle, empoigne son ballot d'orge appuyé à la claie ; Wazzag l'enserre entre ses bras, l'attire contre son corps à mi-hauteur caché par la claie ; son sexe grossissant coupé entre les tiges, il baise à pleine bouche, les lèvres, les oreilles, le cou, les seins, de la fille rasée ; laquelle, prise à la taille, se débat, crache, creuse le sable avec ses orteils, recourbe le haut des tiges acérées sur le ventre gavé de Wazzag ; les autres femmes, assises sur le sable, alanguies, s'y renversent sur le côté ; leur croupe s'arrondit sous la robe noire ; accoudées au sable, leur joue plissée par le poing, elles se versent du sable sur leurs seins découverts ; dans les arbres, les épines, sous le vent, percent les fleurs : Wazzag geint ; son sexe, enserré, rougeoie ; ses mains, saccadées, caressent les reins de la fille rasée ; laquelle ondule contre la claie ; Wazzag, sa tête enfouie dans les seins, râle ; la fille rasée appuie son menton sur la nuque de Wazzag, la frotte, ses mains frôlant les hanches du putain, glissant contre la claie ses doigts pincent sa gandourah, la retroussent ; les veines palpitent à son crâne ; ses mains, coudes serrant aux hanches la gandourah retroussée, écartent les tiges ; le sexe de Wazzag se rétracte dans la toison ; les mains de la fille rasée relâchent les tiges, repoussent le ventre de Wazzag, détachent ses bras de la taille ; Wazzag se hisse sur ses talons, front buté aux seins frémissants ; son sexe ramolli, s'ouvre violacé sur le

haut des tiges, grossit vers le bas-ventre découvert
de la femme; laquelle, son crâne mauve luisant dans
les rayons, recule, la chevelure poisseuse de Wazzag
glissant sur l'échancrure de sa gandourah; Wazzag,
boucles collées à son front par la sueur, renifle, tête
baissée, détend ses jambes, repose ses talons sur le
sable, croise ses cuisses sur son membre endolori;
la femme empoigne son ballot, s'échappe, l'orge verte
flottant en arrière de son crâne; Wazzag élève une
jambe par-dessus la claie; ses boules, découvertes,
scintillent, rosées; les femmes retroussent, ensom-
meillées, la gandourah sur leurs genoux; Wazzag
enjambe la claie, appuie ses fesses aux tiges; les
femmes, souffle retroussant leurs lèvres ocres, butent
leurs fronts au-dessus du sable; Wazzag s'avance;
le sable soulevé se colle à ses jarrets, son sexe darde;
il s'approche, s'accroupit devant les femmes; son sexe
grossit le long de sa jambe repliée; les narines des
femmes s'ouvrent au parfum; Wazzag s'agenouille,
s'accoude au sable, bute son front bouclé aux fronts
des femmes, élève sa jambe par-dessus la croupe d'une
femme dont les bracelets sonnent; la femme lui prend
le genou, caresse la cuisse bouclée; la jambe du putain
se pose sur sa croupe, le pied fouille, à travers l'étoffe
noire surchauffée, la fente des fesses; les seins de la
femme, gonflés, sortent du décolleté; sa main, mauve
sur le dessus, ocre au-dessous, remonte le long de la
cuisse de Wazzag, jusqu'au fouillis de longs poils
souples lustrés où se perd le duvet bouclé de la cuisse;
son pouce, ongle rose criblé, appuie sur l'aine, se faufile
le long de l'attache de la cuisse, racle la sueur mêlée
de foutre, de foin, de cambouis, de sucre de datte,
de merde; Wazzag jette sa bouche sur les lèvres de la

femme, rapproche son ventre du sien, son autre genou creusant le sable, ses coudes vibrant dans le sable; la jeune femme au crâne rasé appuyée contre l'arbre épineux, son ballot d'orge verte déposé sur le cœur du tronc, courbe une branche vers sa bouche; joues gonflées, ses lèvres sucent les fruits-fleurs jaunes; ses yeux fixent, au travers des bras entrelacés des femmes, le grossissement saccadé du sexe de Wazzag, le surgissement de la sueur sur le coccyx du putain; ses lèvres palpitent, ses narines aspirent le pollen sucré; ses tétons, dilatés, se décollent de l'étoffe; sa main libre les caresse; sa croupe s'arrondit contre l'écorce; ses jarrets, talons soulevés, raclent le tronc;; le vent porte les oiseaux, salis aux poubelles, vers les hautes enclaves de sable;; les femmes, fronts débutés, se redressent, jettent leurs ballots sur l'épaule; Wazzag agrippe leurs pieds nus, mordille le bas des robes; les femmes, corps bruissant dans l'étoffe sur-chauffée, s'enfuient, jetant, courbées, redressées, cour-bées, des galets ardents sur Wazzag; lequel, déhanché — un nerf, pendant la levée de sa jambe sur la croupe de la femme, s'est froissé, que l'usage forcé, continu, du raidissement, a sensibilisé —, court, sexe dardé, vers elles, bloquant entre ses doigts les galets embaumés à leurs doigts fardés... « .. arrière, mange-foutre... arrière, arrière.. mange-foutre.. mange-foutre.. mange-maris... mange-maris.... mange-bébés.. arrière, mange-bébé... chiens qui nous faites veuves, nubiles... petits époux, forez-lui les reins jusqu'au cœur... », les femmes, chevelure secouée, orge verte fouettant leurs joues, retroussent d'une main l'étoffe sur leurs jambes chatoyantes à l'arête diaprée jusqu'à leur sexe où, geignant, elles plaquent un galet; Wazzag s'élance, se

116

faufile entre les jets, se jette sur la fille rasée, l'étreint ;
le´ ballot s'effondre ; elle, d'une main saccadée, place
son galet sur son sexe découvert : le membre violacé
de Wazzag s'y brûle sifflé bref ; les femmes encerclent
Wazzag, elles le saisissent aux bras, aux jambes,
à la mâchoire, aux cheveux, le refoulent sur le sable
vers la barrière du bordel ; elles le tirent, appesanti,
par ses oreilles, sur la claie défoncée ; sa gorge crie ;
la fille rasée lui tient le gras des fesses, lui pousse
le coccyx : .. « ... rentre dans ta soue, goret.. » ; leurs
mains glissent sur son épiderme gluant ; le maître de
foutrée redescend, ouvre le cagibi : s'accroupit, plaque
ses mains enduites de jus sur le ventre de Khamssieh ;
le putain tressaille, sa bouche se gonfle, sa gorge
regurgite la chair de grenade ; le maître de foutrée
déplace l'une potelée de ses mains sur la hanche,
l'enfonce sous le fessier de Khamssieh, introduit
son index entre les fesses, lui fait toucher le cul du
putain, son autre main palpant le bas-ventre taché de
sang ; le sexe frémit dans la toison ; le maître de foutrée
retire son doigt ; il le passe, souillé de merde, de foutre
séchés, sur les lèvres atones de Khamssieh ; lequel
élève son bras le long de sa hanche, le plie, appuie
ses doigts transparents sur le bras velu du maître de
foutrée ; l'épiderme, où s'enracinent les boucles rousses
du devant de son front, rosit ; le maître de foutrée,
avec son pouce, écarte les grosses lèvres, frotte son
ongle sur la mâchoire où la salive recircule ; les lèvres
de Khamssieh se referment sur le pouce du maître
de foutrée, son membre se redresse dans le fouillis
noir, étirant l'épiderme tacheté ; ses yeux, scintillant
entre les paupières encroûtées, louchent, fixés sur
ceux, vibratiles perçants, du maître de foutrée ; ses

117

doigts remontent le long du bras duveté d'icelui qui, dans le même temps, enfouit ses doigts dans la toison du putain, agrippe les boules asséchées; lesquelles vives, se gonflent entre les doigts du maître de foutrée; Khamssieh suce le pouce du maître de foutrée, lèche le jus répandu sur les phalanges; le maître de foutrée enlève ses doigts, les pose sur les seins du putain; son autre main sort du fouillis, pétrit le haut de la cuisse du putain, enveloppe le genou; Khamssieh écarte ses cuisses, raidit ses jambes, faufile un doigt à travers les boucles, sous son sexe dont la courbure, sous l'effet du grossissement, s'élargit; rabat le sexe contre son pouce écarté, l'étire vers le haut, commence de le branler; tout son corps se recouvre de sueur, les veines de son crâne saccadé palpitent, le sang rayonne dans son cou; l'une main salpêtrée du maître de foutrée masse le fémur, le versant intérieur de la cuisse; l'autre main, menue, grasse, s'entrelace à la main libre du putain, ouverte, moite, sur la hanche; les doigts des pieds de Khamssieh se recourbent : la sueur coule dans le creux des phalanges; le maître de foutrée lâche le genou, son autre main rejette la main du putain sur son ventre; accroupi, il jette son pied dans le flanc de Khamssieh...«.. donne.. donne.. force le jus. »; Khamssieh, langue sortie, halète, buste redressé; son poing branle le sexe amolli.. : «.. les larves de tarentule grouillent sous l'aisselle des bouchers..»; le maître de foutrée détache le poing, du membre; tapote le genou; Khamssieh détend ses muscles, souffle : «.. couvre jusqu'à demain.... les foreurs frappent.. ouvre ton oreille contre la porte verrouillée... refoulé par mon genou, Wazzag, calé par le foreur à la plus forte poitrine, tirera son enculeur jusqu'au bois... lors, écoute, travaille... »; le maître de foutrée, redressé, sort, verrouille le cagibi, monte dans la chambre, se jette sur le lit; Khamssieh, la sueur refroidissant sur sa peau, repose sa nuque sur son bras replié, la main de son autre bras tripote son sexe; ses yeux sont levés vers le fenestron, le feu cru les éblouit; le passage d'un fessier monté sur épaules voile la lumière; la tête du foreur juché heurte le rebord de la fenêtre de la chambre; le maître de foutrée s'entortille dans le drap; le foreur, sa tête bouclée scintillant dans les rayons, écrase son sexe surtendu sous le jeans contre la nuque de son porteur; son poitrail frotté de rouille, halète, côtes, muscles bridant la peau; l'écume, refoulée par le halètement sur les lèvres rouges, baigne le menton du foreur, ruisselle sur sa gorge; de sa main libre, il tire, une cigarette, un briquet, de la pochette de sa veste de jeans, allume la cigarette mouillée de glaise, la suce entre ses lèvres, cendre s'écroulant sur la tête rasée du porteur; d'un coup de reins, il se dresse sur les épaules du porteur, se jette contre le rebord de la fenêtre, l'enjambe, se rue, déboutonné — sexe éperonnant, sorti du jeans, le slip éclaboussé de glaise —, dans la chambre, s'effondre, riant aux éclats, sur le lit, étreint le maître de foutrée, le recouvre tout entier de son large corps surchauffé bruissant, lui mordille son oreille serrée dans le drap; ses pieds, moulés dans l'espadrille, frappent le fond du lit; sa bouche bave sur l'oreille, l'écume du foreur colle au drap la joue du maître de foutrée; ses doigts fouillent sous le ventre, à travers le drap, retroussent le sexe : .. « siffle tes chiens... détache-les des chômeurs... ouvre tes chambres, tes chiottes... planque tes outils, tes armes, ta

119

vaisselle.. le corps flasque d'un putain dégrisé fait se retourner sur le seuil, son client, poignard au poing..» ; dans la ruelle, contre le mur, contre le linteau de la porte, les foreurs, sexe éperonnant le jeans glaiseux, se prennent aux hanches, se dressent, frémissants, s'abouchent, se hument, se lèchent l'oreille ; ..«.. donne-m'en un aux reins carrés, au sexe se redressant rapide, après l'enculage, au sexe dur égal au bras.. un que je puisse, incessant, rattraper, tirer à moi par son sexe.. tout autre membre, trop humain, trouble qui le saisit..» ; le foreur se redresse, appuyé sur un poing ; de l'autre, il retrousse le drap, sur la tête, la nuque, le dos, du maître de foutrée ; lequel cambre les reins, soulève le milieu dur du corps du foreur ; le foreur, reculant, s'accroupit sur ses talons ; le maître de foutrée hisse ses jambes entre les jambes repliées du foreur, ses talons glissent sous les fesses moulées dans le jeans élimé par le frottis des pistons, des cordes ; il sort du lit, le drap coulant froissé, souillé de glaise, sur ses reins ; le foreur, sur le lit accroupi, masse son sexe dans le slip ; le maître de foutrée prend la clef souillée, sur le gaz ; le foreur saute à bas du lit, soulève, courbé, le couvercle du seau de viande, hume la vapeur embaumée, trempe son doigt dans le jus, retire son doigt, le lèche ; le maître de foutrée descend ; le foreur le presse ; son sexe tendu, à travers le slip, frotte la fesse nue du maître de foutrée.. «.. fais vite.. la levée broie mes os.. » ; un petit poignard brille à son poing ; il pousse le maître de foutrée, ses dents lui mordillent l'oreille, son poignet lui fouille l'amas sexuel ; le maque-reau traverse le couloir, entre dans le jardinet, s'arrête, appuie sa main sur le sexe du foreur ; le foreur appuie

120

son poignard sur sa cuisse : Wazzag, étendu, jambes levées sur la claie défoncée, son sexe rabattu hors de la toison, sur le bas-ventre, son fessier attouchant le sable, mordille un brin d'orge verte; les femmes reculent, se cachent, en ligne, derrière l'arbre; Wazzag, son menton baigné d'écume verte, le brin sucé au poing, tord son cou dans le sable; son pied droit glisse sur la claie, sa joue vire sur le sable; ses yeux, rides du front roulant vers les boucles, se révulsent : le regard enveloppe, sang vibrant dans la gorge, le bas-ventre du foreur : le bouffant soyeux du slip au centre des plis; Wazzag, reniflant sa morve, roule sur le ventre, son sexe creuse le sable, soulevant ses reins; le foreur tressaille; le maître de foutrée siffle; Wazzag s'agenouille, avance, poings au sable, sexe luisant traînant sur le sable marqué d'empreintes de pieds, pivote sur ses genoux, cambre son fessier miroitant, marche accroupi à reculons vers la resserre, son menton appuyé sur l'épaule, ses yeux bridés rejetant les croûtes, l'écume scintillant au coin de sa bouche; l'ourlet du cul, cramoisi, étincelle; le maître de foutrée retire sa main du sexe du foreur : .. « ... les ouvriers l'ont percé tout le matin.. à brise-tube... à toi, au midi, de forer les couches meubles, parfumées, fraîches au toucher.. va, gros homme »; le foreur, secouant sa tête embuissonnée, ses doigts, saccadés, reboutonnant le jeans éperonné par le slip étayé, s'avance sur le sable; Wazzag bute son front au sable, cambre ses reins; les boucles du cul, enfoutrées, se décollent, dans l'écartement des fesses; le foreur, ses doigts pinçant le bas de la braguette, jambe levée, secouant l'amas sexuel, plaque l'espadrille sur la corne de son pied, Wazzag rejette sa tête en arrière, le blanc

121

de son œil brille dans l'orbite ambrée; le pied du foreur glisse sur le plat de ses fesses lissées dans le mouvement de cambrure des reins, attouche le bord du cul; Wazzag recule son fessier, le pied chaussé du foreur se recourbe contre son cul; Wazzag, éclats de rire assourdis dans son torse, expulse hors de ses gencives une écume verte qu'il maintient en mousse sur le bord de sa lèvre; le maître de foutrée saisit, à travers le jeans, la fesse du foreur, pousse l'homme en avant, Wazzag, redressé, ventre tordu, se jette pivotant sur la jambe du foreur, l'étreint entre ses bras; ses dents, braguette crochetée, avec sa langue, déboutonnent le jeans; contre ses dents, ses lèvres, à travers toile, coton, le sexe du foreur, grossit, force, chauffe; la langue de Wazzag, dans la braguette ouverte, lèche le coton, le mouille jusqu'à ce que l'épiderme du sexe, collé au tissu, transparaisse; Wazzag détache les doigts du maître de foutrée de la fesse du foreur, pousse la cuisse du maître de foutrée, retient sa langue dans sa bouche, crocs découverts, jusqu'à ce que le maître de foutrée s'éloigne; lors, le large corps nu du maître de foutrée pénétrant, tout ensoleillé, l'ombre excrémentielle du couloir, il happe le sexe du foreur, dans le slip; ses doigts agrippent la fesse, dans l'empreinte des doigts du maître de foutrée; le foreur lance son genou dans le poitrail torsadé de Wazzag, jette son pied dans l'amas sexuel; d'un coup de pouce, il fait sauter son sexe hors du slip; l'ourlet luit, violacé, du gland, au bout du membre que le foreur empoigne, nerfs, muscles, chairs circoncises forçant dans sa paume enrouillée — son autre main grattant sa ronde chevelure mitée; Wazzag, redressé, se rapproche, à reculons, du foreur, sifflant son souffle — le foreur, à ce bruit, relâche son sexe où le foutre, sous la pression, uniforme, des doigts, commence de sourdre —, roulant son fessier, les plis latéraux de son cou, palpitant, soyeux, sous les boucles noires, le galbe potelé de la joue tressaillant où le foreur, haletant, d'une main posée sur le ventre bombé du putain attirant à lui Wazzag, appuie la paume de son autre main, l'extrémité des doigts touchant la commissure encroûtée des lèvres du garçon ; la main du foreur palpe la bouche de Wazzag ; son sexe se loge, dur, sur la frange bouclée du cul, le gland attouchant, saccadé, les bourrelets latéraux du gras des fesses ; Wazzag lèche la paume, les doigts, du foreur ; le foreur, jambe contre jambe, pousse le putain vers la resserre ; les femmes se rasseyent dans le sable ; celle dont la tête est rasée, enfouit sa tête dans le sable ; les femmes lui caressent la croupe, les jambes ; le maître de foutrée, remonté dans la chambre, verrouille les cases d'outillage, de vaisselles, d'armes, creusées dans le mur, redescend, ouvre la porte du bordel ; les foreurs, assis sur le versant de la dune, se redressent, se désenlacent ; s'approchent, déhanchés, yeux baissés, deux doigts de leur main droite pinçant le bas de leur braguette ; le maître de foutrée, appuyé au bois de la porte ouverte, fait tinter sa clef contre son sexe ; semelle attouchant, dallage, parquet spongieux en surface, pressés, se haussant, galbe échauffé des joues frôlant les cils, les foreurs se déboutonnent : le sexe jaillit ; Wazzag, dans la resserre, appuie ses mains au mur ; le foreur, son front heurtant le crâne du putain, écarte avec ses doigts le gras des fesses, projette, crispé, son membre dans le cul, raidit ses jambes, ahane, frotte son poitrail au dos de Wazzag ;

la surface seule, de leurs chevelures, l'une secouée l'autre immobile, scintille, la sueur remontant le long des boucles, au travers de l'obscurité, dans les rayons filtrés par la toiture de palmes ; Wazzag bute son front au mur, jette ses bras en arrière du corps du foreur, lui prend ses fesses, en pétrit le gras au travers de la toile du jeans imprégnée de la sueur surgie du cul : .. « .. décharge ton matériel, gros bouclé.. » ; le foreur entrelace ses doigts sur le ventre du putain ; les muscles, les nerfs, arment le ventre suant de Wazzag ; le maître de foutrée ouvre le chiotte ; le foreur à la tête rasée, bousculant le maître de foutrée, se rue, sexe dardé, mains ouvertes, dans l'obscurité ; le maître de foutrée referme la porte sur le corps haletant, repousse les trois autres foreurs.. « au rasé : le pied-bot, à vous autres : le restant : un chien roux piqué de la tarentule.... plus tard, Wazzag, le chien brun, sorti des bras du bouclé, votre chef de foutrée.... le pied-bot désenculé du rasé, les deux tout chauds, sensibilisés à votre musculature professionnelle.... comptez-vous, foreurs.. » — lesquels ouvrent l'autre chiotte, y tâtonnent dans l'obscurité, fouillent les angles avec leurs mains, ressortent ; le maître de foutrée attire à lui, par son jeans, celui, le plus jeune des cinq — à la chevelure crêpée, aux grosses lèvres violettes —, dont le sexe éperonne le jeans jusque sur le versant de la cuisse, l'entraîne vers le cagibi ; derrière le comptoir, le foreur, haletant, d'une même main, commence de se déboutonner, d'écarter les fesses du maître de foutrée ; lequel, d'un coup de reins, se projette en avant : son turban se dénoue, le pan coule sur ses épaules, jusqu'à son coccyx, recouvre la main retirée du foreur ; le maître de foutrée, d'un coup de tête,

réenroule le turban autour de son crâne, il ouvre la
porte du cagibi, y enfourne le jeune foreur, remonte
dans la chambre ; il renoue, assis sur le bord du lit,
son turban autour de sa tête, se renverse sur le lit ;
un peu de rouille tache le bord de son cul : il l'essuie
d'un revers du pouce ; vautré sur le dos, son menton
enfoui dans les bourrelets du cou, l'œil bridé, il trace
un cercle de rouille, autour de ses tétons, avec son pouce ;
le foreur rasé ahane, raidi, sur la croupe du pied-bot
courbé, mains accrochées au tuyau, vers la cuvette ;
le pied-bot geint, les pieds chaussés du foreur écrasent
ses pieds nus sur le marchepied ; la toile rêche, plissée,
du jeans, frotte ses reins où l'épiderme rougit ; ses yeux
voient un bloc d'étrons rouges, ocres, noircis, glisser
sur le bord du trou ; le foutre gicle, dans le même
temps que le bloc s'effondre : l'essaim de guêpes
qui s'y endormait gorgé, jaillit, assaille les jambes
nues du pied-bot ; lequel, reculant, plaque son enculeur contre la porte ; / le jeune foreur, dans l'ombre
ensoleillée du cagibi, se couche sur Khamssieh ; l'épiderme du putain, étiré, plissé par les mouvements
lourds du foreur, expulse le sang séché en poudre ;
le foreur hisse son poitrail enduit de rouille, dénudé,
sur celui, pâlissant, affaibli, de Khamssieh, colle ses
tétons gros, vermeils, sur ceux, flétris, du putain ;
Khamssieh entrouvre ses lèvres asséchées, sa tête roule
sur le côté ; le foreur, ses mains cueillant, par-dessous,
la tête rousse, la pressant, soulevée, aux tempes,
lui mord la bouche ; son sexe, sorti du jeans, force,
dodu, l'amas sexuel de Khamssieh ; le jeans, imprégné
de sueur, de sucs génitaux, colle aux cuisses froides
du putain ; le foreur étreint le visage amolli contre
le sien, enfourne sa langue dans la bouche fripée, lui

fait lécher le fond du palais, les gencives : le sexe de Khamssieh tressaille sous celui du foreur, le foreur retire sa langue / ; le gland du foreur bouclé ente le cul de Wazzag ; les doigts pressent dans la sueur le menu poignard vendetta contre le nombril du putain ; un coup de sable crible le bâti ; dans le temps que Wazzag, rapide, tourne sa joue chaude sur la bouche du bouclé, lui baise ses lèvres mouillées d'écume, le foutre gicle dans ses reins, le poignard glisse hors des doigts, ouverts dans l'orgasme, sur le versant de sa cuisse, le long de sa jambe, sur le foin ; le bouclé, foutre expulsé, bave sur la joue du putain ; la sueur refroidit sur ses doigts ; le fessier de Wazzag chauffe ses cuisses, son pubis ; les deux foreurs vacants — dont l'un, aux cheveux couleur de miel, a son bas-ventre pansé, ses reins, serrés dans un short US, dont l'autre, brun, moulé dans un jeans retroussé aux genoux, porte des lunettes de soleil en plastique vert —, se vautrent dans un angle de la salle, fument, jambes entrelacées, sexes, sortis rouges, se touchant ; le pied-bot piqué aux genoux par les guêpes, s'affaisse le long des jambes du rasé ; lequel, son sexe glissant, visqueux, hors du cul du pied-bot, retient par les hanches le corps effondré ; il frappe, avec sa main rude tapissée de glaise séchée, les guêpes, sur la poitrine, le cou, le ventre, l'amas sexuel, les cuisses, du pied-bot ; les guêpes, écrasées, roulent sur la peau, s'accrochent à la toison ; d'autres, excitées, assaillent l'amas sexuel du pied-bot ; le foreur l'empoigne, l'enserre, les corps éclatent contre les membranes ; le pied-bot mord la manche de la veste de jeans, remonte, en ondulant, son fessier le long des cuisses du foreur ; lequel, serrant l'épaule du pied-bot sous son menton contre le haut de son

126

torse, caresse avec ses deux mains, les genoux enflés;
le restant de guêpes vivantes butine, entre les doigts
des pieds du putain, le foutre mêlé de terre, de cambouis, de merde, sur le marchepied; le foreur les écrase,
— avec elles, les doigts souillés du pied-bot —, sous
la semelle de ses espadrilles; dans le même temps,
son sexe, redurci, se reloge dans le cul fourbi du pied-
bot, entre les fesses diagonales; / le jeune foreur,
relâchant la tête rousse, ses doigts s'enfonçant sous
les reins du putain, crache au visage de Khamssieh,
soulève avec ses mains le milieu du corps flasque,
laiteux; se redresse, appuyé des deux poings au
torse de Khamssieh; se relève du corps, s'accroupit
par côté, roule le corps sur le ventre — le fessier du
putain, tourne, empoussiéré, marqué, aux bourrelets,
de traces de foutre séché —; le foreur, redressé debout,
y pose son pied dont l'espadrille, à la corde colmatée
par du goudron, enserre l'épiderme pubescent, remue
le fessier; la tête rousse est butée au sol; le jeune foreur,
sa jambe levée, gratte son amas sexuel avec ses ongles
comblés de glaise; les côtes roulent sous la peau de
son torse, dans la veste entrebâillée; il s'agenouille,
s'étend sur le putain, écarte des deux mains les fesses
froides, y loge son sexe ardent, pousse le gland vers le
cul figé, courbe sa tête vers la nuque de Khamssieh,
mord, tire entre ses dents les boucles rousses fanées
de la chevelure, ôte ses mains de sous son ventre,
frappe les flancs du putain : « .. chauffe, la mort,
chauffe.. »/; le maître de foutrée, ses deux seins barbouillés, dort un sommeil intermittent; entre deux
rêves, où des chiens au corps de Wazzag, de Khamssieh, se disputent ses boyaux, les cartilages de son
torse, son œil s'ouvre; aux bruits de halètement

cloisonnés, son sexe tressaille — le rire lointain de Wazzag, couvert par le frottis du foin, fait rebondir, durci, grossi, son sexe où la merde prise au cul de Khemissa glisse, en poudre, sur l'épiderme violacé du gland ; / un crapaud, dans l'angle, sorti d'un trou qui filtre les gaz du bourbier de fosse, saute sur le genou du foreur brun entrelacé par les jambes au foreur blond, s'enfonce sous le jeans retroussé jusqu'à la cuisse ; le foreur blond, redressé sur son séant, plaque le crapaud à la peau, sous la toile engluée du jeans, le sexe dressé du brun attouche son poignet ; le foreur brun tressaille, sa cigarette s'effondre sur son oreille, il pose sa main sur celle du foreur blond ; le crapaud, se faufilant, ressort par l'ouverture de la braguette, prenant appui, pour sauter, sur l'amas sexuel, engluant la toison de son fiel mêlé de vase excrémentielle ; le foreur le saisit sur sa cuisse, se redresse, le plaque au cul du blond, dans les plis du short ; le blond creuse ses reins, jette son bras en arrière de lui, tire une patte du crapaud de sous les doigts du foreur ; lesquels, vibration accélérée, se détachent du short ; le blond empoigne le crapaud, projette son poing vers les cuisses du foreur, le desserre, rapide, le referme sur le sexe balancé du foreur ; la chair du crapaud crisse sous la paume, sa gueule bave sur le gland, ses pattes s'agrippent à l'épiderme étiré ; / le bouclé, sa jambe traversant celles de Wazzag, son sexe glissant de moitié hors du cul, renverse sous lui le putain dans le foin souillé, le hisse vers le haut du tas, lui serre les avant-bras dans ses poings, recourbe ses pieds suant dans l'espadrille autour de ceux, nus, gluants, de Wazzag, lui happe l'oreille, la lui mord à la racine, jusqu'au sang ; une larme perle au coin de l'œil

128

du putain dont la tête est retournée sur le foin, roule sur l'arête de son nez, se noie dans l'autre orbite; le bouclé desserre ses poings, sa langue lèche le sang qui enveloppe le lobe, sa main caresse la tignasse noire plantée de brindilles épineuses, sa langue souillée de sang, recouvre l'œil, lèche la trace de la larme sur le nez, vibre sur l'autre œil; Wazzag jette sa langue — où le goût du foutre tient — sur la langue vermeille du foreur, leurs lèvres s'aimantent, se collent, le sang baigne la joue de Wazzag, jusqu'à la commissure de leurs lèvres jointes; le rire expulse la morve hors de leurs narines, elle se mélange dans le creux de leur lèvre supérieure gonflée par le baiser; leurs dents s'entrechoquent dans la salive; la main du foreur enserre, annelé le pouce à l'index, la tête de Wazzag; son membre fouille le cul, l'épiderme du conduit érupte au contact des parois du cul, le foutre secoue le gland; la bouche du foreur, saccadée, glisse vers la joue baignée de sang; le foutre inonde les reins, Wazzag ramène ses genoux sous son ventre; le foreur, son ventre haletant, pousse son membre; ses jambes se rétractent; sa bouche, tordue ouverte, se referme sur celle, dilatée par le rire, de Wazzag; le putain soulève, appuyé sur ses genoux, le foreur vautré sur sa croupe; il le roule, par côté, sur le foin, d'un seul coup de reins; le sexe, désenculé, jaillit, luisant, la pellicule de foutre recouvrant en transparence la chair rougie, violacée au gland, marquée d'empreintes annelées; Wazzag, accroupi, se dandine sur le foin clairsemé, jusqu'entre les jambes ouvertes du bouclé; lequel, remontant ses genoux, les appuie aux aisselles du putain; son sexe se ramollit par-dessus la braguette, expulse un filament nacré qui s'étire, accroché au

129

bouton médian, le conduit se rétractant vers la toison;
Wazzag pose ses deux mains déployées sur le ventre
du foreur, marqué, sous le nombril, d'un frottis rouge,
il le palpe, le pétrit, masse la musculature durcie; le
foreur soulève ses reins; son ven⁺re exsude, sous les
doigts du putain, une sueur embaumée de glaise;
Wazzag se vautre entre les jambes serrées dans le
jeans, il frotte son poitrail au sexe gluant, se tord, fait
onduler sa croupe; le bouclé ouvre à fond ses cuisses;
Wazzag, reculant, fourre son mufle ensanglanté dans
la braguette béante, happe, narines chatouillées par
les poils, les boules enfoutrées, les mâche; sa gorge
jappe, ses mains pétrissent les cuisses du bouclé, sa
langue lèche le bord inférieur du cul — le membre du
foreur rebondit le long de sa joue ensanglantée —,
pousse jusqu'à la frange de poils encrottés; le foreur
jette ses jambes sur les reins de Wazzag; lequel,
recrachant les boules, sort son mufle souillé, effleure
de ses lèvres roses, de bas en haut, le membre relevé,
jusqu'au gland, ses yeux bridés brillant sous les cils,
ses doigts suants accrochés au versant bouclé — exsudant sous le jeans — des cuisses du foreur, au gland
duquel il chatouille son menton, sa gorge, le haut de ses
seins; le membre, recourbé sur le torse pubescent de
Wazzag, vibre; Wazzag le fait glisser autour de ses
lèvres, rentrer dans sa narine, le projette, du bout de
sa langue, souffle dessus, le faufile, tête recourbée,
le sang séché glissant en poudre sur sa joue plissée,
dans les boucles embrindillées de sa chevelure, exhaus-
sant, dans le même temps, avec ses doigts entrelacés,
hors du jeans, les boules ensalivées; l'espadrille du
bouclé frotte la fente de son cul; son torse plié se creuse,
le pubis se gonfle, la sueur charrie la crasse du nombril;

Wazzag, avec ses dents, déboutonne le haut de la braguette, découvre le pubis ; le foreur raidit ses jambes ; une main de Wazzag, l'autre retenant les boules, empoigne le membre, le branle ; la sueur suinte dans l'attache de la cuisse, la sueur enveloppe les phalanges de Wazzag ; le fessier humide du foreur vibre sur le foin, sa bouche halète ; la sueur colle à ses joues les brindilles ; ses mains, convulsées, empoignent le foin, ses genoux grincent, les ongles de ses pieds raclent l'intérieur de l'espadrille, ses cuisses durcissent contre les avant-bras du putain ; lequel, massant les boules gluantes par-dessus la couture de la braguette, oriente le gland vers sa bouche, ses yeux fixant, au ras de la ligne du ventre, des seins incandescents, les yeux divaguants du foreur ; le foutre force son poing ; dans le temps que sa bouche relâchée s'emplit d'une giclée ardente, l'œil du foreur étincelle, lui transperce sa paupière convulsive battant l'œil — nerfs du palais éclaboussés ; ses doigts sortent le gland hors de ses lèvres, sa gorge avale le caillot ; une giclée re-tapisse son menton ; lors, il re-happe le gland, le presse entre ses dents, avec son pouce ramène le dépôt suspendu à son menton pubescent vers la commissure de ses lèvres, l'engloutit dans les gencives ; le foreur étire son torse, ses bras ; son pied, re-frotte le fessier de Wazzag ; ses mains, où la sueur refroidit, s'ouvrent sur le foin ; le putain enserre la racine du membre entre deux doigts, presse le membre de bas en haut, force le foutre jusqu'au gland, qu'il sort de sa bouche, enfourne dans sa narine, écrase, gluant, dans le coin de ses deux yeux ; le foreur se redressant, Wazzag relâche le membre, se dandine jusqu'au mur, sexe traînant sur le foin souillé, se redresse le long du mur, resserre son membre entre ses cuisses, se hausse sur ses orteils, coudes au corps, étale à pleines mains, sur tout son visage : racine des boucles, oreilles, le foutre recraché, éclats de rire assourdis dans son torse ; le foreur roule sur le ventre, sur le dos, son entre-cuisse luisant, son membre durci, jonchés de brins épineux, pailletés d'acheb pourri, se tord, fait claquer ses lèvres, force son pubis avec le plat de sa grosse main ; Wazzag chevelure salpêtrée se barbouillant la gorge le torse, il se redresse, d'un coup de reins, se met sur pied, s'élance vers le putain, ramassant, à la volée, son poignard :«... mange mon foutre d'amour, chien noir, mange-le... sorti du cul, de la bouche, il meurt, à l'air, au froid, au regard... » ; empoignant la chevelure de Wazzag, il racle, avec la lame du poignard, les joues, le front, le nez, le menton, les sourcils, le coin des yeux, les oreilles, le cou, la gorge palpitante, le torse haletant du putain ; lequel, plaquant ses mains moites au mur de briques, remonte dans le même temps son genou entre les cuisses du bouclé, jusqu'à l'amas sexuel amolli, soulevant sur le dessus de son fémur le membre marbré ; le foreur dilue contre les lèvres entrouvertes de Wazzag, le foutre amassé sur la lame ; le putain le lèche, ferme ses lèvres ; le foreur les lui desserre avec le manche du poignard, du plat du pouce enfourne le foutre entre les dents du putain ; lequel, roulant sur sa langue le dépôt, le garde dans sa bouche, ferme ses yeux — le bouclé appuie la pointe du poignard, sur le menton, son gland, sur la cuisse, tient, chevelure empoignée, la tête forcée au mur —, avale sa salive ; comme le foreur le désétreint, s'écarte, tourné, de dos, Wazzag crache le foutre ensalivé sur son propre gland, se rue, yeux ouverts lavés, sur l'arrière du corps puissant, d'un coup des doigts fait glisser le jeans vers le bas ; plonge son membre couronné entre les fesses bleutées du foreur, vers le cul bourré de sable ; le foreur, volte face — le membre de Wazzag sort décoiffé de son cul —, recule le putain jusqu'au mur, d'une main retenant son jeans sur ses reins, de l'autre serrant le poignard qu'il appuie sur l'attache de la cuisse du putain plaqué au mur, les sexes se touchant dans le milieu des corps frémissants ; la lame, raclant la sueur des boucles, griffe l'entour du sexe ; Wazzag jette sa bouche sur le nez morveux du foreur, jappe, lèche l'intérieur des narines, mordille les croûtes, piaule ; son sexe, ramolli, se recourbe sur le poing du bouclé ; lequel, lâchant le poignard, se retourne, écarte des deux mains ses fesses à nouveau dénudées ; Wazzag, son membre se redressant, s'agenouille, fourre son mufle poisseux dans le fessier, ouvre sa bouche vers le cul, y jette sa langue — le filament accroché aux boucles encrottées, se colle à la pointe de sa langue ; d'une goulée, il l'aspire entre ses lèvres, sort son mufle, ses mains relâchent les jambes bouclées du foreur ; lequel, retourné, son jeans glissant sur ses jarrets, étreint de face le putain redressé, plaque sur les reins suants de Wazzag, les pans mouillés de sa veste de jeans, mordille les lèvres closes du putain ; lequel, ses doigts tirant les boucles du cul de l'homme enlacé, mastique le foutre enrobé de merde ; le foreur lui desserrant les lèvres avec ses dents, il pousse le caillot dans la bouche d'icelui qui, avec ses gros doigts bleus, éclatés, lui patouille l'omoplate, la clavicule, la nuque ; le foreur recrache le caillot entre les lèvres de Wazzag, crache, riant, dans les gencives du putain, sa salive souillée ; Wazzag

133

mâche le dépôt, l'avale; la main du bouclé, saccadée, saute, de haut en bas, sur le dos pubescent du putain, jusqu'aux reins où le mouvement de digestion étire les muscles, les nerfs; le membre de Wazzag toque celui du bouclé; lequel, les prend ensemble dans son poing, les presse, dans le même temps que Wazzag, empoignant les boules du bouclé, les lui plaque sur la cuisse, les roule, gluantes, flasques, sur le versant velu; le restant de foutre, expulsé hors du gland du foreur, coiffe le gland de Wazzag, entre les doigts du bouclé; poignet du bouclé croise, frotte, poignet de Wazzag, sous la vapeur des deux ventres accolés; Wazzag, foutre avalé, baise la bouche close, les joues du foreur, sa main enveloppe la tête empoissée de l'homme, fouille sa chevelure ensablée, gratte les points de démangeaisons que le foreur, de l'ongle du pouce, lui marque sur son cuir chevelu; le foreur grattant l'attache de sa cuisse avec l'ongle du petit doigt de sa main pressée sur les sexes, Wazzag lui saboule cette main, retirant la sienne des boules de l'homme, à pleins doigts lui gratte l'entour du sexe l'amas sexuel, sa bouche se collant, inondée de morve, aux lèvres sèches du foreur; lequel, son membre, sous les doigts de Wazzag, redurci, tendu à fond, secoue sa chevelure, laisse couler sa salive sur son menton, élève sa gorge, y pousse un cri étouffé, s'écarte de Wazzag, reboutonne le haut de sa braguette sur son nombril suant, tient son sexe diapré dans son poing, se rue sur le putain; qu'il refoule, retourné, à coups de pied, de genou, lui crachant dessus, vers la porte ouverte; comme le devant du corps seul de Wazzag attouche le feu, le bouclé bouscule le corps, il l'encule, ahane sur la croupe qui s'ensoleille, éjacule, roule sa

tête sur l'épaule du putain, sa chevelure, la couronne
de son crâne, saisies, empoissées, par le feu ; Wazzag,
secouant ses doigts au bout de ses bras jetés en arrière
du corps de l'homme, tripote la couture du jeans, à
la tombée des fesses, renfonce la couture dans la fente
du cul, retire ses doigts, les porte à sa bouche, à ses
narines ; le ventre du foreur gargouille contre ses reins ;
Wazzag lâche un pet léger qui enveloppe le membre,
l'excite, le fait grossir, s'enraciner ; avance un pas,
croise les mains du foreur sur son ventre, avance
sous le feu, ses pieds posant, légers, sur le sable ardent ;
la sueur flue sur le versant intérieur de ses cuisses,
jusqu'aux chevilles de ses pieds, heurtées par celles,
moulées dans l'espadrille, de l'homme à lui collé ; les
femmes, vautrées sous l'épineux, redressent le buste ;
celle rasée, scrute le haut des quatre jambes accolées,
d'où le foutre ruisselle, brillant, sur la sueur exsudée,
retrousse, agenouillée, sa gandourah sur ses cuisses,
bourre de sable son sexe entrouvert ; en pleine lumière,
leurs pieds foulant le sable blanchi, les deux adolescents, collés, marchent, obliquant, sur le milieu du
jardinet, vers la claie défoncée, le devant du corps de
Wazzag tourné, la masse brune du corps du foreur
dépassant en cerne régulier tout au long du contour
de son corps cuivré aux à-plats blanchis par le feu,
vers le groupe haletant des femmes recouchées, tête,
seins, recouverts d'ombre acérée, ventre, jambes, enrobés de feu ; Wazzag appuie son ventre sur la partie
dressée de la claie ; il toise, enculé, arrière du corps
étayé, ventre, reins, harnachés par la chair puissante
du bouclé, le groupe des femmes vautrées : ses yeux,
éblouis, caressent le crâne diapré de la fille accroupie ;
le foreur lui fléchit la croupe — Wazzag empoigne le

135

pieu —, ahane, enfouissant ses yeux dans la chevelure du putain; lequel, avec sa main libre, lui palpe la fesse, à travers la toile mouillée du jeans; les mains de la fille creusent le sable; le poing de Wazzag enserre le pieu; le foreur, raidi, bande ses muscles, ses nerfs, éjacule, jette muscles, nerfs, chairs, sur le corps roué de Wazzag; la fille, accroupie, marche vers la claie, appuie ses poings sur les pieds nus de Wazzag, se redresse le long du corps du putain, baigne l'oreille dans son souffle — sa main chaude enveloppe, soutient, le galbe de la fesse de Wazzag : « ... à toi putain, le gros foutre... pour moi l'épouse, le foutre d'amour filtré... », se laisse glisser le long des jambes accolées, appuie sa bouche sur le versant de la cuisse du foreur, entre les plis du jeans éclaboussé, écarte avec ses doigts la fesse de Wazzag, jette sa langue dans le tampon de chairs enfoutrées, racine du sexe du foreur palpitant d'une intermittente éjaculation, aspire le foutre, l'avale, retire sa langue, lèche l'entour bouclé, lèche, sur le coccyx, le gras de la fesse, les jarrets, du putain, les traces, séchées, en cours d'assèchement, des précédentes giclées du foreur; la main de Wazzag s'entrelace à celle du foreur posée sur le crâne de la fille; les femmes, redressées, scrutent le couloir obscur où les deux foreurs vacants disputent au rasé qui l'encule, le pied-bot tiré par eux hors du chiotte; les trois hommes, dont trois d'entre elles femmes portent le germe en leurs flancs, se frappent du poing, à la tête, se crachent dessus; crachats, coups déviés, éclaboussent la tête du pied-bot; que le foreur blond tire à lui, par le sexe, pour le désenculer; le rasé enserre entre ses jambes les genoux du pied-bot; l'autre foreur, sexe ballant sur le jeans, plaque ses mains aux hanches du rasé, amène à soi le grand corps plat secoué par les mouvements de la lutte, par le ahanement ; le rasé, d'un coup de rein, se rejette, collé au pied-bot, dans le chiotte ; le blond retenant à lui, par le sexe, par l'avant-bras, le pied-bot inerte, le sexe du rasé glisse, éjaculant, hors du cul ; le pied-bot, son fessier éclaboussé, se laisse étreindre de face par le blond ; cependant que le brun, rapide, ses pouces enfoncés dans la bande du jeans, l'encule à chaud, son sexe coulant dans le conduit enfoutré ; le blond mord la bouche du pied-bot, gonflée dans le temps que le brun, raidi, éjacule ; le rasé, dégrisé, s'accroupit sur le marche pied, chie, porte close par le pied du blond ; lequel, sa main soutenant le pansement de son ventre, plaque, entre leurs lèvres jointes, sa langue contre celle du pied-bot ; battus par les cils, les yeux bridés du brun, scintillent derrière les lunettes de soleil cerclées de vert ; sa gorge gronde ; ventre, jarrets, tressaillent, foutre expulsé ; le blond pince, avec ses doigts libres, le gland mal circoncis du pied-bot ; lequel, son pied bot rebondissant, saccadé, sur le sol, couvre la main du blond, secoue ses reins, tord son dos, monte son genou entre les cuisses, moulées dans le short, du foreur — le sexe d'icelui, darde, racine serrée dans l'intervalle de deux boutons ébréchés ; le blond griffe le gland, le pied-bot se projette en avant, sur le blond ; le brun, verres embués, sort lui-même son membre d'entre les fesses polluées du pied-bot, le secoue en reculant vers le jardinet, son jeans collé, plissé, par le foutre, à ses cuisses dodues ; le blond, retournant le pied-bot, plaque au fessier ses cuisses ; le rasé, reboutonné, sort du chiotte, tout enveloppé d'odeur excrémentielle, il passe une main enfoutrée sur son crâne ; son jeans, serré, est gonflé, sur le haut

de la cuisse, par les boules gluantes, sur le versant,
par le membre regrossi; il appuie sa main souillée de
merde, sur la bouche du pied-bot, dont les jambes
érubescentes scintillent, enrobées jusqu'au talon, de
foutre, lui desserre les lèvres, les dents, enfonce son
pouce dans la bouche, gratte avec l'ongle, le fond du
palais, enserre entre ses autres doigts la mâchoire du
putain; lequel, étranglé, crache morve, salive, cependant que le blond ahane sur sa croupe, accrochant la
corde de ses espadrilles aux ongles griffus des pieds
de l'adolescent, son short collé au fessier râpé jusqu'aux
veines; le torse du pied-bot s'affaisse; l'épiderme de
sa peau, sur tout le corps, boursouflé, contracté par le
venin des guêpes, pâlit, se ramollit; les doigts du
blond, convulsés, pincent les bourrelets flasques du
ventre; le rasé retire sa main, caresse le membre rouge
tacheté de blanc du putain, essuie le gland terreux; le
sexe rebondit; le rasé sort de sa poche son briquet,
l'allume; la flammèche bleutée mord les boucles de
la toison; le pied-bot écarte ses cuisses, lesquelles
vibrent, semées de poils calcinés; le brun, appuyé au
chambranle, une jambe raidie dans les rayons, se
branle, ses boules, sorties, roses, visqueuses sur le
versant de la cuisse, hors du jeans empoigné, gluant,
avec le sexe; éjacule sur le ventre de Wazzag le frôlant
enculé, tête rougie sous le feu — les femmes, accroupies,
frottent de sable, d'orge, la bouche de celle, rasée,
qui tient entre ses doigts une touffe des poils suants de
la toison de l'époux; le brun écrase son gland sur le
nombril de Wazzag; lequel, son œil noyé par l'excès de
lumière, scrutant les verres battus des cils du foreur,
lui prend son membre dans ses doigts, en expurge le
foutre qu'il recueille sur son pouce, porte, ébloui, à ses

lèvres; lesquelles, souillées — le filament se suspend à son menton —, il jette sur celles, entrouvertes par un reste d'orgasme, du foreur, y faufilant sa langue dont il tapisse le palais de l'adolescent — le membre d'icelui frappe sa cuisse —, curant les lambeaux, les menus os coincés entre les dents; l'une fripée de ses mains dans le même temps étale sur son ventre la giclée de foutre, l'autre au bout du bras tordu s'enfonce dans la poche arrière du jeans du bouclé; lequel tire Wazzag vers le chiotte entrouvert; le brun, ses lèvres, embaumées, se défroissant, nues, se redresse le long du chambranle, éternue — un doux coup de vent frôle son poitrail suant —, se déplace le long du mur, s'immobilise face aux trois adolescents agglutinés; tout un côté de la toison du pied-bot, calciné, coule en cendre sur la jambe d'icelui qui, l'œil grand ouvert où le blanc brille immaculé, appuie un doigt sur l'épiderme mis à nu; le rasé approche la flamme du restant de toison; le brun, appuyant sa tête renversée au mur, gorge tranchée par l'ombre du menton, souffle une haleine sucrée sur ses lèvres, son membre s'égoutte sur le jeans retroussé aux genoux, ses yeux rougeoient sous le verre : « ... o le rasé, saigne-le avant de le griller... »; le blond, saccadé, bave sur l'épaule du pied-bot; aux jambes duquel, le foutre, mêlé de cendre, ruisselle; le pansement suinte, rougit le coccyx du pied-bot; dans le chiotte ouvert, le bouclé, accoudé au mur, le haut de sa braguette déboutonné, le jeans glissant de part d'autre du fessier de Wazzag accolé à ses cuisses, plie ses genoux — Wazzag, enculé, s'appesantit le long du devant du corps arqué —, relâche ses excréments; lesquels éclatent, embaument les deux corps affaissés suants : Wazzag, sa bouche emplie de la

139

salive, des déchets de bouche du foreur brun, frotte sa joue aux lèvres du bouclé mouillées d'écume dans l'effort d'expulsion des excréments ; le bouclé geint, la merde ensanglantée chauffe le bas de sa fesse ; d'un coup de reins, il réajuste Wazzag appesanti sur le devant de son corps ; lequel putain sexe dressé yeux palpitant au haut du corps renversé, le foreur brun inscrit dans un même regard filtré ; Wazzag, décollant ses lèvres de la bouche du bouclé, hume l'odeur excrémentielle, crachouille sur le versant de sa joue les déchets de bouche du foreur brun ; son cul, bourré par les chairs chiffonnées du membre, lui cuit ; la viande bouillie refroidit dans son torse ; le rasé promène la flamme du briquet sur la gorge du pied-bot, la graisse, la sauce, grésillent sur l'épiderme ; la tête du blond, chauffée par la flamme, s'appesantit sur l'épaule du pied-bot, les ongles du blond griffent le torse ; le brun plaque son fessier au mur, croise ses jambes, sort ses boules ; le pied-bot retient sa salive, les muscles de son cou ; le rasé glisse son briquet dans sa poche engluée ; son membre re-pousse la braguette reboutonnée ; le blond force, le sparadrap tire la peau de l'aine ; du foutre mêlé de sang, de cendre, enrobe la cheville du pied-bot ; le rasé, sa hanche mouillée frôlant le ventre du pied-bot, incline sa tête vers le visage du blond, renversé, latéral, sur l'épaule du pied-bot, baise la joue en sueur, souffle une haleine forcée sur l'œil noyé de l'adolescent, sa main, couvre, pétrit la fesse à travers la fine toile kaki du short ; le pied du bouclé glisse sur le marchepied ; dans le mouvement qu'icelui fait pour se rétablir, son membre se déloge, Wazzag, d'un bref coup de reins, le désencule, se projette en avant ; le bouclé, resserre sa chemise autour de son torse frissonnant, frictionne avec ses poings son ventre, ses cuisses que l'arrière du corps de Wazzag habillait de chair exaltée, s'accroupit, son jeans gluant essoré sous l'articulation des genoux; Wazzag sort du chiotte; le rasé pose son pied chaussé de corde goudronnée sur le pied nu de Wazzag, appuie sa main échauffée à la flamme du briquet sur le bas du ventre d'icelui qui, son cul, son entrejambe, graissés par le foutre du bouclé, marche, allégé, vers le brun dont le membre, violacé, grossit, arde, chairs circoncises tirées; la hanche de Wazzag effleure le fessier du blond moulé dans le short; le rasé empoigne le membre du putain, son auriculaire écarte les boucles de la toison; le blond pousse le pied-bot dans l'angle du premier chiotte, son ventre pansé palpite sous les bourrelets; une coulée de sueur marque la toile du short, depuis le coccyx jusque sous le cul, le long de la couture; le pied-bot tremble, empourpré, au-dessus du sol, les ongles s'accrochent au grain salpêtré du mur; le rasé étreint de face Wazzag dont le sexe, rabattu vers le haut, lui chauffe l'aine; Wazzag baise à pleine bouche, la bouche du rasé; ses yeux, au ras des tempes du rasé, fixent, brillants, le poitrail luisant du brun, les bourrelets de son cou, l'épiderme tendre ambré de la tempe pressée par la monture de plastique vert, la sueur, filtrée par le verre bleuté, qui perle à sa paupière; le rasé, avec ses mains grosses, lourdes articulées au bout de ses longs bras imberbes, lui écarte ses fesses, en pétrit le gras englué : Wazzag abaisse ses paupières, le pied du rasé écrase son pied; le bouclé se redresse, racle avec ses doigts la merde accrochée aux boucles de son cul, trempe ses doigts dans la boîte d'eau rouillée, se redresse, remonte son jeans, le reboutonne, enfonce ses doigts aux ongles souillés dans ses cheveux, les retire, caresse du plat de la paume de la même main la surface de la chevelure de Wazzag secouée par le baiser ; les reins du putain tressaillent ; le bouclé approche ses cuisses moulées dans le jeans plissé, du fessier de Wazzag ; son membre, bridé par la toile graisseuse sur le versant de la cuisse, attouche le gras de la fesse de Wazzag que tient la main du rasé ; la joue du putain s'arrondit, son galbe duveté frémit ; il détache l'un, roué, de ses bras, du dos du rasé, le jette en arrière de lui, sur la hanche du bouclé dont le sexe, tressaillant — le gland force, distinct du reste du membre, sous la toile élimée, défibrée — collé sur la retombée de sa fesse, lui en chauffe, excrémentiel, l'épiderme poisseux ; un geignement sourd dans son torse, fait vibrer ses lèvres abouchées à la mâchoire du rasé ; sa main palpe la cuisse du bouclé ; lequel s'écarte, la main du putain pelotant son membre moulé ; le blond, tenant le pied-bot aux hanches, fait ployer au garçon le haut de son corps ; le pied-bot bute son front rougi par l'afflux du sang, contre le dallage souillé ; son coccyx découvert reluit en-sanglanté : les pouces du blond le lui creusent ; Wazzag recule son fessier, repousse le bouclé vers le chiotte, détache son bras du dos du rasé, décolle ses lèvres de celles d'icelui dont il essuie d'un revers de main la bouche ensalivée, se détache du foreur, lui prend son briquet dans sa poche, le suce, déhanché ; un filament de sa morve se prend dans la roulette, il ferme le briquet, le remet dans la poche du rasé ; dansant, pieds frappant à plat le sol, ventre creusé, sexe au poing, tête secouée, genoux se heurtant, épaules balancées, cou allongé, bras replié oscillant sur la hanche, main portée

142

en visière sur le front, main déployée ondulant devant
le sexe secoué, pouce appuyé sur l'aine, mains plaquées
pouces joints aux tétons, Wazzag avance vers le
foreur brun dont un pied frappe le sol ; le rasé, le bouclé,
au coude à coude, se jetant, sous le feu, des baisers
brefs aux lèvres, foulent le sable blanchi, s'agenouillent
dans le jardinet, déboutonnent leur jeans, versent des
poignées de sable brûlant sur leurs cuisses, sur leur
amas sexuel enrobé de foutre, de merde ; le brun,
cependant que la chaleur, le parfum du corps de Wazzag
approchant, embuent son ventre, baignent sa narine, son
membre se renforce, de la bave s'écoule à la commissure
de ses lèvres que le putain essuie du bout de ses doigts
fripés où frisottent des bouclettes ensuées ; le bouclé,
le rasé, têtes jointes, foulent, de leurs genoux, le sable,
jusqu'à la claie : les femmes, réassoupies, leurs seins
ronronnent sous l'ombrage ; les foreurs, leur jeans
entrouvert, se renversent sous le feu, fesses aux talons,
gorge tirée, palpitante, vers l'arrière, soleil chauffant
le jeans au genou, ardant les chairs circoncises du
membre tendu ; les pets, hors du cul bridé par la couture
du jeans, baignent l'amas sexuel, embaument les
rayons ; l'odeur éveille la fille rasée : le sable coule sur les
cuisses de l'époux ; le mica scintille, collé par le foutre
au membre violacé ; un coup de brise jette des épines
sur les seins découverts des femmes ; la fille rasée,
son crâne criblé d'épines, de pétales sucrés, se redresse,
marche, agenouillée, poings au sable, vers la claie ;
la vapeur exhalée par ses seins secoués dans le haut
de la robe, baigne, embue son visage : un téton sort,
s'accroche à l'ourlet de l'échancrure ; le bouclé, rame-
nant droit sa tête incandescente, fixe le téton ; les
rayons huilent son membre ; la fille serre ses poings

143

mauves sur la claie; le bouclé, avançant, y plaque ses mains poisseuses; la fille souffle sur le membre, au travers de la claie; le bouclé lui presse ses menues oreilles entre ses doigts lissés au manche de la foreuse, lui baise le front, le haut de la nuque, la pastille d'or incrustée à l'emplacement de la fontanelle dans l'épiderme cendré; Wazzag, collé au brun, garde ses yeux fixés sur la claie où pose, seul, le coude de la fille hors de la masse du corps du bouclé agenouillé; le brun le serre contre le mur, le retourne, appuie sa hanche au mur, ploie, d'un coup de poing au ventre, le haut du corps du putain, jette son membre ballottant vers le cul dégagé par l'inclinaison du corps; le foutre jaillit — le brun, dans le mouvement de projection, a laissé sa jambe se raidir —, éclabousse le fessier, que Wazzag, riant clair, pousse entre les cuisses du brun, frotte, enfoutré, au jeans d'icelui qui, du bout du doigt, essuie ses verres embués dans la crispation; le foutre continue de jaillir, les caillots s'accrochent aux boucles du cul; le fessier tourne, tord le membre éjaculant; le brun empoigne son membre, en presse la racine, écrase le gland sur le coccyx du putain, lui fait décrire cercle, spirale, rectangle filés sur la peau vertébrée; son autre main tient un côté du torse suant de Wazzag; sa bouche, ses poumons, spasmodiques, projetés en avant, il tire le foutre de ses jarrets crispés; pousse le putain vers l'angle où le blond, tête violacée par l'afflux du sang, fouaille le pied-bot ployé; il se détache de Wazzag, oriente le cul d'icelui vers la tête inclinée du pied-bot; lequel, ouvrant sa bouche, en plaque les lèvres bondées de sang froid, sur le coccyx décoré, aspire cercle, spirale, rectangle, cependant que le brun enfourne son membre dans la gueule de Wazzag agenouillé, mains étreignant les genoux du foreur; le putain suce le membre gluant, que gonfle force un foutre intermittent, ses yeux se détournent du bas-ventre bouclé du brun, scrutent la claie écrasée par la masse, scintillante cendrée, des corps, du rasé, du bouclé, de la fille, entremêlés; le brun ramène ses boules engluées d'entre ses cuisses, il les roule sur le menton du putain, jusqu'au creux des joues; ses reins tressaillent sous le jeans plissé qui les gaine; ôtant ses mains, il les pose sur la tête de Wazzag, glisse ses doigts dans la chevelure encroûtée, les crispe, ongles griffant le crâne fouillé; raidit ses jambes; Wazzag tourne sa tête sous les ongles; la vapeur, exhalée au pubis crispé du foreur, embue ses yeux; ses lèvres branlent le membre regrossi; le pied-bot lèche le coccyx, sa langue plonge dans le fatras de boucles enfoutrées qui palpite au cul de Wazzag; le blond, incliné sur sa croupe, lui attrape ses oreilles percées au lobe, les lui tord, tire la tête, la rabat sur le haut du dos, sa main couvrant, caressant la gorge tendue; / le jeune crépu sort son membre gonflé de foutre d'entre les fesses de Khamssieh, il mord le lobe crasseux des oreilles, crache sur la joue écrasée, empoigne, agenouillé sur le fessier, les cheveux de Khamssieh, soulève la tête inerte, en baise la bouche empoussiérée, mouche son nez sur le front du putain, pince les sourcils, les cils, tire les cils, souffle sur les yeux ternis, laisse couler sur l'iris sa bave hors de ses dents, lèvres retroussées, frappe du poing le front, se redresse, essuie ses grosses lèvres violettes, lisse entre ses doigts sa chevelure crêpée; son membre, tendu, rebondit sur l'amas sexuel répandu sur l'ourlet de la braguette; du pied, il foule la tête rousse; poussant la porte, il se baisse, ramasse les bras atones du putain, tire le corps vers la porte ; soulève, derrière le zinc, le corps retourné, l'appuie, dos au zinc ; Khamssieh, haletant, jette ses bras en arrière du zinc, ses doigts touchent le bois usé par l'attouchement des ventres suants ; tout le devant de son corps empoussiéré, encendré — un mégot mâché, ensanglanté, est accroché à la toison de son membre —, piqué d'échardes, le foreur le lui caresse de bas en haut : les échardes se retroussent sous sa paume ; sa main glisse sur le genou, sur la cuisse, rabat sur le ventre le sexe fripé, remonte le long de l'aine, pouce creusant le nombril, palpe le ventre, couvre les seins, la gorge, ramène sur les lèvres toute la souillure du corps ; le foreur se jette sur le corps chancelant, lui bloque l'omoplate sur le zinc, appuie ses lèvres sur la tempe de Khamssieh : ses lèvres s'entrouvrent, son haleine souffle les touffes rousses, ses dents mordillent la veine temporale ; la salive, refoulée, étrangle le foreur, ses dents ébréchées sectionnent la veine ; le corps s'effondre, le foreur s'appesantit ; son front heurtant le bas du zinc, il suce le sang, à pleine bouche ; une écume rose mousse au front de Khamssieh ; son corps, sous le poids ardent du foreur, frissonne ; sa tête, vidée du sang envenimé, se réchauffe ; sa jambe, prise entre celles, moulées dans le jeans recuit, du foreur, bout : son membre tressaille sous la braguette déchirée du foreur ; lequel, alerté, aspire le sang attiédi, le rire sourd dans sa gorge, ses lèvres vibrent sur la plaie, sa morve, expulsée, éclabousse le front du putain ; lequel, le sang forçant rouge ardent ses veines, toutes, remue sous le foreur, lui prend dans sa main faufilée son sexe ramolli ; le membre, rabattu, se rengorge, enfle, durcit ; le crépu détache ses lèvres de la plaie, se redresse, plaque ses mains à ses hanches,

à ses fesses collées au jeans par la sueur, projette
en avant son membre tendu à fond, arqué violet,
scrute l'œil rafraîchi de Khamssieh, ouvre sa bouche
emplie de sang, vomit le sang dans une canette d'orangina, essuie ses lèvres ensanglantées : « ..lève-toi.. que
je te baise jusqu'à ce que ce sang caille dans cette
couille.. »; il tient le flacon ballonné de verre dépoli
entre ses doigts : le sang y refroidit; Khamssieh se
meut; ses boules, tandis qu'il se soulève sur le côté,
prises sous son fessier, luisent, polies au travers du
poil roux, écloses sur le bas du cul; le crépu y appuie
la corde goudronnée de son espadrille; Khamssieh,
une main plaquée sur sa tempe ensanglantée, se redresse,
appuie son coude sur le zinc; le crépu, quatre des doigts
de chacune de ses mains enfoncés dans les poches
avant du jeans, les pouces joints sur la courbure du
sexe, déhanché, ses doigts, grattant à travers la toile
restée sèche, la racine du sexe, crache sur le corps
effervescent; des filaments de bave, pendent, vibrent
depuis sa bouche jusqu'au sein de Khamssieh, il les
ravale, ses lèvres touchant le sein; le corps du putain
tressaille; le crépu sort ses mains du jeans, les plaque
sur les hanches de Khamssieh, sa bouche suçote le
téton; Khamssieh, son membre accoté au sexe du crépu,
appuie ses mains sur le fessier d'icelui; ses doigts
palpent, pétrissent les bourrelets de la retombée des
fesses, pincent, à travers la toile défibrée, imbibée
de sueur, les boucles du cul collées par la merde; le
crépu se détache de Khamssieh; d'un coup de poing
dans la hanche, le retourne, ventre au zinc, lisse son
membre entre deux de ses doigts, le jette dans le cul
de Khamssieh; / Wazzag, le gland du brun bloqué dans
sa narine, mâche son foutre; ses doigts tirent, triturent

147

les boules du brun suspendues le long de sa gorge; le blond serre la tête du pied-bot redressé contre le haut de sa poitrine, incline sa tête pivotée vers le visage barbouillé du pied-bot qu'il frotte avec sa joue, lui baise sa bouche enfoutrée, mordille entre ses dents les bouclettes prises au cul noyé de Wazzag, enrobées dans les caillots que rejette la gorge enserrée du pied-bot; / Khamssieh, son torse attouchant le plat du zinc, ses yeux fixant la mâchoire en travail de Wazzag, renifle; le gland du crépu se faufile dans son cul, il écarte ses cuisses, ses fesses, ses talons, sur le dallage ensanglanté; les mains du crépu enveloppent la retombée de ses fesses, par-dessous le sexe de moitié rentré dans le cul saisissent ses boules, les tirent, les mêlent à l'amas sexuel; le crépu, raidissant ses jambes — les muscles vibrent, saccadés, au jarret moulé —, crispant ses orteils, talons soulevés, ahane sur la croupe de Khamssieh; le sexe du putain bat le zinc, les doigts du crépu, sa jambe étant soulevée, son genou calé au zinc, tirent les boucles de sa toison, les membranes de son sexe, le poignet du crépu se retire d'entre les cuisses de Khamssieh, remonte, humide, le long de sa hanche, du dos, de l'épaule, barre la gorge, les doigts tirant l'oreille, retroussant les lèvres du putain, dans le même temps que son foutre lui tapisse le cul : les boules du foreur, suintantes, battent la retombée des fesses de Khamssieh, son souffle hérisse les boucles poudrées des tempes du putain; l'autre main du crépu couvre le sein de Khamssieh, les ongles raclent la sueur sur l'épiderme encrassé du téton : ses pieds crispés forcent l'espadrille imbibée de graisse; la sueur flue le long de ses jambes sous le jeans qui les serre; son torse, pans de la veste de jeans rejetés sur les côtés, frotte le dos du putain où la sueur dilue l'empreinte des doigts ensanglantés du boucher ; le foutre redurcit le sexe dont l'épiderme effervescent adhère aux parois du cul ; le putain resserre ses fesses sur le milieu du membre, bave, frissonne, bras repliés contre le torse, poignets croisant ceux du crépu, quand le foutre expulsé, éclabousse, ardent, la giclée refroidie ; la couture, les plis du jeans du crépu : entrejambe, poches, braguette, retombée des fesses, aine, genoux, jarrets, s'imprègnent de sueur ; le crépu, ses mains convulsées se décollant du torse de la gorge du putain, tousse sur la joue d'icelui ; le crachat, la morve, s'écoulent vers la commissure droite des lèvres de Khamssieh ; lequel, sortant sa grosse langue mauve, ramène vers sa bouche les filaments, les aspire, sa bave, suspendue à son menton, collant au zinc ; sa main, recourbée, appuie sur la bouche souillée du crépu, l'essuie, emplie de morve ensalivée ; laquelle, il resserre dans le creux de sa main, gobe aux interstices d'où elle sort, rosie par la poudre de sang retenue dans les plis de la main contractée ; le crépu plaque ses mains aux hanches de Khamssieh, ses doigts lui creusent l'aine ; ses talons soulevés, ses jarrets, se recrispent ; le putain lèche sa main emplie de morve, la jette, avec l'autre, en arrière des corps, sur les fesses du crépu, les pétrit, les remonte dans la toile amollie par le travail d'accouplement, faufile ses pouces dans les passes du jeans ; la langue du crépu lèche, bouche ouverte haletante, la commissure des lèvres de Khamssieh, les lèvres ensalivées d'où un bout de langue déborde ; la joue imberbe du crépu râpe celle, vérolée, de Khamssieh, son ventre renforcé au manche des foreuses US, lime le coccyx corné — les vertèbres ondulent contre son ventre, excitent le

149

membre bloqué —, ses genoux frottent l'arrière suant de ceux du putain ; le corps, large, chaud, de Khamssieh, dans le temps que le sang se caille dans la couille d'Orangina, s'affaiblit, le foutre du crépu, expulsé, noyant le gland rétracté, s'affaisse ; le sang éclate à la tempe mordue ; le corps s'effondre aux pieds du crépu ; lequel, son membre rétracté s'égouttant sur l'ourlet du bas de sa braguette, s'accroupit — le jeans serre, aplaties contre son fessier, ses boules engluées —, retourne sur le dos le putain dont le corps effervescent refroidit sous ses doigts, s'étend dessus, pose ses lèvres sur la plaie, resuce le sang : « .. maître de foutrée nu, bleu de poil.. ton chien roux saigne.. » ; sa bouche gonflée sur la plaie, il ronronne, appesanti sur le corps inanimé.. « .. chien, mulet,.. le foutre dont ta tête, ton ventre, tes jarrets, sont chargés, qu'il surgisse dans tes veines pousse, par-dessus le sang, jusqu'au cœur.. baiser, sucer tes lèvres, tes mains, ton membre, gonflés de foutre égal au sang.. » ; le maître de foutrée, allant chier, main déployée sur le cul, s'arrête au bas de l'escalier ; la tête rousse baigne dans le sang ; les fesses du crépu tressaillent, moulées ; le maître de foutrée avance, s'accroupit, soulève la nuque de Khamssieh.. : « .. lâche, crépu... tes dents broyeuses de charogne infectent la plaie.. » ; / la langue de Wazzag, foutre avalé, lèche le dessous des boules du brun ; lequel, bras levés, fesses plaquées au mur, écarte ses cuisses, étire tous ses membres, bâille ; Wazzag baise la cuisse où les muscles, étirés, chauffent la chair ; / le maître de foutrée, avec ses doigts, détache les lèvres du crépu, de la plaie, pousse la tête, le reste du corps qui roule sur le dos jambes écartées le long de Khamssieh, soulève les pieds ensanglantés de Khamssieh, traîne le corps froid dans le cagibi, ferme à clef le cagibi, traverse la salle, le couloir, s'élance dans le jardinet; le crépu, ses lèvres ensanglantées vibrent, sa gorge gargouille, il frotte ses yeux, jette son bras par côté, caresse, du plat de la paume, l'emplacement attiédi du corps de Khamssieh sur le parquet, dilue du bout du doigt le sang dans la poussière, lèche son doigt, bâille, rentre son membre ramolli gluant dans le jeans, boutonne, flatte, la braguette resoulevée par le membre regrossi; sa joue touche le plancher : la sueur y sèche au sommeil; / Wazzag, redressé le long du brun, frotte son oreille, sa tempe, aux lèvres d'icelui : « .. mords ma veine, l'homme, pour qu'il me donne à manger du foie d'agneau.. »; le maître de foutrée dénoue, jeans, djellaba, du pied-bot, serrés au tronc de l'abricotier d'angle, les revêt, enjambe la claie : appuyé au pieu, le rasé rechie dans le sable ardent, les femmes, accroupies sous l'ombrage, jettent sur son crâne miroitant — veines, veinules, saillent, au forçage de la merde — des fruits-fleurs tombés de l'arbre, le pollen éclate sur l'occiput; le bouclé, la fille, accouplés sur les déchets de roseaux, halètent, geignent; les femmes battent leurs mains enduites de pollen, il court, le long du « Bain Mort », vers le camp — où les effluves des cuisines, enclos, retenus au midi, dans les bosquets, dans les panaches, en sont, au soir, chassés par les vents du plateau; rampe sous le barbelé dont le sol est garni de crottes refoulées par le vent hors du chenil, contourne le baraquement incandescent du peloton cynophile : les souples chiens, dressés, griffes accrochées au grillage, hument, sexe érigé, le parfum de foutre exhalé par le corps du maître de foutrée avançant sous le feu; dans la chambre aux murs roses tapissés de photos de femmes nues, sous le drap, un soldat bouclé blond, écrase, sous son corps suant nu excepté un slip de coton immaculé où scintillent les cristaux de lessive, le fatras de membranes, de touffes, de membres, d'une chienne noire en rut, amollie, yeux voilés, au creux de la paillasse ; le maître de foutrée s'agenouille devant le lit, touche la main du soldat, ouverte, moite, sur l'oreiller ; le soldat roule sur le dos, jambes écartées sous le drap humecté ; la chienne, pattes avant repliées sur le drap, gronde, la bave coulant d'entre ses crocs sur l'épaule rose du soldat : .. « .. mon chien roux saigne.. » ; le soldat repousse la chienne, baise la paume du maître de foutrée, frappe le flanc de la chienne qui, s'élance hors du drap, saute à bas du lit, flaire, rapide, le cul du maître de foutrée ; lequel, le soldat blond attire contre lui : .. « .. coucher, Sultane... viens ça, collègue.. qu'il saigne, ton chien roux, tout son sang vicié.. » ; le soldat soulève le drap, le maître de foutrée monte sur le lit, se glisse sous le drap, ronronne lové dans l'empreinte chaude de la chienne dont les poils noirs sont collés par la bave aux boucles blondes du soldat ; lequel, roulant sur le côté, palpe, sous le drap, le ventre ardent du maître de foutrée au bas duquel sous la couche d'étoffe, de toile, le membre tressaille ; retrousse la djellaba — le maître de foutrée écarte les cuisses, son pied ensablé touche celui, moite, du soldat —, déboutonne le jeans chauffé, sec, enfonce sa main, tout son poignet, entre les cuisses du maître de foutrée, empoigne le membre, le lisse jusqu'au gland cerné de foutre sec mêlé de graisse, de minium pris au cul de Khemissa : l'odeur du pied-bot — dattes, crottin de chameau, urine, chiure de bébé, cuir, thé —, que la chaleur des corps éveille sur les vêtements, se mêle au remugle de la chienne, au parfum de Cologne dont le soldat arrose son corps tout entier, avant, après les soins donnés à ses chiens ; le membre du soldat éperonne, mouille le slip ; les ventres, les seins s'attouchent sous le drap tendu filtrant la lumière rose des murs ; la chienne, assise sur son séant, oreilles couchées, scrute les photos nues ; le maître de foutrée roule sur le ventre, le soldat se redresse, retrousse la djellaba, le jeans, palpe les fesses mises à nu, enjambe, poing appuyé sur la paillasse, le corps du maître de foutrée, sort son membre tendu à fond, du slip, le loge entre les fesses tressaillant sous son bas-ventre, nu, s'appesantit sur le corps habillé, sous le drap ; jambes raidies, mains serrant les épaules du maquereau, par seuls frottis, pression, verticaux, il force le foutre qui, démange son pubis, bouillonne à son gland ; sorties du slip, ses boules, suintantes, se répandent sur l'ourlet de ceinture du jeans ; ses muscles se détendent, sa langue lèche la joue salée du maître de foutrée, le dur duvet du dessus de la lèvre supérieure ; la chienne s'étend sur la chape de ciment, étire ses pattes, arrondit sa croupe, geint ; le soldat étreint la mâchoire du maître de foutrée, son membre redurcit, du foutre, extrait de l'aine, gicle, sa bouche s'ouvre, son cou croise, saccadés, sur l'arête de la mâchoire du maître de foutrée ; une larme corrode l'aile du nez ; un coup de vent jette un bas branchage d'eucalyptus sur la tôle du toit : une tarentule blanche tombe sur le ventre haletant de la chienne, pique la veine au travers du pelage suant ; la chienne gémit, se redresse, se secoue ; affaiblie, se recouche, lèche, frénétique, la peinture rose du mur, roule sur le côté piqué de son ventre, jappe ; le soldat, retire son sexe éjaculant du cul du maître de foutrée, saute à bas du lit — son membre rebondit, dodu, sur l'élastique du slip —, s'accroupit auprès de la chienne — le foutre sort, en caillots nacrés, du gland pétillant, s'écoule sur le versant bouclé de la cuisse —, la retourne, pince la plaie, empoigne la patte arrière de la chienne, écrase sous les griffes la tarentule lovée dans une cavité de la chape ; redressé, prend, dans l'armoire vitrée de verre dépoli suspendue dans l'angle du mur, une seringue emplie de sérum, se réaccroupit, lève son poing serrant la seringue : une ultime giclée — laquelle se répand sur le gland rétracté, ruisselle le long du membre jusqu'à la toison, engluant le coton — ramollit son bras ; du pouce de sa main libre, il soulève, presse son membre, le remet dans le slip, lèche son poing enduit du foutre refoulé, l'essuie, desserré, à ses reins ; son bras tombe, la seringue perce l'épiderme touffu ; la chienne tressaille ; le soldat retire la seringue, flatte le museau mouillé, se redresse, dépose la seringue dans l'armoire, revient au lit, s'y assied, pousse son fessier vers la joue du maître de foutrée retourné sur le dos, drap rejeté, effondré, sur le ciment empoussiéré, pivote, jambes calées au mur, amas sexuel englué enserré dans le slip balayant la joue du mac, installe son fessier suant sur le visage ouvert du mac, verse sa tête entre les cuisses gainées d'icelui ; le nez du mac renifle sous le cul du soldat ; duquel le membre retend le slip, les lèvres collant au pli étoilé du jeans, sur la cuisse ardente du mac ; son pied moite appuie sur la baie incandescente, dans le temps qu'une, deux, trois sentinelles de la garde montante, corps après manger suant harnaché sanglé, cul mouillé de pets, surgissent dans l'espace vitré ; casque heurtant la vitre, elles appuient leur bouche enduite de graisse se

154

rapides, où le talon porte sur le verre, l'œil, sous les cils entrelacés, se repaissant du pli qu'imprime au coton, le membre renversé dans le slip ; dans l'angle d'écartement des cuisses, la tête du maître de foutrée se hisse, les lèvres baisent, sucent le coton englué ; le soldat, son torse secoué par le rire, glisse ses mains sous les reins du mac dont le membre force sa nuque, sa bouche vibre en un pli : ... « .. foutre, sang, sueur, salive, bile.. en profondeur qu'ils travaillent tes chiens, les hommes... à quand la lymphe ?.. » ; / Wazzag, réaccroupi, suçote le membre du brun s'assoupissant ; le blond ronfle, au bas du chiotte, appesanti sur le pied-bot ; duquel les lèvres souillées de poussière, saisissent un lambeau de viande rose collé sur le dallage, l'enfournent : la gorge, palpitant à même le ciment, l'avale ; le sang suinte sur ses reins ; le brun se laisse glisser le long du mur ; Wazzag, d'une main, lui soutient les reins, de l'autre, sueur y poussant l'œuf, lui masse tout l'amas sexuel ; le brun, couché le long du mur, soupire ; Wazzag ôte ses doigts du corps endormi ; se redresse, essuie ses mains à ses hanches, étire ses bras levés, ses jambes écartées ; le foutre séché s'effrite sur l'épiderme dilaté ; Wazzag s'accroupit, ramasse en les décollant les lambeaux de viande écrasés sur le dallage par les pieds crispés des foreurs, il en porte à sa bouche, à celle du pied-bot ; arquée, sa lourde vermeille croupe, fessier ouvert attouchant le dallage souillé, scintille, depuis la nuque jusqu'à la retombée des fesses, dans la pénombre baignée des rayons du feu rosé ; / le soldat, relevé, son slip collé aux fesses par le foutre dilué sur le visage du mac, met à chauffer la seringue sur le gaz chevillé au mur rose : au feu bleuté, miroite son ventre bombé barbouillé de foutre ;

155

son membre se rétracte dans le coton chauffé ; le maître de foutrée se redresse, s'assied sur le bord du lit, reboutonne le jeans, se lève, laisse couler le long de son corps la djellaba bleutée, s'adosse au chambranle ; le soldat, d'une main tenant le manche de la casserole, de l'autre, jambe levée, gratte son amas sexuel : un pet bref enfle le coton bridé sur ses fesses ; il retire la seringue, l'enferme dans l'étui, prend son PM au râtelier, le suspend à son épaule, boucle autour de sa taille, à cru sur le bas-ventre, son ceinturon garni de cartouchières, dispose celles-ci de part d'autre de son membre regrossi dans le slip, glisse l'étui dans une cartouchière vide ; ils sortent, les traînées de foutre, sur le versant des fesses, sur le visage du mac, sur le versant bouclé des cuisses, sur l'arrière du slip, sur les doigts d'une main du soldat, fument, saisies par le feu ; appuyé au grillage, un soldat, nu excepté un short US léger, de la même couleur olivâtre que son corps fébrile, qui lui moule, non ourlé, le milieu du corps, scrute l'amas de chiennes assoupies sous l'auvent de palmes : son membre, tendu à fond, sort du short, sur la cuisse ; le gland, faufilé dans une maille du grillage, luit ; le soldat touche le dos marqué d'éclaboussures de graisse, de jus de viande noire ; un morceau d'ail vibre dans l'oreille de la tête retournée : «.. maître-chien, moi, son nouveau saucier, le cuisinier premier jus me prête à toi, tout entier, arrière, avant, chairs, boucles, jus — sauf bile, sang —, en échange de l'une, rousse, saine, de tes chiennes enceintes, choisie par moi qui, frère de bain de sa fiancée d'Europe, me délecte de son gland fourbi sur la tringle du four... » ; le maître-chien entre dans le chenil, foule, baissé, de son pied nu, le ventre suant des chiennes éveillées : toutes, s'étirant, flairent son amas sexuel, lèchent le foutre : seule, une rousse, alanguie, reste couchée sous l'auvent, ses yeux mi-clos, noyés de pleurs, son ventre haletant; le maître-chien, refoulant les chiennes — leur langue enveloppe, chauffe son membre regrossi dans le coton englué —, s'accroupit, tâte le ventre de la rousse; de laquelle les yeux s'ouvrent, sclérotique se dilatant sur l'or de l'iris, cernés de sang; le saucier s'agenouille, lui palpe le cul, y introduit son pouce; sa hanche frôle celle du maître-chien, leurs doigts s'entrelacent dans le pelage suant; le maître-chien, ouvrant sa bouche, mord l'épaule salée du saucier, laisse couler, d'entre ses dents, sa salive sur la peau olivâtre, ôte ses lèvres, se redresse; hors du chenil, le saucier enjambe la chienne, la chevauche : la couture du short se déchire dans le pelage, il se remet sur pied, pousse la chienne vers les cuisines : une touffe de poils, de ceux du cul, sort, secouée par le mouvement de frottis balancé des fesses, par la déchirure du short; / le maître de foutrée précède le maître-chien dans le jardinet : le rasé essuie son cul crotté au sable, cache son visage dans ses mains; le bouclé, agenouillé, poings au sable, au bas de l'éminence où sont assoupies, sous l'arbre, les femmes, pousse, du genou sur le sexe gluant d'icelle, la fille rasée qui halète, robe retroussée sur le ventre, cuisses ouvertes; / le maître-chien, accroupi, l'écume aux lèvres, pique le bras de Khamssich; retire la seringue; le maître de foutrée la prend, monte à la chambre, met la seringue à chauffer, redescend, tire, de la caisse, un pansement sous cellophane; Wazzag, redressé, mâchouillant un lambeau, le menton barbouillé d'écume, halète adossé au chambranle : deux filaments de morve noire sortent de ses narines, se diluent sur le

157

rebord de sa lèvre supérieure; le maître-chien panse la morsure; Wazzag apparaît, adossé à la porte du cagibi; redressé, le maître-chien, frotte l'une à l'autre ses mains ensanglantées; le maître de foutrée tire Khamssieh vers le fond du cagibi, sur l'amas spongieux des serpillières; le maître-chien, tout armé, sa sueur embuant arme, chargeur, avance vers Wazzag, ses mains rouges tendues, son membre éperonnant le slip entre les cartouchières; il étreint Wazzag; lequel, la crosse, le membre, fouaillant son sein, son ventre, pisse sur les jambes du maître-chien; le soldat, l'urine moussant à ses pieds, repousse le putain dont, tout entier, le corps tremble : le jet, secoué, éclabousse le slip du maître-chien; Wazzag, acculé dans l'angle du comptoir, ses mains vibrent sur son ventre; le maître-chien empoigne, de côté, son bras, son cou, les serre, renverse le haut du corps de Wazzag sur le zinc, lui écrase le cou sous ses deux poings mêlés; Wazzag se débattant, le jet, hors du sexe secoué, arrose le chambranle, le dallage, le genou crispé du maître-chien; qui recule, l'arme ballant sur son côté suant, se rejette dans le cagibi, étire son slip, membre sorti, l'essore dans son poing; crache sur le jet, sur le ventre, les seins de Wazzag; duquel, le sexe, jet diminué, se rétracte, s'égoutte sur la cuisse; sur son corps soulagé, le maître-chien se rue, baise le cou marqué d'empreintes; la crosse re-fouille le sein de Wazzag : son sexe se gonfle d'urine; muscles relâchés, le jet frappe, chaud, le pied du maître-chien; lequel empoigne le membre de Wazzag, l'oriente vers le zinc auquel sont, frémissants, plaqués, les jarrets du putain; s'écartant, rapide, il retourne Wazzag, ventre au zinc, l'encule, slip, froissé humide, frôlant, au frottis, le gras des fesses du putain;

le membre, baigné d'urine, se faufile dans le cul ça nettoyé à coups de langue par le pied-bot ; l'urine baigne, chauffe les pieds nus emmêlés ; le jet de foutre ébranle le sexe du putain, sa poitrine halète, barrée au niveau des tétons, par le rebord du zinc ; foutre jailli, le genou levé du maître-chien frotte la hanche de Wazzag, sa main tripote le membre rétracté du putain, ses lèvres lui enrobent son oreille alourdie par la boucle de corail ; le membre tarit sous les doigts du maître-chien au visage duquel le putain, arqué, étirant les muscles de ses cuisses, de ses fesses — un caillot de foutre sort du membre, s'écoule dans le cul —, frotte, câline, geignant, son éruptive nuque bouclée ; la crosse heurtant le coccyx de Wazzag, le membre d'icelui re-tressaille, bondé d'urine, sous les doigts du maître-chien ; qui, écartant le haut de son corps du dos de Wazzag, sans se désenculer, ôte son PM de l'épaule, le dépose sur le zinc ; urine refoulée dans la vessie, le maître-chien relâche le membre qui grossit, le ressaisit, les anneaux se forment sous ses doigts, le gland rosit, tourne au violet, les chairs circoncises, dilatées, collent à ses doigts ; le maître-chien pousse Wazzag dans l'angle obscurci du comptoir au mur, bourre tous les membres dans l'angle, se désencule, retourne le putain, fessier dans l'angle, son membre gluant roulant sur la hanche de Wazzag ; le putain halète, le maître-chien, ses pieds clapotant dans l'urine, gronde, pince, tord les tétons du putain, laisse glisser, rapides, ses mains le long du corps salpêtré ; s'accroupissant, mord le fémur ; son membre, rabattu, repose sur une cartouchière ; redressé — la sueur scintille sur ses seins pubescents —, il tire un torchon spongieux d'une anfractuosité du mur au ras du zinc, il essuie la morve noire qui, en deux filaments distincts, contournant la bouche du putain, se dilue sur le menton, jette le chiffon sur le zinc, baise, son poing tirant vers le bas le membre rétracté du putain, la bouche, le menton essuyés d'icelui, dont le rire, dégorgé, vibre sous ses lèvres marquées d'empreintes de crocs; le maître de foutrée, à l'autre bout du comptoir, ôte la djellaba, le jeans dont la couture est collée à ses fesses par le foutre du maître-chien, jette les vêtements sous le bac de plonge, par-dessus le corps endormi du crépu, gratte, nu, son bras libre tirant l'épaule, sur le gras de ses fesses, la trace de foutre séché; le maître-chien, ses doigts pris dans les bourrelets de l'arrière du cou renversé du putain, soulève avec sa mâchoire le menton d'icelui; dont la gorge, tout le torse, jusqu'au bombé ventral, enrobés de bave, scintillent pressés par les doigts, dans la lueur filtrée par le fenestron cerné de paille d'orge; le slip gluant clapote entre les cuisses secouées du maître-chien; Wazzag geint; son membre que le foutre ébranle, force le poing du maître-chien, ses mains suent, plaquées au zinc; le maquereau pisse dans le chiotte ouvert; la giclée éveille le blond, il se redresse, extrait son membre gluant d'entre les fesses du pied-bot, se met debout, enjambe le corps du putain, pose son pied sur le coccyx ensanglanté, réajuste son pansement, étire ses bras, bâille; un muscle du coccyx frémit sous son pied, son sexe rebondit; le brun ronfle, tête tournée vers le mur; le maître-chien refoule Wazzag vers l'extrémité du comptoir; leurs pieds heurtent le corps du crépu qui, yeux clos, geignant, lèche le talon poudré de foutre sec du putain; le maître-chien pousse Wazzag contre le chambranle du couloir, contre le blond : lequel l'enserre entre ses bras — son pied fouaillant saccadé le gras des fesses du pied-bot vitulé —, l'encule, criant, d'un coup de reins; son membre arqué, glissant sur le foutre frais du maître-chien, prolifère dans le cul de Wazzag; le blond, crispé, sparadrap se décollant de son ventre durci suant, se brandille, incliné sur la croupe du putain que le maître-chien mord aux lèvres; Wazzag, un rire rauque gonflant ses joues, faufile ses poignets, ses avant-bras, sous les aisselles en suée du maître-chien, mêle ses doigts sur le dos plissé, palpe les clavicules; après l'enculée, Wazzag s'agenouille, enlace les jambes des adolescents redressés, enfourne dans sa bouche les deux sexes gluants, les suce; eux, lèvres abouchées, geignent, se câlinent les hanches, la gorge; paupières abaissées, Wazzag, du bout du doigt, tambourine les deux sexes durcissant entre ses lèvres; le maître-chien laisse tomber sa main sur le membre du blond, entrelace ses doigts secs à ceux, moites, du putain; son auriculaire frôle l'épiderme, marqué d'empreintes de crocs, du sexe du blond; sa salive coule dans la bouche du blond, ses lèvres se déplacent, s'ouvrent sur l'oreille, ses narines frôlant, humant les boucles des tempes : « ..... mes chiens, mes chiennes, ô prince de Koukou, ont mordu, de nuit, ton membre que voici au mien mêlé en flûtiau entre ces lèvres, sous ces doigts animaux... dans ce lit que travaillent le vent, le pétrole, le gaz, les ruines, parmi les lauriers-roses, les roseaux déchiquetés par la mitraille, tes pieds enflés foulant le sable fossilifère, tu cours, blond Kbaïl.. tout enveloppé du parfum du rebelle : Vénus te précède, mord, ballottée entre tes genoux, ta braguette, déchire la toile, crochète ton sexe; la sueur noircit la chemise collée à ton dos... dressés sur le bord de la falaise, les supplétifs halètent, grondent... à leurs oreilles bondées de gypse, les boucles tintent dans l'ozone bleu... le hurlement étouffé refoule le sang contre tes dents... la crosse broie le crâne de Vénus, le poignard perce ses yeux durcis par la colère.... affaissée, elle vibre toute, des lambeaux de ton sgag s'enroulent, saccadés, à ses dents.. »; le membre du blond se rétracte entre les lèvres de Wazzag; le putain câline les deux sexes avec ses doigts, tousse, enrobe, d'un même caillot de morve expulsée hors de sa gorge, les deux glands enroulés dans sa langue, caresse la cuisse hérissée du blond, empoigne en les mêlant leurs boules, les roule sur son menton; susurre, la pointe de sa langue faufilée contre sa lèvre supérieure, entre les sexes, sur les glands, membres retirés gluants de la bouche, un sifflement modulé, boucles tintant secouées par le mouvement de succion; son poing libre serre, mêlés gluants, slip, short; / le crépu, redressé sur ses genoux, marche, poings à terre, vers l'intérieur du cagibi, jusqu'entre les jambes écartées de Khamssieh; duquel le membre regrossi, ballotte, arqué, sur le versant de la cuisse, mains du crépu fouillant sous les boules bouclées, se rabat, arqué sur le ventre, durcit, se tend, tirant les membranes de l'amas sexuel; les jambes de Khamssieh se ferment sur les bras, sur les joues du crépu; le maître de foutrée, surgi, membre dressé, violet, perpendiculaire au ventre, vibrant au vu du grossissement du sexe de Khamssieh, s'accroupit, attire à lui, par ses épaules, le crépu, le redresse debout, le tire hors du cagibi /; le brun, debout, l'avant de son corps saisi par le feu, sur le bord du sable, oscille, tend, yeux clos, ses bras vers le rasé qui, son jeans collé par la merde à son cul, titube, sa main fouillant l'arrière du jeans, raclant la merde, en jetant au sable une partie, barbouillant avec le restant, sur le crâne, les joues, les lèvres, des poils, des oreilles, des crocs ; le maître-chien, armé, son membre éperonnant le slip englué, l'étui de la seringue logé dans la cartouchière vide, ceinturon, cartouchière, éclaboussés de foutre, tra verse le jardinet ; les mouches assaillent mains, visage souillés du rasé ; le maître-chien empoigne le sexe dardé, le tire, le tord ; le rasé trépigne ; l'odeur excrémentielle, secouée, baigne le jardinet ; le rasé, geignant, se laisse tomber sur le sable, jambes serrées ; le maître-chien, décrochant son arme, le met en joue ; le rasé, sur ses genoux, sur ses poings, redressé, bouche mâchurée ouverte sur ses crocs ensalivés, crocs peints plissés sur les joues dilatées, tourne en rond, autour du dépôt de merde ensablée ; s'élançant, trotte autour de l'éthel ; le maître-chien braque son PM, appuie son doigt allégé sur la gâchette bloquée, fait éclater sa bouche : le rasé saute, s'effondre dans le sable souillé par ses poings, se redresse, éructe, s'effondre sur le ventre ; le maître-chien s'accroupit, touche le dos suant, soulève le jeans, les mouches plongent sur la couche de merde décalottée, le maître-chien raplatit la toile dessus l'essaim, se redresse, foule du pied la tête inerte, la retourne, tout ensablée, iris scintillant dans les cristaux ; la bouche gonflée soulève, ouvre la couche de sable collé aux traces de merde : « ..... ton coup simulé détruit l'homme simulé.. rentre au bordel, dresseur... d'un premier coup de crosse, change ses murs en grillage, d'un second, ses corps en chiens..... » ; / Wazzag, le membre du blond serré à la commissure droite de ses lèvres, câline le gland avec sa langue ; le gland, fessier du maître-chien ondulant moulé à mi-hauteur dans le slip barré, doigts de Wazzag grattant les croûtes

163

des boules asséchées, rétrécies, prolifère dans la bouche du putain, atteint la gorge; Wazzag tousse, mâchouille gland, morve, retire le sexe de sa bouche; le blond le prend, le secoue, écrase le gland sur l'œil; le sang ocre descend vers la toison : ... « .. chien qui prends mon foutre, remplis de bave, de morve, de sucs intestinaux mon ventre, mes veines.... chien affamé, tire, démêle les membranes mortes qui bourrent mon cul, pendent à mon membre : dévore-les.. même excitées, elles ne se tendent que de moitié... mange plis, lambeaux ourlés.. happe.. happe.. fais-moi, de tes dents, de tes lèvres, un corps lisse, bondé, poli... que la crispation de l'orteil ébranle l'occiput; du membre, les lèvres... »; Wazzag renifle, flaire les boules sorties du short, les roule sur l'arête du nez, déboutonne le haut de la braguette, tire le short sur les genoux, sur les jarrets, le fronce, gluant, aux chevilles; redressé, tourne sa tête, enfouit sa tempe bouclée au creux suant de l'aine, câline l'arc ardent tendu contre l'arête de son nez, appuie ses lèvres sur les chairs circoncises, les lèche — le membre, saccadé, pétille, chauffe —; sa joue, murmure modulé sorti de la gorge, ébranlant le front, vibre sur l'aine du blond; ses dents ébréchées morsillent les chairs molles tirées, son bras enserre le fessier immaculé du blond; les doigts, la paume de son autre main, attouchent le pouls du ventre qui fermente; les boucles hautes de sa chevelure balaient le sein cuivré du blond; sa langue balafrée sort d'entre ses dents, d'entre ses lèvres, nez piquant vers les boules, chauffe le bord du cul salé par la suée; le ventre tressaille; Wazzag se renverse de dos entre les jambes s'écartant, cale son dos au mur, tient dans ses poings les genoux du blond, enfouit sa bouche entre les fesses desserrées, sort ses dents,

164

morsille, mord les membranes encroûtées du cul;
l'une main, jaillie devant la cuisse en sueur du blond,
empoigne le sexe chauffé à blanc, le courbe vers les
boules; l'autre main, abandonnant le genou, se faufile,
moite, entre les fesses où le duvet brille, couché
par la suée, saisit le gland, tire le membre par-dessous
les boules — où la sueur circule, entre les boucles, le
long des veines surgies; Wazzag, réenfouissant plus
avant sa bouche dans le cul, attouche le gland écrasé
sur le bord inférieur du cul, avec la pointe de sa langue;
l'arrière des genoux du blond vibre, moite, contre les
coudes du putain; le blond, pets baignant le mufle
de Wazzag, s'affaisse; Wazzag, redressé, retient le
fessier où la merde fermente dans le sang, ses doigts,
ses paumes glissent sur l'épiderme gluant; son membre,
boucles du cul s'enroulant autour de son gland, se
tend, se faufile, sur les membranes ensalivées, entre
les fesses effervescentes du blond; duquel la joue,
tête inclinée, frotte la bouche gonflée de Wazzag,
cependant que le crépu, sorti des bras du maître de
foutrée — qui remonte en sa chambre en refoulant,
du poing, vers le fond de son cul, le foutre déchargé,
à la volée, sur son versant rétracté, par le foreur —,
s'arrête, jambes écartées, braguette décousue au bas,
découvrant la racine du membre plié rééjaculant,
sous le jeans, sur le versant de la cuisse enserrée dans
la toile, ouvre les pans de sa veste de jeans, s'approche,
bouche gonflée, tête projetée en avant, plaque, reins
cambrés, ses seins sur les seins du blond enculé;
Wazzag, écartant ses cuisses du fessier, ahane, raidi
contre le mur, souffle retenu; dans le temps que le
blond, le crépu, leurs tétons joints, se baisent la
bouche, décharge, tête saccadée, dents serrées, souffle

165

dévié vers les narines; le blond soulève ses pieds; ses fesses, ébranlées, roulent le membre éjaculant; il secoue ses pieds, piétine sous ses talons le short, le fronce, gluant, sous ses orteils; le crépu y pose ses pieds chaussés, le foutre, la bave, la sueur, essorés, susurrent sous la corde de l'espadrille; / le maître-chien, jetant sur la table, arme, cartouchière, tombe, ôtant son slip, sur la paillasse, jette du bout de son pied nu le slip poisseux sur l'épaule du saucier retourné vers l'arme; lequel, pivotant, membre balancé par-dessus le short descendu à mi-cuisse, roule sa tête de côté, mord, le flairant, l'avant gonflé du slip accroché à son épaule, le laisse tomber le long de son ventre, sur l'arc du sexe, le cueille entre deux doigts; sa langue débordant, ensalivée, de ses lèvres minces ourlées mauve, il bourre le slip dans son poing, le pétrit, desserre son poing, membre rebondissant, porte à ses lèvres la boule d'étoffe mouillée, la baise; le maître-chien, son membre rabattu sur le ventre, poignets croisés sous la nuque, scrute les photos de femmes nues que la chaleur des deux corps enfermés ardents embue; son pied monte le long du mur, les orteils moites touchent la femme ouverte aux contours enflammés, l'ongle du pouce gratte le clitoris étiré par l'écartement des cuisses, les seins lourds remontés par l'écartement des bras vers le haut, frôle, dessus la gorge, sous un sein, la marque rectangulaire, blême sur l'épiderme crasseux rougi, d'un sparadrap ôté pour la pose; de son autre jambe, levée, étirée, le pied pose sur la cuisse du saucier rapproché; son membre jaillit, darde entre ses jambes ouvertes où saillent la musculature des cuisses, le réseau des veines des mollets; sa tête roule sur le haut du lit, dans le creux de l'épaule, sa bouche respire sur le drap mouillé de bave où transparaît la paille d'orge, l'écume bout dans ses joues vermeilles : .. « ... j'ai déchargé tout mon jus de nuit dont je te permets de gober, effilochés dans l'eau, les filaments détachés du slip que je te commande de laver dare-dare dans l'abreuvoir, d'accrocher au barbelé sous le vent de feu... après, le temps que le slip sèche, je te garde en mon lit, je te sauce.. viens ça, penche-toi, siffle, que je te touche, te sente, t'écoute, pour préparer exprès la sauce, baise-moi sur la bouche, sur le gland, pour la corser.. » ; / sur la dune, le bouclé, son genou éperonnant l'entre-cuisse de la fille rasée, refoule icelle sur le sable ; ses poings plongent dans le versant, la crête s'effondre, soyeuse, sur ses avant-bras ; le haut du corps de la fille rasée, seins sortis de la robe, se renverse sur le versant ombragé ; le bouclé lèche les tétons ardents glissant sous ses narines, sous ses lèvres ; dans la bouche ouverte de la fille rasée, la langue mouchetée de mauve, de nacre, scintille, éclairée par un rayon filtré dans le branchage épineux ; le sexe suinte contre le genou moulé dans le jeans rapiécé ; le bouclé, redressant le buste, secoue sa tête embrasée : un frisson ébranle sa nuque, sous la suée ; ses mains couvrent le ventre de la fille qui vibre sous l'étoffe chauffée, enveloppent, tétons se logeant au creux des paumes, les seins désor-bités dans le mouvement de versée, les pressent, tétons filés entre deux doigts ; deux filets d'écume s'écoulent depuis la commissure des lèvres de la fille rasée jusqu'à ses yeux, le long des ailes du nez ; le membre du bouclé se tend, les chairs étirées boivent la sueur ; le bouclé s'appesantit, ses coudes entent le sable, ses doigts s'entrelacent sous la nuque de la

167

fille rasée, les seins de la fille, écrasés sous le torse, soutiennent, mouvant, le torse où saillent, ébranlées par le halètement, les côtes flottantes; la bouche du bouclé respire, lèvres accolées, dans la bouche de la fille rasée, aspire la respiration d'icelle, cependant que le membre s'enfonce en le sexe ouvert gluant; les deux respirations, l'une l'autre, s'aspirent dans le même temps que les sexes, l'un l'autre se mordent; la bave emplit la bouche d'icelle dans le temps que le foutre emplit son sexe; les yeux du bouclé, grands ouverts, roulent, au-dessus de ceux, clos, de la fille; le bouclé geint, la sueur recouvre son coccyx, s'écoule dans la fente du cul, colle au coccyx la toile enfoutrée du jeans; redressé dans l'orgasme, un filament de bave vibre, scintille depuis sa mâchoire jusqu'à la gorge de la fille rasée; ses mains déployées accotées au sable, il appuie son ventre à celui d'icelle, le haut bouton de la braguette s'appliquant au nombril de la fille, à travers l'étoffe retroussée; le foutre enroulé dans la chair, aux nerfs, aux muscles des jarrets, des cuisses, afflue au pubis, se rue dans le membre; les souffles spasmodiques simultanés de la fille, du bouclé, ébranlent le filament d'écume; la morve légère du bouclé s'écoule le long du filament jusqu'aux lèvres de la fille; les pouces du bouclé raclent la sueur sur ses seins, les mains tournoient, secouées le long du ventre, s'enfouissent dans la braguette embroussaillée, toquent la racine enflée du membre, frôlant l'ourlet englué du sexe de la fille; elle, ses doigts pétrissant le sable, cambre ses reins — le membre du bouclé, débusqué de moitié, décharge un foutre fluide —, relève ses seins jusque sous la bouche du bouclé qui, aspirant le filament, l'entortille au téton,

168

redresse son cou, renverse en arrière sa tête casquée de sueur ; leurs souffles, transmis sur le fil, en font trembler le nœud lové sur le téton ; un pet décolle du cul la couture du jeans, contracte le membre ; ses yeux, le bout de ses doigts, l'iliaque, roués ; les femmes, leur nuque reposant sur les ballots d'orge, le brun renversant au sable le rasé éclaboussé de mouches, se réendorment ; les parfums du bordel, du jardinet, de la dune, des corps qui s'y roulent, se croisent, arrêtés dans l'arbrisseau au-dessus de leurs narines ouvertes dans le sommeil vénérien ; le pied-bot, accroupi dans l'angle du couloir, détache avec ses dents les lambeaux de viande piétinés par les foreurs ; le lambeau de maillot de corps, souillé de graisse, de foutre, de merde, pend à son cou ; le crépu, le blond, agenouillés, baisent, démembrent, retournent, fouaillent Wazzag dont la tête heurte l'escalier du chiotte ; ils lui prennent les oreilles dans leurs mains, en font tinter les boucles près de leurs tympans : la tête, soulevée, du putain rougeoie ; les deux foreurs, ayant, chacun, une jambe de Wazzag serrée entre leurs cuisses, s'écartant pour que fleurisse le membre d'icelui entre ses cuisses ouvertes à fond, pétrissent leur membre sur la cuisse qu'ils enserrent ; ils crachent sur les mains du putain, éparses sur le ciment, projettent leur tête, fort, sur son torse ; leurs mains empoignent ensemble son membre ; les jambes de Wazzag se raidissent sous les fesses des foreurs ; en son membre pressé, le foutre force leurs doigts ; lors, ils s'assoient sur les genoux de Wazzag, écrasant la musculature crispée, creusent, de leurs poings, le pubis, interceptant l'afflux du foutre ; du genou, ils refoulent Wazzag, le hissent dans le chiotte ; le

169

pied-bot, sur ses poings, sur ses genoux, marche vers
la porte de la rue ; sous elle qui bat au vent, le parquet,
éclaboussé du foutre du tôlier, scintille, balayé de
sable ; le pied-bot, son membre grossi traînant sur le
parquet, des pets soufflent le revers poisseux de ses
fesses quand le feu du dehors saisit sa tête enfoutrée,
ses épaules rouées ; l'enfant noir tire son jouet sur la
dune ; la merde raclée au cul du commis boucher
enduit ses mains serrées sur la ficelle ; le pied-bot,
secouant son membre lourd suspendu à ses reins,
escalade la dune, il pose sa tête sur le bidon cyclé,
l'appesantit, légère, détachée du reste du corps ;
l'enfant la traîne sur la crête où fume un sable mauve
frappé par le feu ; l'enfant, lâchant le jouet, s'étend,
nu, sa peau noire miroitant violet sous le feu, le pubis
barré par la crête, le haut du corps renversé sur l'autre
versant moins ardent de la dune ; le jouet dévale
sous le corps agenouillé du pied-bot ; lequel, courtaud,
saccadé, poings, pieds recourbés, gorge, menton enrobés
de bave, tête renversée, halète, empoigne les talons
de l'enfant, enfouit sa tête entre les fesses polies,
attouche du bout de sa langue, le cul palpitant ; le
torse de l'enfant creuse le sable ; le pied-bot appuie
sa main déployée entre les clavicules frêles de l'enfant,
sur le haut ardent du dos ; tout le corps tressaille
ourlé de sable fumant ; dans le cirque tapissé de cendre,
chiens, chiennes assaillent un vautour blessé ; une forte
chienne rousse faufilant sa gueule sous l'aile éployée,
crochète le cou du vautour ; dans le mouvement de
torsion, ses mamelles, son cul, découverts, luisent
au travers de la cendre soulevée ; le pied-bot, dont
le membre traîne, bondé de foutre, sur le fessier
frémissant de l'enfant, scrute le voile de cendre fouetté

170

par le panache roux de la queue relevée, avance, ses cuisses enserrant les reins, le buste, le dos — l'enfant étend devant lui, sur le sable, ses bras souillés —, les épaules ; l'enfant soulève sa tête crépue que roulent, gluantes, les boules du pied-bot, la retourne, happe entre ses dents ramollies le gland grenat de l'adolescent ; le pied-bot s'affaisse sur le versant attiédi ; l'enfant lui lèche le talon ; le pied-bot jette ses mains dans le voile de cendre éclaboussé de sang, elles saisissent les mamelles, la cuisse de la chienne au pelage rougi par la suée ; la chienne, reins cambrés, torse au sable, déchire le gosier du vautour ; la pointe de l'aile lourde frappe l'avant-bras du pied-bot ; lequel, attirant l'arrière du corps de la chienne hors du voile de cendre, se redresse sur ses orteils, empoigne les deux cuisses de la chienne, lui relève la queue d'un coup de torse ; le panache suant se lovant autour de son cou, il projette son membre surtendu dans le cul de la chienne ; les crocs d'icelle vibrent en la plaie, le grondement refoule, fait mousser le sang ; les crocs déchirent la gorge, creusent les poumons, jusqu'au cœur qu'ils broient, quand le foutre, après frottis bref, ébranle, ardent, grumeleux, lourd, le membre du pied-bot, comble le cul crotté ; la chienne, jetant, poussant, bousculant dans la cendre le cœur, le pied-bot, vautré sur sa croupe affaissée, rétablit sa respiration, cependant que les giclées lentes font trembler son torse, ses épaules, le bas de son cou, perler des pleurs à ses yeux ; une chienne noire, menue, surgit, enfouit son museau sous le fessier du pied-bot, lèche l'amas sexuel où s'égoutte le foutre refoulé : le panache de la chienne rousse se crispe le long du cou de l'adolescent ; la cendre s'applique au corps nu,

171

suant, du pied-bot; l'enfant noir, se laisse glisser, jambes ouvertes, sur le versant; le feu cuit son gland sorti; redressé auprès du pied-bot, dans le voile de cendre, il donne ses mains à lécher à la chienne noire, sous l'amas sexuel du pied-bot qu'elles empoignent : au-dessus du poignet frais, fragile, de l'enfant, les croûtes accrochées aux boucles, craquent, s'effritent dans le cul du pied-bot, icelui frottant à nouveau ses genoux aux flancs de la chienne rousse; poudre de foutre, de merde coule sur les poignets; la main léchée de l'enfant plaque au cul du pied-bot la langue de la chienne noire; les jarrets du pied-bot vibrent; l'afflux du foutre ébranle l'ischion; tenue par la main de l'enfant, la chair enrobant l'os vibre, chauffée par le foutre; les autres chiennes, chiens, tirent l'autre aile du vautour, leurs griffes ensanglantées posent sur les pieds soulevés de l'adolescent; la chienne noire, sortant son mufle de sous les fesses du pied-bot, lichaille les lèvres asséchées de l'enfant, dont le membre darde, attouche, le sable; sous les doigts de l'enfant, les boules du pied-bot se désemplissent; la chienne noire enfouit sa gueule entre les cuisses de l'enfant, flaire le membre, pose ses pattes sur les cuisses, renverse, léchant le torse gracile, l'enfant sur le sable, arrondit la croupe, affaisse son cul, l'empale sur le menu membre; ses pattes avant agrippent le torse, les aisselles : l'enfant, raidissant ses jambes, empoigne les griffes, les porte à sa bouche contractée par l'érection; le foutre gicle : nacré, refoulé hors du cul de la chienne, s'égoutte sur le duvet bleuté du pubis; l'enfant frotte sa nuque au sable; les griffes arrière de la chienne grattent ses hanches; d'icelle la queue, recourbée, s'enroule au membre étiré auquel le cul

172

mord le gland ; l'enfant baise les griffes ; le pied-bot
redressé, se tient debout parmi les chiens, membre
étiré, mou, gluant, rougi dans le creux des cuisses
resserrées, mains croisées sur la nuque baissée, lambeau
collé par la sueur au sein ; les chiennes expulsées de la
curée, lèchent le membre, les fesses de l'adolescent, lais-
sant sur l'épiderme écailleux des traînées de sang, de
chair, de duvet gris ; dans la curée, la dépouille, jetée dé-
membrée au-dessus des gueules, retombe sur la croupe
des chiens ; les crocs s'emmêlent, les yeux se frôlent,
exorbités ; le pied-bot enjambe les chiennes dont les
langues enveloppent ses boules engluées, se traîne, agenouillé, sur le versant, creuse avecque sa main le sable
sous lui, chie, appuyé sur son rein droit ; la merde s'écoule
sur l'arrondi de la fesse droite, s'épand le long du bourrelet d'icelle écrasée sur le sable ; les chiennes labourent
le sable consolidé par la merde, le lèchent, en emportent, dans leur gueule, des poignées qu'elles sucent en
scrutant l'œil, tourné sous le battement des cils, du
pied-bot ; lequel, son ventre, ses reins forçant les
excréments, essuie à son poignet la bave expulsée
à la commissure de ses lèvres ; les chiens tirent la
dépouille hors du voile de cendre, jusqu'au bord
de la fesse souillée de l'adolescent qu'une aile, ensanglantée, du vautour, couvre, son articulation broyée
à même la hanche par les crocs d'une chienne borgne ;
l'os, dépouillé, le pied-bot le faufile entre ses cuisses,
l'empoigne, frappe la chienne borgne qui lui mord
son genou recouvert de la cervelle coiffée du vautour ;
appuyé à l'os, il se redresse, son fessier tout enduit
de sang mêlé de duvet ; il plante en sa chevelure une
plume blanche, relève le lambeau sur sa bouche,
boitillant escalade le versant, chiennes, chiens dévorant

la dépouille enrobée de merde; l'enfant, de moitié recouvert par la chienne noire appesantie, empalée à son membre rabattu, geint, sa jambe, raidie, transparente, vibre, sous le feu; / dans le sable, les mains du brun caressent le crâne du rasé; les deux corps, moulés depuis le nombril jusqu'au talon dans le jeans, se tordent, auprès, par-dessus, par-dessous, le long, tout autour; la torsion des membres plisse le jeans : les plis, les coutures, tirés, crachouillent du foutre en mousse; l'une main du blond, lardée d'entailles comblées de graisse — l'autre polie ocre tenant, tirant les bourrelets du ventre de Wazzag enculé —, déployée sur le mur salpêtré, se crispe quand le membre du crépu broie le sien affaibli contre le bord du cul du putain; le foutre jailli du membre du blond, éclabousse le membre du crépu; le gland d'icelui coiffé du dépôt de foutre jailli à perte, attouche le fond du cul de Wazzag, en frôle, acéré, les parois brûlées; le putain empoigne le membre englué éjaculant que le blond s'écartant, presse contre sa hanche sous le coude du crépu dont le bras barre son ventre, — le roule contre le rein plissé du crépu; l'espadrille du crépu, trempée dans la flaque d'urine retenue au cœur du nœud d'étrons, s'accote au pied du putain, remonte le long du jarret, la giclée crispant, soulevant la cuisse de l'enculeur; le foutre du blond ruisselle sur la jambe bouclée de Wazzag, se mélange à la merde écrasée par l'espadrille sur le jarret; le gland de Wazzag, clos sur le foutre accumulé depuis l'enculage du dattier dans le matin obscurci par l'averse, accroche le salpêtre; la main du crépu le lisse entre deux doigts; le blond déploie sa main enfoutrée sur le visage de Wazzag, se hissant baise au travers

174

des doigts, les lèvres, les narines, les yeux englués
du putain ; auquel des pleurs ébranlent les paupières ;
les lèvres du blond pistent la trace des pleurs, salée,
corrodant la couche de foutre, boivent l'écume à la
commissure des lèvres ; la main de Wazzag, rougie
à l'afflux du sang, recouvre, doigts écartés, celle du
blond ; le blond baise cette main, tâte dessous les seins
de Wazzag où le putain garde son autre main poudrée
d'œuf, tire la main rougie, la ramène dessus celles
entrelacées sur le visage, approche son visage de celui,
caché, du putain, le baise au menton, gobe le foutre
qui s'y égoutte, cependant que le crépu, saccadé,
pétant, morsille les boucles salées, couchées par la
sueur sur la nuque du putain, enserre entre ses bras
le torse tordu d'icelui dont, brutales, des vomissures
emplissent la bouche ; le parfum exhalé hors des
lèvres, où vibre la bave, de Wazzag, alerte les foreurs :
le blond s'écarte, retire, lent, sa main, son visage,
se jette hors du chiotte ; le crépu ôte ses bras du torse
ébranlé, se désencule — une membrane folle, accrochée
par le gland, ballotte au bord du cul —, repousse le
putain vers le fond du chiotte, sort, nez pincé, ferme
la porte ; Wazzag s'écroule ; son menton porte sur le
marchepied, les plus hautes boucles de sa chevelure
s'engluent au nœud d'étrons ; les vomissures s'écoulent
hors de sa bouche, sur le marchepied, glissent dans la
cuvette, ourlent le nœud d'étrons ; refoulées dans ses
narines écrasées sur le marchepied, il suffoque ; ses
pieds pris sous la porte, les foreurs les arrosent avec
le jet pincé du robinet, les nouent ensemble, saupou-
drés de poudre à récurer, avec les serpillières spon-
gieuses arrachées au tuyau ; Wazzag se redresse sur
ses coudes, essuie au mur salpêtré les boucles engluées

175

de sa chevelure, au marchepied intact, ses lèvres souillées de lambeaux de graisse vomie ; le blond piétine son short trempé ; / le pied-bot accroupi, pousse, du front, la porte d'entrée ; sur ses poings, ses genoux, il recule vers un angle obscur de la salle ; les foreurs, enlacés, sifflant, se portent dans l'angle, à coups de pied renversent sur le ventre le pied-bot, raclent son fessier avecque la corde goudronnée de leurs espadrilles ; le pied-bot ronronne ; les foreurs, soulevant leurs pieds dans leurs poings, crachent sur la semelle, la frottent au fessier de l'adolescent, jusqu'à rougissement de l'épiderme ; redressent le pied-bot debout dans l'angle marqué d'ergots de foutre séché ; le crépu s'écarte, s'adosse au mur, pouces glissés dans les poches avant du jeans, doigts appuyés sur la braguette soulevée par le sexe ; le blond, vêtu de ses seuls pansement, espadrilles, sa toison ensanglantée par la suée ocre de la plaie, ses mains frappant le gras ruisselant des fesses du pied-bot, plaque ses genoux, son ventre, ses seins, ses lèvres à ceux de l'adolescent, renifle, pète : un gargouillis ébranle sa gorge, l'ongle noirci de l'adolescent attouche la vibration ; le blond se détache, ouvre, appuie sa main sur la nuque du pied-bot ; lequel, suffocant — les doigts du blond creusent l'avant de sa gorge —, s'agenouille, se love, renversé au bas de l'angle ; le blond, du pied, le couche étalé sur le dallage, s'accroupissant, appuie ses deux poings mêlés sur le torse, son coude fouaillant l'amas sexuel entre les cuisses qui, lentes, fraîches, s'écartent, découvrant la sueur encrassée du pli de l'aine ; les poings creusent sous le torse, forcent la rate, le rein, l'intestin : la tête de l'adolescent, contractée, geint, cristalline, à chaque pression ; la main du blond creuse,

176

empoigne, dans la suée, le psoas : la tête, muette, vibre; lors, la même main, roulée en poing, se reporte sur le torse, régulière force le dentelé, l'autre main, saccadée, piste — doigts écartés, rapprochés, écartés, joints —, le cri, l'attouche à la crosse de l'aorte, l'intercepte; le crépu rape ses fesses moulées au mur; les doigts du blond marquent dans la sueur encrassée du haut du corps de l'adolescent; les ongles du crépu griffent le fond moite, sableux, des poches du jeans; la sueur couronne ses genoux moulés; les mains du blond, fébriles, creusent les chairs du tronc, les bourrent dans les interstices du squelette; le membre du pied-bot frappe son coude; le blond, ses mains accotées au torse, enjambe l'adolescent, appesantit son bas-ventre alourdi par le poids du sexe englué, sur le haut des cuisses gardées en écart extrême, psoas bandé; le sexe du pied-bot, rabattu, force son pansement; le crépu, se détachant du mur, élève sa jambe, pose son pied sur le fessier rosé du blond, appuie : le membre du pied-bot, roulé dur sous le ventre suant du blond, chauffe — les pieds chaussés du blond étirent ses pieds, les jarrets d'icelui s'accotent, vibrants, aux siens crispés —, éjacule : le foutre comble l'évasement du pansement; le pied-bot croise ses jambes détendues sur celles du blond; lequel, le crépu retirant son pied, se réadossant au mur, issu du corps gluant se dresse, tend ses jambes de part, d'autre du tronc de l'adoles-cent, incline le haut de son corps, du bout du pouce expulse le dépôt de foutre hors de l'évasement; le dépôt éclate sur le sein du pied-bot; auquel, de la pointe de son espadrille mouillée, le blond remue l'amas sexuel, soulève la verge ramollie; redressé, poings au ventre, le blond appuie le talon sur le gland enfoutré; le pied-bot, ses bras levés en protection devant ses yeux rafraîchis après décharge, réécarte ses cuisses, meut son fessier, bombe son ventre, à petits coups, sous le talon spongieux du blond dont le pansement caparaçonné, tire, lisse la peau des reins collés par le sparadrap encrassé; / Wazzag se redresse sur ses genoux, appuie son fessier à la porte, jette de côté l'un, enrobé de foutre sec, de ses bras, soulève la targette d'un coup de pouce; la porte s'ouvre, Wazzag, tordant son torse, dénoue ses pieds libérés, se lève, marche vers le jardinet : ses pieds, enduits de poudre, scintillent sur le dallage ensablé; au bord du jardinet, à ses pieds, embaumant l'air affaissé du parfum de leurs pets, du foutre crachouillé par les plis de leurs jeans emplis de chair fermentée, le brun, le rasé, bouche à bouche, ronronnent modulé; Wazzag accote son épaule au chambranle ardent, soupire, gratte ses seins; son torse prolifère, carré, vers le feu; les deux foreurs, sueur noyant leurs yeux, jeans brûlant leurs fesses, feu broyant leurs tempes, se désenlacent, s'accroupissent, se mettent debout : leur membre darde, brillant, lèvres du gland comblées de sable humecté; Wazzag, cul brûlé, se déplace le long du mur, jusqu'aux cages; les foreurs le pressent, le refoulent, du seul feu de leurs membres, vers le milieu du jardinet : Wazzag bride ses paupières grêlées; ses oreilles plaquées, vibrent, pointues, aux tempes; son poil hérissé sur les seins, sur les cuisses, son duvet, sur la nuque, sur les épaules, il frôle le feu, incliné, reins cambrés, à menus pas, portant de côté son fessier quand le membre d'un des deux foreurs attouche sa hanche; yeux clos, le rasé projette sa verge, crache, du pied lance du sable sur les jarrets de Wazzag;

le brun, s'écartant, se dresse au-devant du putain, yeux pilés dans l'orbite, jambes écartées, couture tirée bridant le cul, il empoigne sa verge luisante, crache dessus, étend l'écume sur le gland, se jette sur le putain, l'agenouille, lui force les lèvres avec son gland ensalivé ; le rasé, essuyant avec du sable la merde qui sèche sur son crâne, ses lèvres, ses joues, s'adosse à l'éthel, se branle, oriente sa verge annelée vers le dos de Wazzag : la giclée ardente, frappe, fraîche, l'épiderme recuit, s'égoutte le long des clavicules, des vertèbres ensuées, jusqu'au coccyx où le foutre se suspend aux boucles du cul ; la peau tressaille ; les dents de Wazzag, serrées, contiennent le gland ensablé ; l'espadrille du rasé étale sur son dos, depuis la nuque jusqu'au fessier, le foutre fricassé ; le rasé se gratte le cul à l'éthel, sa verge, arquée, décharge menu sur les plis du jeans ; il respire à grands traits, son souffle frôle, rafraîchit la trace du foutre sur le dos du putain ; lequel, sur un coup de genou du brun dans son épaule, desserre les dents, prend entre ses doigts la verge tavelée, l'abaisse vers sa bouche, en caresse l'arc avecque la paume de sa main, ouvre sa bouche, y loge la verge sur les dépôts de vomissures ; un rire, assourdi, bref, fait souffler ses narines ; la verge roule dans sa joue, il la suce ; le brun attouche du bout de ses doigts la joue gonflée par la verge, il raidit ses jambes, ôte sa main ; le putain, salive avalée, palpe la verge à travers l'épiderme vermeil de sa joue ; le rasé s'accroupit, frotte son crâne veinulé aux épaules du putain, lui enserre le cou entre ses doigts souillés, accote son crâne à la nuque, mouche ses narines écrasées sur le bourrelet du cou ; la morve se mélange au foutre ; le rasé se relève, du bout de son espadrille dilue foutre, morve, dans les boucles duvetées ; s'accroupit, s'assoit dans le sable, écarte les cuisses, ramène le sable sur l'amas sexuel sorti tout entier gluant de la braguette, emplit de sable la braguette, s'adosse au tronc, s'endort ; la verge durcit dans la joue de Wazzag, le foutre gicle, ébranle, comble la joue ; Wazzag, sortant la verge, nettoie sa bouche au foutre ; le brun s'accroupit, s'assoit dans le sable imbibé, y appuie son coude, s'étend sur le côté, renverse auprès de lui Wazzag sur le dos, lui verse du sable sur les tétons, le sable s'écoulant entre ses doigts fripés dans les étreintes, il sème des petits cônes de sable sur le milieu du torse, jusqu'au nombril ; le putain, immobile, corps insonorisé, scrute le feu bleu : le sable coule dans le pli de l'aine ; le brun étale le sable sur les seins, découvre les tétons, y pose ses lèvres ; sa chevelure au relent de punaise — des flocons de duvet sont pris dans les plaies de succion du crâne — fourre la gorge du putain ; duquel la verge, rabattue, frappe le ventre — le brun y met la main ; balancé dans le chambranle au bord du jardinet, le blond, juché nu sur les épaules du pied-bot auquel le crépu, verge éjaculant, enserre la tête dans une jambe du short, frappe, riant, la tête ensachée ; son pansement ensanglante les boucles de la nuque frottée, ses pets soufflent le duvet des clavicules de l'adolescent ; d'un coup de jarret, il ébranle le pied-bot, empoignant la jambe vide du short il oriente, brutal, la tête aveugle : l'adolescent, dans sa course sur le sable ardent, se jette là où sa tête porte ; dans un angle du jardinet — où le crépu pressant, verge dardée, l'arrière du corps affaissé, accule le pied-bot, l'encule, sa tête, de face, enfouie dans le fessier lisse du blond —, le pisé rose s'effrite sous

les ongles furieux du blond ; le frottis régulier du jeans
du crépu sur le fessier du pied-bot lancine le blond :
il se soulève sur les épaules du pied-bot, écarte ses
fesses, les resserre sur le visage du crépu contracté
par l'érection ; ses mains couvrent le visage ensaché
du pied-bot, écrasent les palpitations qui bourrellent
la fine toile kaki : yeux, veines, lèvres ; comme le pied-
bot étouffe, il crache sur sa main ouverte, la lui passe,
ensalivée, sur l'emplacement des lèvres ; ses talons
frappent l'aine de l'adolescent qui, élevant, écartant
la cuisse, commence de pisser ; le crépu dont les mains,
plaquées au ventre du pied-bot, détectent l'échauffement de la vessie, jette l'une, fripée, de ses mains,
sur la verge ébranlée par le jet, empoigne la verge,
la serre jusqu'à ce que l'adolescent, le torse soupirant,
refoule l'urine en la vessie ; lors le crépu ôte sa main,
enveloppe en celle le talon du blond, ahane tenant
serré le talon : la sueur de sa main baigne, chauffée
par l'érection, la corde goudronnée de l'espadrille ;
la verge du blond regrossit, arquée sur le crâne galeux
du pied-bot ; l'éjaculation ouvre la bouche du crépu
enfouie dans le fessier du blond ; détend ses jambes
accotées à celles de l'adolescent ; la sueur, rapide,
refroidit sur sa peau blêmie, il faufile son doigt sous
la racine de son membre, le soulève ; le lambeau tient
au cul ; sa gorge expulse des vomissures rosées ; elles
éclaboussent le dessous du fessier du blond d'où le
visage s'est retiré, s'écroulent sur la croupe du pied-
bot dont il cale le dos, sous le fessier, de sa tête crêpée
ensuée ; gorge, joues ébranlées, d'autres vomissures
ardentes, qui brûlent ses lèvres, éclatent sur le haut du
fessier de l'adolescent, enveloppent l'arrondi des fesses,
s'égouttent sur la retombée, glissent le long des jambes

jusqu'aux pieds qui, calés au sol par le poids du blond, les foulent dans le sable ; le blond tire les cheveux du pied-bot, lisse entre ses doigts la filasse ensuée, détache les boucles prises dans le pus des abcès : la tête du pied-bot tressaille entre ses cuisses ; le blond, la tête du crépu vomissure dégorgée vibrant sous son fessier, enroule sa verge luisante dans la jambe vide du short, l'essuie au tissu, raidit ses jambes en avant du torse du pied-bot, se renverse en arrière, resserre ses cuisses sur le cou de l'adolescent, les genoux bridant la mâchoire, tire ses boules prises dessus l'ischion contre la nuque, les répand sur l'aine, d'un coup de poing dans le rein droit de l'adolescent qui se tourne, à menus pas, le crépu vomissant accrochant ses reins avec ses ongles pilés ; le blond appuie ses poings au rebord du mur, dans l'angle où le crépu loge son fessier, respire à grands traits, vomissures refoulées dans les narines ; le blond s'accoude au crâne du crépu ; renversé, d'un coup de genou dans la mâchoire, lui désachant le bas du visage jusqu'à la lèvre supérieure, lui tirant la bouche vers la droite, il donne à sucer sa verge au pied-bot dont les pieds restent calés au sable : le tronc se tord ; torse torsadé, les fesses roulent le lambeau du crépu ; le blond, étirant ses cuisses, ses fesses se contractant sur les clavicules du pied-bot, accote sa nuque au crâne du crépu ; le pied-bot élève ses mains, les mêle sur son épaule, les doigts cornés cueillent la verge, la portent à la bouche ; les boules du blond s'étalent sur le cou plissé, s'épandent sur le haut du sein ; les lèvres du pied-bot tiennent le gland, les doigts branlent la verge ; la sueur avance dans le pli de l'aine ; dans le temps que son foutre inonde la bouche du pied-bot dont les

narines palpitent sous le short, le blond frotte sa
nuque, ses tempes, son visage aux lèvres souillées
du crépu ; le pied-bot mâche le foutre, la verge, ramollie,
s'égoutte sur le haut du sein, le filament s'étire jusqu'au
téton ; sous le lambeau de maillot, l'autre sein brûle ;
les deux foreurs s'abouchent ; la sueur afflue aux points
de jonction du triangle : lèvres abouchées des foreurs,
verge du blond re-forçant la denture du pied-bot,
verge du crépu, lambeau regonflé, attouchant, redurcie,
le fond du cul du pied-bot ; l'ourlet du short descendu
par glissement, dans la suée, bride la lèvre supérieure
de l'adolescent ; les fesses du blond, soulevées dessus
les clavicules par le raidissement des jambes, se décollent de l'épiderme écailleux du haut du dos du pied-
bot ; le rire ébranle les joues des foreurs, leurs langues
se frottent dans la bouche, hors des lèvres ; muscles,
tendons, nerfs, os de la jambe gauche du blond vibrent
contre la mâchoire du pied-bot ; le rire sourd du blond,
ébranle son torse, son ventre, jusqu'à la verge bandée
que le pied-bot, régulier, ronronnant modulé, sueur
imbibant le short à l'emplacement des narines, de
l'arête du nez, des sourcils, ensalive, branle ; le crépu
crache au ras des lèvres du blond les vomissures enrobées de morve extraites de ses joues ; le blond joint,
chevauche ses deux pieds ; dans l'érection, sa bouche
ronronne, geint ; la verge éjaculant, ses jambes se
détendent, se plient, ses talons, ses orteils roulent
le membre du pied-bot ; la giclée éclabousse la partie
du visage bandée par le short ; la bouche de l'adolescent,
gonflée, cherche le gland ; son membre redurcit :
la chienne rousse, entrée dans le bordel, lèche sur le
dallage, sur le parquet de la salle, la trace du foutre le
plus frais, dans l'angle où le duvet du vautour est

183

pris dans les dépôts, s'élance dans le couloir, lèche les écoulements de foutre, de merde, de vomissures dessous les portes closes des chiottes, se jette dans le jardinet, gobe sur le sable les traînées de foutre, halète, hume l'air, vient aux jambes du pied-bot, flaire l'amas sexuel, écarte ses cuisses, plaque son cul bouclé contre le haut de la cuisse de l'adolescent ; lequel, sa lèvre supérieure moulée jusqu'aux gencives dans l'ourlet englué, tâte avec ses mains ôtées de dessus son épaule, la croupe de la chienne, écrase son gland sur le cul fourré ; son cœur bat dans sa mâchoire pressée par le genou du blond ; le foutre du crépu brûle son cul ; iris se voilant de pleurs par-dessus la chevelure du brun, par-dessus son dos — le foreur accoudé à son torse mouche ses narines, coudes glissant sur le revers du torse, cueille entre ses doigts emmorvés la verge, les boules du putain, les approche, roulées, étirées, déplissées sous ses ongles, de ses yeux scrutant leurs veines, veinules, pores, les décrasse du bout des ongles humectés — /; Wazzag scrute les membres nus des femmes assoupies ; la verge du pied-bot ente le cul de la chienne rousse ; le panache ensablé fouette le rein de l'adolescent, le gras des fesses affaissées du blond, frôle, du crépu, la cuisse moulée dans le jeans ; le crépu jette ses mains sur le ventre du pied-bot, dégage du bout des doigts, du pouce, la racine du sexe du pied-bot — que le cul de la chienne travaille, l'adolescent fermant ses yeux bandés ; le crépu essuie ses phalanges enfoutrées aux boucles du pelage suant ; le blond baise, entre les pans souillés de la veste de jeans, les vomissures, qui s'écoulent, depuis la commissure des lèvres du crépu jusqu'au bas de sa gorge, aspire le parfum, gorge obstruée vomit sur ces vomissures; ses lèvres engluées, dents mordillant les déjections solides, adhèrent, retroussées, au cou du crépu, patouillent la musculature saillie — un ultime filament sort du gland du crépu pressé dans le cul du pied-bot —; d'un coup de pouce, le crépu arrache au cul de la chienne le gland du pied-bot, enserre le membre dans son poing, le tord, élève sa jambe gauche, verge, boucles tirées, la lance dans le flanc de la chienne; le pied-bot roule en sa joue la verge du blond, avale le foutre mâché, roule sur le versant de sa cuisse son sexe bondé de foutre, jusqu'à l'éjaculation : le jus, verge ébranlée, éclabousse sa jambe, susurre au gland; la chienne, déportée, se redresse, vient lécher, gueule frappée par le talon du crépu, la jambe enfoutrée; la main du crépu gifle le ventre du pied-bot, sa bouche halète sur la chevelure du blond dont les vomissures s'effondrent en l'évasement de son jeans; le pansement fume; la chienne, foutre gobé, s'élance; repue, saute la claie, se faufile entre les corps, respirant sueur des femmes, se vautre le long de leurs têtes jointes, garde un œil fixé sur l'amas sexuel de l'adolescent aveuglé — lointain, voilé, rapide, par la main convulsive ensablée du crépu qui le réencule —, s'assoupit dans le sable ombragé; le blond respire le souffle saccadé du crépu, le soupir de l'orgasme, l'éjulation à l'expulsion aiguë des filaments; le pied-bot, torse bouillant, s'affaisse sur ses genoux; le blond s'effondre sur le crépu désenculé; le pied-bot glisse son cou hors des jambes basculées, se désattelle, se relève, se traîne jusqu'au corps de Wazzag, secoue sa tête ensachée; le brun, lâchant l'amas sexuel de Wazzag, empoigne la jambe vide du short, tire la tête du pied-bot, lui baise la bouche, rejette la tête ensachée à l'arrière de laquelle, sur la nuque, pend la jambe vide du short, empoigne celle, par les cheveux, de Wazzag, l'ensache, jusqu'au bord de la lèvre supérieure, dans la jambe vide; les deux putains, accroupis, tête-bêche, se meuvent sur le sable, leurs lourds fessiers se frôlant, les calant cul à cul, poignets ondulant au-devant de leur bouche, salive moussant au coin de leurs lèvres bridées, pets se mêlant sous eux, au travers des boucles du cul; le brun, se redressant, essuie ses verres ensablés, s'étire, remonte son jeans affaissé, écarte ses doigts enfoutrés, les essuie à ses fesses où la chair prolifère dans la toile effritée; le blond, le crépu, vomissant, marchent, écartés l'un de l'autre, leurs doigts entrelacés, s'agenouillent devant le brun qui, secouant l'éthel, éveille le rasé; empoigne, éructant, la braguette du short tendue entre les deux têtes, redresse debout les putains accotés, Wazzag de face, le pied-bot de dos, soulève les jambes du blond renversé au sable, les fait tenir aux mains de Wazzag; soulève les jambes du crépu renversé, verge éjaculant, dans le sable, les fait tenir aux poings du pied-bot, orteils recourbés sur le ventre de l'adolescent; les putains s'ébranlent, le pied-bot courbant la tête, Wazzag la renversant, le pied-bot avançant, Wazzag reculant, Wazzag serrant les pieds du blond plaqués à son ventre, le pied-bot appuyant ceux du crépu sur ses hanches; les talons du blond roulent la verge de Wazzag, ceux du crépu fouaillent les reins du pied-bot; les deux foreurs, traînés, écartent leurs cuisses; le sable cale leurs aisselles; le brun tenant aux épaules, aux fesses le rasé, le renverse dos au sable, en arrière du crépu traîné sous les aisselles duquel il glisse les pieds du rasé : le crépu resserre ses bras sur le tarse; le brun, enjambe le blond, s'accroupit, s'empale, jeans refoulé aux genoux, sur la verge droite de sang violet du foreur nu, se renverse de dos sur le tronc roué, plaque ses pieds aux cuisses de Wazzag, cherche du plat du talon le pectiné, appuie; Wazzag s'ébranle; ses poignets ensués tirent les pieds du blond; le pied-bot se penche en avant, cambre ses reins; le crépu jette du sable sur le fessier relevé de l'adolescent; les corps appesantis glissent dans le sable; le blond, ses boules câlinées par le sable ardent, enserre dans ses bras le torse du brun, cambre ses reins, raidit ses jambes — le pied durcit dans le poing de Wazzag; le brun remue son fessier : en son cul, la verge du blond, mordue, regrossie, potelée, expulse le restant du foutre éveillé sous les doigts, sous les lèvres du pied-bot; le rasé, ses pieds pris sous les aisselles du crépu, se rendort, joue glissant sur le sable rafraîchi par l'ombre des putains attelés; le fessier du pied-bot, ensué, fume; le crépu suce le pouce du pied du rasé, au travers de l'espadrille recuite; les putains traînent les corps autour de l'éthel; le long du pisé rose s'effritant; les corps charriés glissent dans le sable chargé de foutre, de merde secs, frais; dans l'ombre portée de la cage où palpitent les lapins ensués, les sexes s'ébranlent, fleurissent, pubis embrasés : le feu, perçant la pellicule de foutre, arde la verge, le gland fume; la crasse flue au corps de Wazzag, dans la suée, suinte hors des paupières du pied-bot au ras de l'ourlet qui bande la lèvre supérieure, flue le long du pli de la joue, s'égoutte au menton; les anneaux de crasse : poussière, merde, foutre, sang, fondent autour du gland de Wazzag; la langue du crépu sort de sa bouche, fume, appliquée

187

fraîche sur la joue incandescente; les hautes touffes bouclées de la chevelure de Wazzag, balancées hors de la jambe du short, miroitent; la sueur des mèches humecte, en taches frisées, la toile soyeuse du short bandé; le pied-bot, tirant courbé, son crâne sue; le pus des abcès bridés à l'occiput, tissu traversé, scintille; la sueur de la croupe ruisselle sur le coccyx, sueur, foutre moussent entre les fesses frottées; la verge du blond, tarie, se rétracte dans le cul du brun; celle du brun, ramollie, colle arquée par-dessus le bas ourlet de la braguette à la couture de l'entre-jambe; le crépu, son torse dénudé dans le glissement, son jeans remonté jusqu'au nombril, ouvert, verge roulée cuite sur un pan de la braguette, enserre sous ses aisselles suantes les pieds du rasé auquel le feu clôt sa bouche entrouverte dans le sommeil, son gland asséché dans la nausée; le sexe de Wazzag, tête camou-flée fumant, darde droit, son ombre entre dans la bouche du brun, coule vers la commissure des lèvres du blond : le gland étincelle, la babine scintille, la toison s'ouvre dans l'étirement; du pied-bot, le membre lourd arqué, rebondit dans la tirée des jambes, articulé au pubis affaissé; l'ombre du torse penché recouvre le membre, le gland projeté hors de l'ombre éclôt son sang — le foutre bouillonnant y transparaît au travers de la membrane rosée; les putains arrêtent les corps devant l'entrée du couloir : le maître de fou-trée, redescendu, s'accroupit, touche les corps assoupis, palpe le pectiné, faufile son pouce sous l'arc de la verge affaissée, rabat la verge sur le bas du ventre, tâte les boules engluées, l'aine où la poudre de foutre coule dans le pli, se redresse, oriente la tête de Wazzag vers la claie, essuie ses doigts au fessier du pied-bot;

les putains tournent, reniflent la morve épandue sous
le tissu, depuis leurs narines écrasées jusque sur le
retroussis de leur lèvre supérieure, progressent, ronronnant modulé sous le tissu chauffé, rauque sous la
peau ensuée du cou; leurs pieds touchant la claie,
se désattellent, renversent leur tête ensachée, voient
le disque de feu au travers du tissu humecté, gobent
les souffles filtrés aux branchages embaumés; le maître
de foutrée les décoiffe, jette le short sur le ventre du
blond; Wazzag empoigne les épaules du blond, hisse
le corps sur la claie : le maître de foutrée fouille le
short, le rejette sur la gorge du blond, soulève la tête
du foreur, dégage, sous les boucles blondes, les oreilles
au lobe lisse, replie le lobe, faufile ses doigts autour
du cou, fouille le restant du corps : aisselles, bouche,
amas sexuel, cul, orteils; ses doigts remontent le long
du ventre, arrachent le pansement caparaçonné :
la plaie encroûtée expulse, avecque la respiration,
un peu de sang ocre : Wazzag jette sa main sur le
rectangle de chair immaculée; le maître de foutrée
la lui frappe; serrant le pansement dans son poing,
il fait basculer hors de la claie le corps blond; Wazzag
hisse le rasé, le maître de foutrée lui fouille son jeans
d'où il retire des monnaies engluées, sa veste de jeans
où il prend le briquet, serre tout dans le pansement,
refoule le corps par-dessus le blond; Wazzag hisse
le brun : le maître de foutrée lui ôte ses verres filtrants,
les chausse sur son nez, desserre le pansement, le colle
sur son ventre, enfouit dans l'évasement les monnaies,
le briquet, pousse le corps sur ceux, croisés, du rasé,
du blond; Wazzag hisse le crépu dont les yeux violets
voilés basculent, le maître de foutrée retire, des poches
engluées, des monnaies, un mouchoir, un sucre, un

slip sale, un carnet anglais de photos nues qu'il loge
dans le pansement; il renverse le jeune corps pataud;
le pied-bot s'écartant, il lui empoigne le sexe, attire
à lui l'adolescent, s'agenouille, faufile ses doigts sous
la verge dressée, racle du bout de l'ongle la toison
calcinée; du pouce, tâte, crispé, le cul; redressé,
palpe, des deux mains, les reins, le ventre, le torse,
les bras, les mains ouvertes, la gorge, la mâchoire,
desserre les dents, empoigne la langue, la sort rosée,
épaisse, tavelée, toque la denture, faufile un doigt
dans le gosier enfoutré, retire de la bouche son poignet
englué, ressaisit le sexe, se place en arrière du corps,
palpe les épaules, les bras, la nuque, masse les fesses,
les jarrets, lâche le sexe, écarte avecque ses deux mains
engluées les fesses baignées de vapeur, approche ses
yeux, ses lèvres, du fouillis chaud, paillé, souffle dessus,
rentre une membrane folle, se redresse, cale la tête
entre ses deux mains, démêle les boucles collées, scrute
veines, veinules du crâne, s'écarte, plaque l'avant
de son corps intact sur l'avant froissé du corps du
pied-bot, palpe, l'étreignant, sa musculature; sa main,
recâline la partie du pubis dénudée par le brûlement
de la toison; désétreint, il enjambe la claie, s'accroupit,
tire, de sous les corps amoncelés du crépu, du brun,
la jambe du rasé, faufile sa main dans la poche du
jeans, en retire un mouchoir taché de sang, le bourre
en l'évasement, se dandine le long de la jambe, sa
main la câlinant, jusqu'au pied duquel il ôte l'espadrille; chausse, accroupi, fessier froissé par les pailles
du lit attouchant le sable, l'espadrille recuite; se
redresse, réenjambe la claie : Wazzag, l'ombre du
mac lui recouvrant les jambes, lève ses bras, ouvre
sa bouche, écarte ses cuisses; penché, reins cambrés,

ses fesses ; secoue sa tête pour dégager, hors des
boucles graisseuses, ses oreilles où tinte brille le corail ;
le maître de foutrée passe une même main engluée
entre les lèvres, sous les aisselles, sous les paumes
ouvertes, sous l'amas sexuel, entre les fesses, repalpe
la denture entre les lèvres asséchées du putain ; les
putains s'accroupissent dans le sable au bord de la
claie : leur membre — redurci à fond aux tressaillements, aux frottis d'étoffes, des femmes éveillées
au passage du corps embaumé intact du maître de
foutrée —, éperonne le sable rafraîchi par leur ombre ;
le maître de foutrée, claie enjambée, escalade la dune
basse au versant de laquelle, ombragé à mi-corps
par le branchage acéré, le bouclé, sa verge happée dans
le sexe de la fille rasée à demi enfoncée dans le sable
par le mouvement, le poids du ahanement, éjacule,
tenant entre ses doigts le crâne diapré, le baisant
enfoui dans sa bouche élargie haletante ; le maître de
foutrée s'accroupit, glisse ses doigts dans la poche
arrière du jeans, contre, à travers la toile tendue
chauffée, la fesse effervescente ensuée, extrait un billet
déchiqueté, le plie, le noue dans le mouchoir ensanglanté du rasé ; sa main, faufilée sous l'aine du bouclé,
la hanche de la fille rasée pressant sa paume, dans la
suée, fouille la poche ventrale du jeans ; contre la
phalange, au travers du tissu englué, le sexe en travail
chauffe, vibre : les doigts pincent un autre billet
recollé avecque du tricostéril, ramènent sur la hanche
de la fille la fiche de paie engluée ; le maquereau
prend, enfouit le billet dans le pansement, enfonce
la fiche de paie dans la poche, la ressort, la défroisse,
scrute les chiffres, les lettres, se redresse, réescalade,
fiche au doigt, la dune : son ombre, son parfum ébran-

191

lent le cœur des femmes : elles écartent les cuisses, sous l'étoffe ; le maître de foutrée enjambe la claie ; penché sur Wazzag, il lui colle la fiche sur son cou enfoutré ; le putain se redresse sur ses talons roués, il renverse la tête, scrute au ras de sa joue la fiche enroulée à son cou horizontal ; le maître de foutrée enjambe le corps blanc du pied-bot renversé dans le sable, une nausée de sang gonflant sa bouche brûlée sous la pellicule de foutre par le feu bleu, courbe la nuque sous l'ombre du couloir : sa croupe carrée, diffuse en la pénombre salpêtrée, ondule, massée par les doigts sortis de l'évasement cotonneux où gisent, engluées au slip sali du crépu, les monnaies des foreurs ; Wazzag, tournant autour de l'éthel, baise, du fil de ses lèvres cuites par les baisers, la fiche enroulée autour de son doigt ; il l'enroule à sa verge droite, à la racine, au gland ; il la porte devant ses yeux ; lesquels, limpides, durs, scrutent lettres, chiffres, signes rouges, ses doigts se posent sur les inscriptions, les caressent, suivent les lignes, les courbes, sautent d'un point à l'autre, du point à la virgule, du trait au chiffre, du chiffre à la lettre, de la majuscule à la minuscule, du chiffre au point ; du pied, il foule la joue du pied-bot ; enroule la fiche autour de son cou enfoutré, appuie dessus son pouce, avale sa salive — la fiche ondule, frise sur le muscle peaucier —, courbe la tête : les bourrelets roulent sur la fiche engluée ; le pied-bot, ses genoux levés, laisse, lente, s'ouvrir sa cuisse fripée, essuie le foutre qui sèche sur ses cils, débouche ses narines enfoutrées ; le relent frais du corps, membres s'écartant, de Wazzag, tombe sur lui ; Wazzag marche, sexe boules ballottés lourds entre ses cuisses, vers la resserre où, baissé, il entre,

192

cueille parmi la paille, le foin, un brin souple d'orge
dorée par l'assèchement, il perce l'extrémité de la
fiche de paie, faufile le brin, le noue autour de son cou ;
le foutre du bouclé sèche en pétillant dans le foin ;
Wazzag s'agenouille, plaque son oreille dans la poussière soulevée, jette sa langue sur les points de pétil-
lement, lèche les filaments frais suspendus sur les
brins, près du sol humide, ceux changés en traces
de poudre sur la couche de surface ; un mélange de
foutre, de sueur, de sang, s'écoule, ardant la membrane,
hors de son cul ouvert dans la lissée des fesses à l'accroupissement ; d'une main jetée sur sa croupe, il
racle la fente de son cul, geint ; la sueur, descendue
de la racine des boucles du front, pique ses yeux,
ses rides la roulent ; il se redresse : les plis de l'aine
s'ouvrent, son membre poisseux attire la poussière ;
la fiche de paie tremble sur son sein ; le pied-bot,
sur ses genoux cornés, reins cambrés, pétant sous
le feu, se traîne vers l'éthel au tronc duquel il frotte
son cul ouvert qui le démange ; Wazzag sort de la
resserre, son menton serrant la fiche contre sa gorge ;
la léchant ; le mélange ardent suinte hors de son cul
le long de ses jambes ; à l'arrière de la claie, les corps
amoncelés des foreurs, femmes se réassoupissant,
léchées au crâne par la chienne, fument ; //// des gangas
bleus jaillissent de sous les pieds nus du berger, dans
l'odeur des abcès creusés aux silex tournoient, bec
vibrant : leurs nids provisoires palpitent sous l'acheb ;
le duvet chargé d'eau de leur ventre frôle les jarrets
du berger ; le sable se mêle de latérite, rose au ras
du feu ; loin, le ressac herbacé jaune mousse : y paissent
deux chameaux blancs, mâle, femelle au flanc violet
tapissé de déjections humaines ; auprès, sous un abri

193

de peau monté sur deux perches d'épineux, une femme, jeune, l'épiderme ocre-mauve serré dans un tissu violet dont le feu boit le restant de parfum, dort, son bébé assoupi dans le creux de son aisselle nue; sa chevelure, décapuchonnée, mêlée, grasse, bleue, au sable, elle respire en sa robe renforcée sur les seins de rectangles de toile de sac cousus au poil de chèvre noire : en arrière des deux chameaux, cinq chèvres noires broutent; sur la peau, un singe, svelte, noir bleuté, fourré blanc à la gorge, aux pattes, au cul, ronge un pied de phacochère sorti du sable, le cuir lui chauffe le cul; la vapeur de sueur baigne le corps replié de la femme; sa main tient, contre le flanc du bébé, une bouteille de graisse blanche bouchonnée d'herbe verte; une bave nacrée vibre à la commissure des lèvres du bébé; le nomade marche, à l'écart; le berger tient les rênes du méhari; son intestin chargé de foutre, d'écailles, de griffes, bout, il le presse avec son poing; la tête du nomade, ballottée, se retourne sur lui : les joues gardent le sucre dans leurs fonds secs; les yeux brillent, dorés, entre les pans du voile bleuté, les hanches éperonnent la robe embaumée aux épineux fleuris; le rire projette de l'écume sur le voile; le jeune nomade se rue sur le berger, le baise sur sa bouche gonflée par la chaleur, l'étreint suant dans ses haillons, gratte à ses dents découvertes sous la lippe une démangeaison qu'il a à sa gorge sous le haik, lui arrache la rêne de la main, la lui noue au poignet, foule, du pied, le sol herbu parsemé de débris d'œufs de gangas, d'escargots, s'élance, mains serrant l'étoffe sur les hanches — cependant que l'akli, s'accroupissant, pose ses lèvres, poing gercé sur l'emplacement du sol foulé par le pied du maître,

gobe, lape sur le gazon salé coquilles, débris —, court
vers la ligne herbacée, à hautes enjambées, les hautes
touffes de sa chevelure sèche, noire balancée hors
du turban, sa robe bleue secouée sur ses jambes;
s'immobilise, pied appuyé au sable ardent, au bord de
la ligne; léger, lent, souffle, muscles, retenus, il avance
vers l'abri; le singe, lâchant le pied de phacochère,
saute à bas du toit, il tapote le bras nu de la femme :
le bébé, son visage frôlé par le panache du singe,
s'éveille, crie; la femme, ses seins gonflant les rectangles de toile à sac, se redresse, repousse le singe;
le membre du nomade éperonne sa robe : il détourne
sa tête voilée; la femme se lève, sable, paille coulant
le long de sa robe, sort de l'abri, garde la bouteille
en sa main, avance sur l'herbe couchée, son autre
main couvrant son sein droit découvert alourdi
de lait tirant l'ourlet; les orteils du pied gauche du
nomade foulent, creusent le sol, déracinent les herbes;
un sourire fait palpiter le voile; un peu d'écume, à la
commissure des lèvres entrouvertes dans le sourire,
en humecte les plis serrés; le berger mâchant redressé
les débris les brins d'herbe reverdie, l'ombre de la
femme attouche le pied du nomade; l'herbe, l'étoffe
frisent sous le zéphir embaumé; les sexes fleurissent
sous l'étoffe gonflée; le singe poursuit un tourbillon
surgi de derrière la ligne herbacée; la femme s'approche,
incline le goulot sur la paume de sa main : une goutte
de graisse blanche filtre à travers le goulot d'herbe
compressée, s'étale sur la paume; la femme élève sa
main renversée vers la bouche du nomade; le bébé
avance sur ses genoux, sur ses poings, serrant dans sa
main le col d'une menue guerba desséchée; le nomade
détourne la tête : son sourire, s'élargissant, fait glisser

195

le voile sur ses lèvres : la femme enfonce son pouce
dans le goulot, le passe, rapide, graissé, sur les lèvres
ocre au revers mauve du garçon ; le nomade retient
ses lèvres écartées ; la femme appuie, maintient son
doigt appuyé sur la lèvre inférieure ; le nomade,
avalant sa salive sucrée — dont un peu mousse dans
les gencives inférieures, mouille le doigt —, referme
ses lèvres sur le pouce ; le bébé dépose la guerba sur
ses pieds ; le nomade baise le pouce, bébé suçotant
son talon lisse, le suce, cependant que la femme, se
baissant ramasse la guerba, la remonte asséchée,
le long de leurs corps s'enfiévrant sous la poussée du
sang, des sucs, des semences ; le nomade mordille le
pouce de la femme, sous l'ongle duquel un dépôt de
lait rancit ; ses cuisses s'écartent sous la robe ; sa
main couvre le sein de la femme appesanti sur le
rectangle plissé ; la guerba, durcie, anguleuse, coincée
entre leurs seins, s'amollit dans les halètements ;
les lèvres du nomade patouillent la phalange de la
femme, le dessus de sa main, du poignet, de l'avant-
bras, le pli intérieur du coude ; sa verge, saccadée,
durcit, creusant son pubis roué par la marche ; de son
autre bras passé sur la croupe, il étreint la femme,
détache ses lèvres du pli du coude, les porte aux joues
de la femme ; laquelle, ses cuisses s'écartant, du sable
s'écoulant hors de sa toison ouverte dans la gonflée
du sexe, du pied refoule le bébé, câline le talon, la
cheville du nomade, appuie la bouteille empoignée
sur le coccyx palpitant du garçon, entrouvre ses
lèvres par lesquelles il enfouit sa langue en la bouche
fraîche de la femme ; le singe danse auprès du tourbillon de latérite ; les doigts du nomade pétrissent
sur la croupe de la femme l'étoffe humectée par le

zéphir embaumant les plaques de sueur de sommeil ;
sa langue cueille dans la joue de la femme un dépôt
de chair de datte, il le ramène vers ses lèvres, dans
sa bouche, l'avale : un sourire ferme les lèvres de la
femme sur celles retroussées du garçon, fait s'attoucher
leurs joues ; le zéphir baigne leurs jambes sous la robe ;
la morve susurre dans les narines, dans la gorge du
garçon ; lequel, son torse soulevé par la toux, poumon
ardent, ôte ses lèvres, crache, au ras de l'épaule de
la femme, un caillot de morve ensanglantée, recolle
ses lèvres engluées sur la bouche entrebâillée de la
femme ; le zéphir baigne leurs seins, gonfle la robe ;
la femme entraîne le garçon vers l'abri ; de la femme,
le fessier tourne, carré, sous la robe légère, lâche, qu'il
attouche dans le déhanchement ; le garçon, ses yeux
s'emplissant de pleurs, le sang réardant ses poumons,
caresse, câline le fessier de ses longs doigts au revers
mauve ; le sein -– lait l'ébranlant, l'emplissant —, de
la femme, accote, chauffe un côté de sa poitrine, avec
la paume de sa main libre, ses lèvres, secouées dans
la marche, frottant la bouche de la femme, il couvre
le sein, lisse le téton entre ses doigts, appuie, maintient
le sein contre le côté embrasé de sa poitrine, tousse,
crache sur l'herbe des gouttes de sang rosé ; le bébé,
sa touffe bleutée — effilochée sur l'occiput rasé —
prise dans un nœud d'herbes coupantes, crie, son
fessier crotté relevé, fente mauve du cul entrouverte ;
le singe jette sa main dans le tourbillon, couvre sa
bouche, s'élance, saute auprès du bébé, démêle la
touffe, glisse un doigt, sa langue, dans la fente du cul
dont la paroi lisse miroite au feu mouillé ; le garçon,
gonflant ses joues, baise la bouche de la femme adossée
au ventre de la chamelle ; il étreint la femme, l'attire

vers l'abri ; la renverse sur l'herbe couchée, marquée
de l'empreinte de son corps assoupi : poudre de lait
dans l'empreinte de son bras écarté du torse, brouil-
lée par celle du bébé endormi sur l'aisselle ; la femme,
son fessier attouchant l'herbe, contracte ses reins,
ses joues, dépose la bouteille sur le sable, se redresse
contre le garçon, le refoule vers l'extérieur ; entrelace
les doigts de ses deux mains à ceux du nomade
penché sur elle, se laisse renverser sur le bord de
l'abri : le garçon cale leurs mains au sol, s'appesantit
sur la femme, frotte sa poitrine où le feu s'éteint,
au sein nu, cependant que son genou retrousse la robe
sur les cuisses ; la bouteille étincelle, frôlée par l'herbe,
la graisse blanche y fond ; le nomade geint, sa verge,
emmêlée à l'étoffe, sue ; du pouce, il retrousse sa
robe sur sa hanche, découvre une partie du pubis,
dégage la verge, ses doigts, rapides, attouchant le
sexe de la femme ouvert sous les boucles, la projette,
d'un coup de reins, dans le clitoris englué susurrant ;
gonflés de sang, les tissus érigés de sa verge s'accotant
à ceux du vagin, il redresse la tête, ouvre sa bouche,
renifle, appuie, coude levé, la paume de sa main sur
sa hanche dénudée ; ses boules s'amollissent sur les
bas plis du vagin ; le berger lié par la rêne au chameau,
erre sur le pâturage ; le chameau s'accroupit, frotte
sa gueule au sol, le berger s'accroupit, gratte sur le
sable son visage, son cou, qui le démangent, le chameau
se redresse, l'akli se lève ; le chameau broute, l'akli,
courbant le dos, morsille les plus hautes tiges ; le chameau relève sa queue, défèque une urine bleutée,
l'akli, le long du ventre effervescent, écarte la cuisse,
sous ses haillons, pisse ; accroupi, sa flûte, nouée,
lui serre le genou : il la faufile hors du nœud, la porte

à ses lèvres ; le nomade clôt les yeux de la femme, verse du sable sur les paupières qui tressaillent ; l'haleine lactée de la femme bouche ouverte, baigne l'avant de son visage voilé ; son halètement mouille, encrasse le voile bassiné par le sang ; le berger suce la flûte, souffle : humectées, les croûtes du foutre d'Hamza aigrissent le timbre ; le poissé mousse aux trous ; sa gorge, gonflée, se déplisse, les veinules saillent, pétillent entre les pores élargis ; la sueur suinte à ses talons ; le foutre en croûte craque dans ses narines contractées ; la pellicule du foutre des soldats qui recouvre le bas violacé de son visage bourrelé, miroite, liquéfiée par la sueur ; stridente, le membre durcissant soulevant le haillon, la flûte vibre, crache ; le nomade, ses lèvres suçotant les gencives imbibées de lait de la femme, ahane ; son torse tangue sur les seins dénudés ; une toux rauque ébranle son pubis, enfonce, rétractée, sa verge en le vagin, brûle ses poumons, expulse hors de la gorge un caillot de morve enrobé de sang salé ; ses lèvres le recrachent, haïk soulevé, par-dessus la chevelure de la femme : le caillot s'accroche aux boucles frisées intercalées entre les bandes de cheveux lisses ; les paupières palpitent sous le sable ; le nomade ramasse une poignée de sable, lisse les boucles souillées dans son poing fermé sur le sable ; son gland attouche le fond du vagin ; la sueur colle à son dos, au coccyx, la robe retroussée sur ses jarrets raidis ; le singe traîne la guerba autour de l'abri, dénoue le col, y faufile son membre ; son pied foulant l'emplacement du sol où fument des braises violettes du foyer, piétiné tout autour par les talons, les orteils oints de henné, de la femme, du bébé, il retient l'urine en sa vessie, sort le membre du col de la guerba, jette, noue la guerba sur ses épaules, se renverse sur le dos, auprès du bébé réassoupi sur l'autre bord de l'abri, son crâne pubescent frôlé par le zéphir ; la giclée projette le nomade, poings accotés au sol, sur la femme ; il geint, ses lèvres souillées, grossies, vibrent au-dessus des narines de la femme ; le sifflet décroît, saccadé : la bave du berger s'écoule hors de la flûte, se suspend, s'étire jusqu'au sol ; le chameau tourne ; le berger, sa main droite enrênée tirée par la tête du chameau, empoigne de l'autre sa flûte, y enroule, se baissant, tout le filament ; le chameau, détournant, vif, son encolure, sa gueule frappe la tête du berger ; déséquilibré, l'akli, poignet garrotté, s'écroule ; son coude, tordu : fracturé ; la flûte roule sur le sol ; le berger, empoignant la rêne dans sa main libre, se redresse, geignant, sa bave rosit entre ses lèvres ; il dépose son poignet blessé dans sa main valide, élève cette main vers sa bouche, lèche le poignet, l'avant-bras, le coude chauffé par la fracture, du plat de sa langue fraîche, tavelée ; le chameau avançant, l'akli élève ses deux poignets au-devant de son visage ; le chameau s'ébranlant, au trot, vers une plaque de gazon reverdi sous le zéphir, l'akli accroche sa main valide au nœud de la rêne sous l'encolure fourrée, suspend le bras fracturé à son cou, par la rêne, trottine auprès du chameau ; lequel, tête levée, ventre ballotté par le trot, blatère, bave secouée dessous la gueule ; la femme étreint la tête voilée du nomade contre son visage ; ses doigts se faufilent dans les plis du haïk, attouchent les lèvres, les narines, les joues, la mâchoire souple, le lobe des oreilles ; sous ses doigts, un sourire plisse les joues, la peau crispée, se dilate, s'adoucit, pubescente près de l'oreille ; ses doigts, faufilés dans l'échancrure de la djellaba, câlinent les seins, le torse pubescent au milieu duquel la peau, chauffée par l'embrasement du poumon, exsude une sueur qui se répand sur ses ongles, en gouttes acides ; les doigts, la paume, couvrent l'aisselle, les clavicules, les vertèbres animées sous l'épiderme soyeux du dos par le ahanement du nomade ; la sueur s'écoule hors du cul bouclé du nomade, sur l'arrière de ses boules ; foutre déchargé, le garçon, respirant à grands traits, referme sa bouche, accote ses poings au sable — la femme, d'un coup de poignet, le roule, las, sa verge mordue, tarie, dans la coquille bouclée, sous elle, le baisant, le léchant sur la bouche, sur les seins, par l'échancrure brodée, se réempale sur la verge redurcie aux lécheries ; lui, raidissant ses jambes, ahane, ses bras écartés du torse, crispés sur le sable ; la coquille enserre à la racine son membre violacé où le foutre montant démange le gland ; sortis de la robe, lourds, humides, les seins aux tétons desquels des plaques de lait séché fondent dans la sueur, fourrent, effervescents, la gorge du garçon ; la femme cambre ses reins, écarte ses cuisses, du plat du poignet ramène contre son vagin les boules du garçon, les lui roule dans le pli de l'aine ; le parfum du cuir, soufflé par le zéphir, embaume leurs mufles empoissés ; la femme geint, boucles frisées de sa chevelure engluées dans la sueur de son cou, dévoile, coudes accotés au sable, le visage du nomade, retrousse le haïk jusqu'au front, faufile son pouce entre les bandes de souples cheveux bleus, suants, enracinés au haut du front, couvre tout le visage du plat de la paume de sa main sèche ramollie à câliner l'épiderme tendre de l'adolescent, lui mouche ses narines, essuie ses doigts emmorvés au sable, à sa hanche moulée dans l'étoffe ; la toux, aigre, pique le gland, le conduit de la verge, expulse hors de la gorge du nomade, dans sa bouche, une série saccadée de caillots ensanglantés : le nomade les retient dans ses joues ; roule sa tête de côté, geignant, des pleurs noyant l'iris mauve, crache les caillots sur le gazon : les brins, humectés, caillots bus par le sable, reverdissent ; le nomade ramène sa tête allégée face au visage ensoleillé de la femme : laquelle, forçant, du bout de sa langue, les lèvres, les dents du garçon, lui lèche l'intérieur des joues, les gencives, la langue ; le garçon suffoque ; elle enfonce sa main sous le fessier du garçon, pétrit, à travers l'étoffe, les boules affaissées sur le sable, moulées dans la gorge couturée de l'étoffe, les rabat sur le tampon palpitant de leurs sexes scellés dans les boucles, creuse, du dos du poignet, le pubis du garçon, attouche, pince, câline la racine engluée de la verge ébranlée par le foutre extrait du pubis ; le foutre afflue dans la verge encoquillée ; la femme retire ses doigts, les porte, embouclés, aux lèvres du garçon, les frottent, tremblés, sur ses joues ; le foutre refoulé hors de la coquille renversée, susurre dans les boucles ; le singe lui câlinant le ventre, le pubis, avec sa patte griffue, le bébé, réveillé, roule sur le ventre, agite, levés, ses pieds oints, le singe bondit de côté, empoigne les pieds, enfouit son museau fourré dans le fessier bleu, lèche le gras des fesses, l'arrière des cuisses, des genoux, des jarrets, les pieds ; le bébé rit ; le singe crache le henné, empoigne son membre durcissant dans la fourrure, s'arc-boute, oriente son membre vers le cul du bébé, attouche le bord de la fesse ; les jambes du bébé s'écartent, son rire, plus lent, rauque, secoue ses épaules cuivrées par plaques ; ses aisselles s'ouvrent, ensuées, où le singe fourre ses poings; le membre du singe, faufilé entre les fesses du bébé, durcit, s'aiguise; ahanant, le singe, pour le radoucir, se contorsionne, scrute la stratosphère, tapote le fessier alentour du membre fiché, câline la racine du membre, caresse la nuque rase du bébé, lui prend ses mains éparses sur le sable, les baise : le membre, acéré, attouche le cul du bébé; le bébé cambre ses reins; un soupir de la femme ébranle le front du singe, le bébé plaque ses mains ouvertes contre ses oreilles; le singe retire son membre éjaculant, enjambe le fessier, s'élance, pressant son membre dans son poing; le bébé, redressé, roule son fessier éclaboussé dans le sable, marche vers l'abri où le singe, vautré sous la peau tendue, se branle, consomme l'orgasme, cependant que, dans son odeur aigre, les deux têtes accotées, cheveux défaits emmêlés dans leurs bouches, bruissent sur le sable; l'akli, vautré auprès du chameau baraquant sur le gazon, lèche son bras fracturé; le sang noircit au pli du coude; le poignet paralysé, chauffe; déposant le bras blessé sur ses genoux, il enfonce les doigts de sa main valide dans ses cheveux, gratte, du fil de l'ongle, les plaques de gale de son crâne, retire ses doigts des cheveux ensués, retient au milieu de ses lèvres entrouvertes un dépôt d'écume, appuie sa tête blêmie sur l'encolure du méhari, ralentit sa respiration sur le battement accéléré du cœur, roule sa tête sur le pelage crotté; la sueur refroidit à ses genoux écartés, la verge, ramollie, attouchant le sable, sous le haillon humecté d'urine, de sueur froide; le chameau frotte le haut de son encolure au crâne du berger : une bouillie d'herbe, de sable rose, s'écoule hors de sa mâchoire serrée ; l'akli, abcès frottés, frémit ; écarté de son torse, de son corps réfrigéré, le bras fracturé arde, enfle, nerfs, muscles s'y contractent ; l'akli, sur le plat de sa main valide, le porte sous l'oreille droite de sa tête inclinée de côté : le bras, effervescent, pétille, force l'épaule ; le bébé, agenouillé sous l'abri, entre les pattes du singe, lui caresse ses yeux humides ; le singe resserre ses genoux ; le bébé, tourné dos au poitrail, s'assied sur le membre englué du singe, frotte son dos au poitrail, sa nuque, aux lèvres ; les yeux du singe, longs cils durs battants, palpitent contre l'occiput ; la langue du singe sort, lèche l'oreille du bébé ; le zéphir ascendant porte, refoule, dissipe les affaissements de l'air : le membre du singe durcit, force le cul du bébé au fragile torse duquel, jambes raidies, ahanant, il accroche ses mains ; la femme soulève ses reins : coquille vidée, s'agenouille, appesantit son fessier sur les jambes dures du jeune nomade, se lève, étire ses bras dans le zéphir, soulève sa robe, écarte ses cuisses, cure la coquille d'un revers de pouce ; vautré, le garçon recouvre d'étoffe engluée sa verge grossie ; la femme, se baissant, prend, cueille la tête entre ses mains, tire, tourne le corps le long de l'abri, retrousse la djellaba engluée en son milieu jusqu'au cou du garçon, tire l'encolure par-dessus la tête enturbannée ; le nomade, son maigre corps dénudé, rougi au ras de l'herbe par le feu, redressé, rapide, jette ses deux mains sur la verge rabattue ; la femme lance la robe sur le toit, accote ses genoux nus au dos suant du garçon assis sur son séant, redresse, poignets faufilés sous les aisselles, le garçon debout, le campe de face devant son corps rougi sous l'étoffe, lui prend les poignets, les lui applique sur ses seins, sur ses hanches; mains mêlées, retrousse sa robe jusqu'au cou; le garçon, sa verge rebondissant, attouchant le ventre bombé de la femme, s'écarte; la femme, serrant les poignets entre ses doigts, d'un revers de la main sort la robe amassée, par l'échancrure, hors de sa tête, la jette, sur le toit, par-dessus la djellaba du garçon; le turban dénoué du garçon coulant le long de sa poitrine s'amasse sur la verge droite que le poids de l'étoffe affaisse; la femme, étreignant, bras au dos, main au coccyx, le garçon tressaillant, du genou levé fait basculer l'amas d'étoffe, se hausse sur ses orteils, se réempale à la verge redurcie : le nomade geint, recule : sa verge, encoquillée, prolifère; s'arc-boutant, la racine de son membre étirée, il couvre, câline les seins, laisse couler, hors de ses lèvres, sa bave sur celui droit que la femme, dans sa paume, relève, le pressant, jusqu'aux lèvres de sa tête inclinée; dans le temps que son corps ahane, suant, ses lèvres sucent : muscles, menstrues, travaillent sa verge encoquillée, ses dents irritent le téton encrassé : foutre, lait, giclent; le singe en orgasme, le bébé, accolés, roulent dans le sable; le berger vomit du sang sur l'encolure; la main de la femme palpant, pétrissant son fessier ensué, le garçon ôte ses lèvres du sein, élève sa bouche bondée de lait vers les lèvres de la femme; d'un coup de rein éveillant, poussant dans la verge le foutre retenu, refoulé inerte au creux du pubis, il mord, lait avalé, la bouche graissée de la femme; le lait aigre, tiède, apaise, circulant, son torse enfiévré; son halètement anime les boucles de la femme collées en sa bouche; les seins, ébranlés par l'afflux du lait, tremblent contre le haut de son poitrail; du dos de sa main, il porte le droit vers son menton,

205

le roule contre sa gorge ensuée; le turban se dénoue, saccadé, aux baisers, à l'ondulation des rides sur le front, le long du visage dont, glissant, il aveugle les yeux ensués, frôle, à vif, le retroussis des lèvres — tout le corps suintant tressaille; le pan s'amasse dessus la palpitation bouclée; les boules du garçon, suspendues au-dessous du clitoris de la femme, exsudent une sueur mêlée de foutre, de sang rose; la verge s'échauffant, la femme, jetant ses bras au cou du garçon, l'enser-rant dans le pli des coudes, se hisse sur ses orteils, se suspend, genoux levés, au cou du garçon chancelant, écarte ses cuisses, force le pubis du garçon du bombé durci de son bassin en travail, élève ses genoux, croise ses pieds sur l'arrière suant des jarrets durcis du garçon; ses talons frottent les palets détachés du faisceau de muscles, de nerfs crispés; le garçon, titubant, croise ses longues mains sous le fessier de la femme au gras duquel s'étirent des filaments de foutre, de semence, le soulève, ahanant; la femme lui baise, lui lèche, lui morsille sa nuque, sous le pan du turban qui s'écroule, glisse par-dessus les doigts entrelacés, de la femme, sur son cou, le long de la croupe, frais au revers, s'empile — humecté, piqué de petits trous percés au sang, au pus des furoncles de l'occiput, du haut front, des tempes —, dessus les pieds croisés crispés de la femme; le garçon, un côté de sa tête câliné, frotté par un côté : front, tempes, oreilles, joues, mâchoire, de la tête de la femme, halète, projeté en avant au mouvement de poussée de son pubis, rejeté en arrière au retrait du pubis englué; sous l'aisselle ouverte par la tirée des bras, le poil bleu, lustré par la sueur, hérissé, frise; des pets frôlent, secs, sortant du cul empoissé du garçon, les genoux joints de la femme; le zéphir effleure, baigne, enveloppe les deux fessiers; les muscles saillent au long des bras tirés du garçon; dans les plis, la sueur exsude, rouillée; le bébé, sous la chamelle, refoule, du coude, du ventre, du pied, du front, le singe qui le presse, fébrile, tenant son membre éjaculant entre ses doigts fourrés; le bébé crache, frappe du poing le membre; du poing libre, gratte, racle la fente de son cul noyé de semence aigre; le singe, d'un coup de rein, saute sur les épaules du bébé, y accroche ses pieds, titube, balance, traîne son membre englué sur le crâne ras du bébé, autour de la touffe occipitale, assied, pliant ses genoux, son séant ensué, sur l'occiput, étire son membre, le long de la joue du bébé, le lui applique sur ses lèvres closes, emmorvées; le bébé, s'apaisant, ouvre ses lèvres, tette le membre; le singe câline son front, presse, yeux vagues, la racine du membre, refoule la semence vers le gland, soupèse le membre, câline la joue qui tète; la semence emplit la joue, déborde sur la langue; le bébé, semence avalée, mord le membre, crache, criant, chair du membre transpercée par ses dents nouvelles, sa salive mêlée de semence; le singe, ses ongles griffant les lèvres du bébé, glapit; le bébé secoue ses épaules, lâche le membre, déglutit, agenouillé, dans le gazon éclaboussé; le singe, tenant d'une main allégée son membre égratigné, s'élance, trotte, bondit, se faufile, courbé entre les hautes herbes, rampe au ras du gazon reverdi, jusqu'auprès de l'akli, affaissé sur le dos, pâmé le long de l'encolure, ses genoux tremblant sous le haillon, son bras fracturé barrant, inerte, noirci de part d'autre du coude, son visage vidé de sang; le singe se blottit entre les cuisses de l'akli, assoit son séant

fourré sur le pubis froid, essuie, grimaçant, son membre
au haillon qui recouvre l'amas sexuel, pose son membre
dans le pli de l'aine, resserre ses genoux, plaque ses
mains, poignets croisés, sur ses épaules, tressaille,
jette une main sur la rêne lovée dans l'herbe foulée,
la prend, la porte à ses lèvres, la morsille, la ronge,
enfiévré, son cul, au cœur du séant, palpitant sur le
pubis, son autre main câlinant la hanche du berger
au travers du haillon putride; la rêne, rongée, cède :
le chameau jette sa gueule de côté, se renverse dans le
sable, se roule, frotte son flanc au sol; le singe mouille
son doigt à ses lèvres, le dresse dans le zéphir; se lève,
s'accroupit au bord de l'akli, décolle, défroisse les
haillons emmêlés, enfouis, les dispose dessus le corps,
les serre le long du corps, soulève le bras fracturé,
le tire, le tiraille, le range sur le ventre, le recouvre,
noirci, plombé, d'un haillon délogé de sous l'échancrure
de la casaque d'agneau, s'agenoüille, refoule, avecque
ses deux mains ouvertes, le sable vers le corps, arrache
des brins, des touffes, des aigrettes, tigelles, les amon-
celle dans l'intervalle versant — corps; pousse le sable
rosé entre les cuisses de l'akli, en recouvre l'amas
sexuel affaissé, câline, du plat de la paume, l'amas
palpitant sous le sable — l'imbibant de sueur froide,
recule, creuse le sable autour, sous les talons, ensable
les pieds écorchés, brûlés jusqu'à l'os, aux galets
incandescents enfouis dans le sable foulé; s'accroupit
auprès de la tête de l'akli, jette ses doigts dans la chevelure crêpée, pique les poux, les porte, collés dans
leur sang à l'ongle, sur sa langue; les avale; gratte
les plaques de gale qui débordent sur le front; piaulant, souffle, bouche ouverte crissant, son haleine
ardente sur le visage livide, appuie son ventre, l'em-

placement de son cœur accéléré sur l'occiput ovoïde ; le zéphir refoule en étoile le parfum de l'épineux planté en avant de la dune lovée en saillie sur la steppe, vers le troupeau de chèvres noires qui l'encercle ; foutre déchargé, le garçon, déséquilibré, s'affaisse sur ses jambes où les muscles, les nerfs, se détendent, refoulent les filaments vers le pubis ; il s'agenouille, os crissant, sur le sable ; genoux, lisses, criblés, il étreint la femme, assoit son séant ensué sur ses talons ; le fessier de la femme s'accotant au plat de ses cuisses forcées, l'urine sécrète en sa vessie, ébranle le conduit de sa verge encoquillée ; la tête de la femme, roule, saccadée, de face, sur son dos, chevelure renversée attouchant son coccyx ; le versant intérieur des cuisses de la femme frotte ses hanches ; il soulève son séant, se projette en avant, repose la croupe de la femme sur le sable — sa verge, décoquillée jusqu'au gland, scintille, chiffonnée, pores démangés dans les boucles —, bascule, lèvres retroussées, salive moussant dans ses gencives, sur la femme recouchée ; colle, coquille tirant son gland, sa bouche, croisée, sur les lèvres lisses de la femme dont les talons, joints, vibrent sur ceux ensués, du garçon ; le garçon amasse sa salive dans ses joues, la verse, la crache en la bouche où surgit la saveur de la semence préparatoire, des sucs, refoulée hors du clitoris, du ventre dans le gosier, par la crispation ; le garçon roule ses narines bondées de morves sur les dents de la femme, enfouit ses narines, ses pommettes, ses oreilles, son menton, dans la bouche, tout, dans le mufle emmorvé ; sa verge rentre dans la coquille pétillante, son pubis, redurci, broie, relâche, broie le bassin roué ; du plat du haut du torse, il écarte l'un de l'autre, les seins bondés, empoissés, cale les tétons sous ses aisselles, dans les boucles où la sueur ruisselle le long des poils raidis par d'anciennes sueurs ; la femme geint, modulé, aigu ; son glapissement, faible, corrode le tympan du garçon qui, nerfs irrités dans tout le corps, réenfouit ses oreilles, ses yeux, ses narines dans le mufle écumant ; l'orgasme, frottis clapotant, libère, à travers les pores élargis dans le lent frisson, l'arôme de la marche sous le feu ; foutre, semence s'égouttent au bas du clitoris ; la graisse blanche redescend, s'apaise dans la bouteille rafraîchie par le zéphir ; la morve du garçon aspirée dans les narines de la femme, refoulée, par l'expiration, dans les narines du garçon, s'échauffe : un loup chatouille la paroi, le garçon, sortant une main de sous la croupe de la femme, faufile le pouce dans sa narine, extrait le loup, élève sa main, dresse son doigt emmorvé, son œil s'ouvre au ras du mufle de la femme, palpite, scrute, le doigt séchant au zéphir, la hanche, la joue dénudées de l'akli pâmé, au ras de l'herbe ; lors, le garçon écrase son pouce sur le haut de son séant : le loup, à l'élargissement des pores dans l'ultime frisson de l'éjaculation, glisse, séché, dans la fente du cul ; le fessier du garçon, ébranlé par le frisson, miroite, cuivré, au ras du feu, les boucles de l'amas sexuel affaissé se mêlent aux brins du sol ; au long de la croupe du garçon, les vertèbres, les côtes, saillent, échangent les sueurs ; ses cheveux, détressés, oscillent au haut de l'occiput, effilochés, ceux bouclés menu s'enroulant, en spirale, le long des raides lustrés ; le turban, pressé, empilé, englué, dont un pan est pris entre les hanches accotées, gît sur le gazon, contre le flanc du garçon ; le haïk bleuté s'englue, roulé entre les seins écartés de la femme ; le garçon le mord, le soulève, tête redressée, le recrache sur le mufle de la femme; à coups de langue, de dents, le défroisse, le lisse sur le mufle, baise, tête allégée, la bouche bridée; force, du fil de l'ongle les paupières closes, cure le coin de l'œil ensablé; lèche, bouche abaissée, l'iris, le ravive; le contact contracte les lèvres de la coquille; la verge, mordue, s'empourpre; le souffle du garçon chauffe l'iris; le feu roussit la sueur dans les plis encrassés de la retombée de ses fesses; sa verge force la coquille contractée; les bras de la femme, croisés sur sa nuque, étreignent son cou; les jambes vibrent, diagonales, ensuées, cuisses enserrant ses reins, sur l'arrière de ses jarrets; la coquille mousse, happe les boucles de sa toison, les tire, ses lèvres retroussées adhèrent, dessus, au bas du pubis, dessous, à la gorge qui articule les boules au conduit; le garçon, bouche collée aux sourcils, geint, pouffe, soulève le milieu de son corps, décoquille sa verge, redresse, poings accotés au sable, le haut de son corps, filaments de bave, de morve, s'étirant de sa bouche à son mufle voilé de semence, de foutre, de son gland à la coquille, cambre ses reins — les jambes de la femme, détendues, glissent de part d'autre de ses jambes soulevées; le coup de pied attouchant la coquille engluée, son autre pied raidi sur le sol à l'écart du corps vautré, il se dresse, épaules étirées, ongles grattant ses seins, torse soulevé attouchant son menton, ventre creusé, séant rehaussé, verge s'égouttant, chiffonnée sur le versant de la cuisse bouclée; enfonce son pied sous le vagin de la femme assoupie; pouce incurvé vers la fente du cul; de la paume, il tambourine le versant roué de sa cuisse; il retire son pied de sous le pénis, enjambe la cuisse de la femme, pivote, pète

dans le zéphir, s'élance, bondit, le sable se collant à
ses talons ensués ; chevelure tordue, se rue, verge
redurcie dans la course, sur un affleurement du roc,
s'y agenouille, y applique son ventre, sa verge : veines,
veinules sifflent sur le silex surchauffé ; le garçon
plaque son torse, ses joues, son front, son oreille,
frotte son pubis au silex ; l'oreille détecte la vibration
du troupeau, du vent levé sur le reg ; la verge s'étire,
prolifère dans une saillie de grès tendre, le gland
attouche un dépôt de pollen ; ses lèvres bavent, l'écume
pétille, s'éteint sur le silex érodé ; un bourrelet brûle
son nombril, il soulève son ventre ; ses orteils fouillent
le sable ; des hautes graminées, tige à demi reverdie,
agitées par le zéphir, ombragent sa croupe ; le vert
monte dans les tiges ; la verge, rechargée, se rétracte
dans la saillie ; le nomade, d'un coup de reins, coudes
au corps, se redresse debout, scrute, au ras, le devant
de son corps rougi par plaques : le pollen coiffe son
gland ; il marche, droit, direct, épiant sa verge coriace
ballottée sur le versant des cuisses, refoulant vers
son pubis toute la circulation de la faim, depuis l'occiput jusqu'à l'orteil ; il s'agenouille devant les pieds
de la femme, il les prend, les porte à sa bouche, baise
les ongles emplis de sable ensanglanté, écarte les pieds,
s'avance, agenouillé, entre les jambes ouvertes, les
soulevant sous l'articulation du genou, contre les
hanches ; bascule, verge fourbie, sur le buste ensué,
jambes de la femme se croisant sur son séant séché, sur
l'arrière de ses genoux, lui se raidissant tout entier
sur la femme ; la verge se recourbe sur la coquille close ;
le garçon, d'une main passée sous son ventre, câline
le clitoris de la femme, lisse sa verge entre deux doigts ;
il retire sa main, la reporte sur les lèvres de la femme,

faufile ses doigts embaumés sous les narines : la coquille s'entrouvre, crachouille, s'ouvre : le gland y pousse le pollen ; sous ses doigts, les lèvres, les joues de la femme s'épanouissent, ses cuisses versent ; la verge glisse, fond dans la coquille ; le garçon halète : dans son torse, le cœur force le poumon ; ses yeux diaprés s'emplissent de pleurs ; ses jambes vibrent, son pubis attend ; entre deux doigts, il presse sa gorge ; il écarte son visage, dégorge — dans sa bouche, la salive circule, régulière, teintée de sang ; ses lèvres sèches se resserrent ; la femme applique ses paumes sur le torse soulevé ; sa respiration ralentit, la femme, lui baise les yeux ; l'arrière de ses genoux lui presse son séant ; la giclée ouvre les poings du garçon sur le sable ; un silex, pris sur le roc, pique le poli de ses boules se vidant ; le garçon, d'un coup de rein, décoquille sa verge, se hisse sur ses poings ; le gland éjaculant éclabousse le ventre, les seins de la femme : de sa main fripée, lente, la femme dilue le foutre, rosé sous le feu, sur son épiderme refroidi ; le garçon prend la main, retourne le poignet, frotte les doigts enfoutrés à son torse, à son ventre, faufile un filament dans la cavité du nombril ; repose la main sur les seins que les basses boucles de la chevelure coiffent dans la sueur ; se redresse, agenouillé, se lève debout, enjambe la femme dont les jambes lustrées s'effondrent sur le sable ensué ; presse sa gorge dans son poing, gémit, éructe une salive rosée ; sa tête, saccadée, front, nez poussant les pleurs vers les yeux, caillots de foutre expulsés hors du gland aux secousses des sanglots, brûle, tranchée, au feu ; le zéphir attouche, ébranle, roule, effrite la tête ; la femme pouffe, glousse, porte sa main à son mufle ; foutre, semence, moussent, rejetés aux saccades du

213

rire sur le bord de la coquille; le garçon prend sa tête
dans ses deux mains, la projette, la boxe avec ses
poings, crache dans ses paumes, ensalive sa tête, lisse
ses boucles raides, ses boucles effilochées entre ses
doigts ensalivés, s'arc-boute sur le sable, enfouit sa
tête ensalivée dans le sable, projette, d'un coup de
rein, sa verge amollie, sur le sable; se dresse, bondissant, sur ses pieds, empoigne sa verge, l'étire, la crible,
étirée, de sable ardent mêlé de coquilles immaculées
jeté par son autre poing; bourre, du même poing, son
cul, de sable, applique ses deux poings emplis de sable
sur ses seins, ouvre les poings, moule le sable ensué
sur les tétons; torse soulevé, sable coulant sous ses
paumes, sur le bombé de son ventre, il extrait sa
langue hors de sa bouche, l'échauffe au feu, renversée;
le feu coule dans le creux de sa croupe; reins cambrés,
déhanché, épaules versées, il en égoutte la sueur sur
l'iliaque, psoas ébranlé; ses pleurs attouchent, sur le
bord de la joue, les gouttes de sueur qu'une trace de
crasse barrant la joue, porte depuis l'oreille, sueur
formée, exsudée dans les boucles temporales; la femme,
rire éteint, presse ses seins emplis de lait frais sous le
zéphir attiédi, élève ses genoux, câline son clitoris
avec son talon, cuisse versée : la corne ensablée glisse
sur la coquille engluée; les seins enflent; le garçon,
humant le zéphir, s'accroupit, marche, dandinant,
s'arrête dans le remugle de lait; la femme lui tend ses
bras — dont il prend, torse soupirant, les fortes mains
ensuées dans ses poings qu'elle, son mufle palpitant
sous le haïk, tire, buste du garçon, basculant, anneaux
se formant sous la peau rosée de sa verge, vers ses
seins bleus sous la poussée du lait; pose sur ses seins,
sur ses tétons où susurre le lait; le garçon, élevant un

bras, retient du plat des doigts ses cheveux chavirés
sur son front, frôle, du fil de ses lèvres, le téton décrassé ;
la femme étreint la tête ; dans l'ébranlement centripète,
leurs cheveux s'emmêlent ; les genoux du garçon
creusent le sable ; sous son ventre, la verge prolifère :
la femme, étendant son bras, touche du pouce le gland ;
le mufle du garçon s'épanouit ; la femme pince le
gland, le faufile entre deux doigts, tire ; la verge, rouée,
électrise les grains ; le mica scintille collé aux veinules
saillies ; les doigts de la femme attouchent les bourrelets du ventre plié du garçon, sous les côtes flottantes ;
le garçon soulève un genou, écarte la cuisse ; les doigts
de la femme frôlent le pli de l'aine ; la sueur du torse
du garçon ruisselle sur le dessus de son bras ; les doigts
empoignent la verge pailletée ; la cuisse écartée, sue ;
ébranlée — le pied ensué fouille le sable —, forcit,
s'emplit de foutre ; sur son versant où saille le pectiné,
la verge, lâchée par les doigts de la femme en suffocation dans la muflée, décante ses plis : le gland pivote,
se détache du conduit, éclate sur le versant bouclé ;
le zéphir efface l'écume au contour de la muflée ; le
garçon retire sa tête ; il se redresse, accroupi ; ses
cheveux se recourbent ensués sur son front, ses yeux,
ses lèvres, son menton ; bras écartés du torse, il enserre
entre ses doigts les poils de ses aisselles, racle du bout
de l'ongle les dépôts de sueur, de crasse, de musc
ensablé qui les raidissent ; il les lustre, du bout humecté
de ses doigts, porte à ses dents ses ongles comblés de
crasse, morsille les dépôts, les avale ; jette ses doigts
sur ses reins qui le démangent, gratte les cloques, les
boutons de vérole, jusqu'au sang, porte à ses dents ses
ongles comblés de sang, secoue ses reins, sa verge dont
une goutte qui perle au gland éclabousse, de la femme

le bourrelet central de la lèvre inférieure; laquelle
ourlée ocre, verse dans la bouche; la goutte de foutre
se dissout dans la salive; le garçon, rapide, buste
projeté en avant, applique sa main sur la bouche
de la femme, enfonce ses autres doigts entre les dents,
les passe sur la langue rétractée, jusqu'au fond du
palais, racle la salive engluée par la goutte, retire les
doigts, les frotte à sa gorge encrassée; la crasse coule
en poudre sur le torse pubescent; le pouce ensalivé
décrasse l'épiderme vérolé de sous la mâchoire inférieure, force les ganglions angineux, roule la crasse
de derrière l'oreille, de la nuque duvetée; redressé
debout, le garçon se secoue, trépigne, saute, empoigne
sa toison emmorpionnée, lève, fébrile, une jambe, écarte
la cuisse, plaque le talon sur le genou de l'autre jambe,
se laisse choir sur son séant piqué de pus, de sang,
ramène sa jambe sur la cuisse opposée, cale le pied
corné sous l'amas sexuel; le genou, forcé, miroite, sang
violacé; le talon soulève l'amas sexuel : la main retient
la verge diaprée sur le versant; sur le talon, les boules
se répandent, pores scintillants; l'ongle ébréché du
pouce les gratte, le long des veinules, en porte aux
lèvres la sueur amère; le garçon, saccadé, bascule en
avant, enfouit sa tête dans le sable mêlé de latérite,
la visse dans le spongieux sec, cheveux balayant les
coquilles de chaux; la fente de son cul projette sur le
coccyx cambré une ombre aiguë qui attouche le dos
suant; le peaucier force l'épiderme scintillant; cuisses
bandées, abdomen se durcissant, le corps se jette en
avant sur l'acheb; le garçon faufile sa tête ensablée
sous le lierre d'acheb, coupe avec ses dents les racines,
rampe, dos, croupe, reins aplatis, sous la fraîche,
hérissée, amère, herbacée, s'y arrête; les muscles de

l'abdomen, les os de l'épigastre forcent, broient sous eux le sable ranci; duquel décalotté, le remugle, la poussière soulevée, désintègrent le zéphir, le feu aux abords du corps palpitant immaculé sous le lierre rétréci; la femme, retournée sur le ventre, rampe hors de la plaque de sable blanc, se hisse, coquille susurrant, dessus le séant bridé dont elle attouche un bourrelet, du bombé de la coquille; faufile un poignet dans l'entrelacs, applique la paume sur la bouche du garçon; le bourrelet tressaille, la coquille écume; la femme couvre le corps étreint d'herbe expirante; le garçon tousse, le remugle du râle de l'herbe asphyxie ses poumons; d'un coup d'épaule, il arrache l'acheb, verse la femme; torse cramponné au sable, il extrait son corps hors du lierre, rampe vers la plaque de sable blanc; la femme lui empoigne les pieds, rampe, abdomen annelé, seins marchant, en arrière de lui sur le foin crispé; dans le sable blanc, lovés, sur le côté, face à face : le garçon caresse les seins, la femme essuie, de ses doigts humectés, les boutons de vérole éclatés sur la gorge vertébrée; le gland attouche, se rétracte, réattouche la coquille close; les genoux, couronnés de sang baratté, vibrent; le bébé, assoupi, siffle, ronronne, enfoui dans le pelage tiède de l'encolure; les graminées pétillent; le troupeau assaille le tahla, broute, accotés au tronc, épines, baies, fleurs conchiées par les gangas ivres qui, chassés de l'arbre, dégorgent, planant, au ras de l'herbe, iris voilé; le singe croise ses fébriles mains noires sur le front de l'akli, lève ses yeux, scrute la stratosphère diaprée; sa lourde queue s'enroule autour de la gorge vérolée de l'akli; ses yeux scintillent entre les cils mouchetés; son mufle calciné palpite; le feu rosit son pelage bouffant; du sang, sortant de la tête glacée, susurre à la commissure des lèvres de l'akli ; le singe l'essuie à ses doigts, se redresse, marche, balancé velu, sur le gazon gorgé de sueur, de vapeur expulsées hors du corps pâmé, s'arrête sur le sable blanc, s'assoit au bord des têtes échevelées, faufile sa main ensanglantée entre les visages, à distance scellés par l'œil ; les narines tressaillent ; le garçon descelle ses yeux de ceux de la femme, dresse sa tête, scrute l'alentour vivant, se lève, d'un coup de rein, bondit, s'accroupit sur le gazon, auprès de l'akli, soulève le bras fracturé, caresse l'épiderme froid, enveloppe sous sa paume le tronçon noirci : la masse des muscles, nerfs, os, chairs, immobilisés dans le sang coagulé, alourdit le bras dans sa main ; il repose le bras sur le torse, pince l'épiderme flasque du cou, des joues, des hanches, de l'épigastre ; rejette sa tête en arrière, geint, tend son bras, main balancée, vers la femme accroupie ; un souffle mousse le sang à la commissure des lèvres ; le garçon jette sa main sur un battement détecté au centre du cou par le doigt du singe ; un doigt de l'autre main du singe attouche le battement d'une veine sur la racine de la verge, le garçon empoigne verge, doigt ; la femme marche, agenouillée, vers le gazon ; le garçon s'écarte, lâche la verge ; la femme étend son bras, s'accroupit, saisit le bras de l'akli, porte le coude raidi à sa bouche, le flaire, en lèche l'épiderme transparent ; se redresse debout, court à sa chamelle, du poing frappant l'encolure la fait baraquer sur l'acheb déchiqueté, fouille dans le bât, retire un sachet de cuir peint, retourne au corps pâmé, s'agenouille, extrait du sachet une décoction d'herbe, de poudre de téboureg, l'étale sur le coude, sur l'avant-bras, sur le poignet, sur le dos de la main, sur l'épaule, sous l'aisselle, masse le bras

graissé ; le singe tient la verge amollie ; yeux scellés à
ceux du nomade, il la presse, à coups menus de paume,
de doigts ; la femme se relève, ferme le sachet, le jette
auprès de la chamelle agenouillée, étreint, abaissée,
la croupe lisse du garçon accroupi, frotte aux vertèbres
du dos sa coquille ouverte, bras étreignant le cou du
garçon ; lequel, redressé, lui soulève, verge durcie, les
jambes, par-dessous l'articulation du genou, le long de
ses flancs, avance, enjambe le corps de l'akli, s'élance ;
la coquille, tout ouverte, lui mouillant le centre du
dos, il trotte vers l'épineux ; les lèvres, la langue, les
dents de la femme, sucent, lèche, morsillent sa nuque ;
le garçon entre dans le troupeau ; le fessier de la femme
frôle le pelage ensué du bouc : l'écume rejaillit en sa
coquille ; le garçon s'affaisse, agenouillé, devant l'arbre,
dépose la femme sur le sable foulé, étreint entre ses
bras le tronc conchié ; dans la secousse, le branchage
brouté projette sur ses épaules, sur son front, l'écume
du troupeau ; la femme, sur les seins de laquelle le bouc,
frénétique, assied son séant empanaché, étreint les
cuisses du bouc ; le garçon, assis, genoux joints, le dos
au tronc, scrute, à travers sa chevelure effondrée
sur le devant de son visage, la coquille écumante
piétinée par le sabot du bouc ; épaules affaissées, yeux
agrandis que des battements lents de cils, de paupière
voilent, mains jointes sur les rotules, verge proliférant
au bas du tronc roué frissonnant, il respire, accéléré,
modulé, à l'obscurcissement, à la contraction des
poumons ; des chevreaux nouveau-nés butent ses
flancs, il les empoigne par la gorge, les enfouit bêlant
dans le creux de ses jambes levées, contre son ventre ;
leurs sabots mous attouchent son pubis bouclé, sa
verge tendue ; le rire expulse hors de sa bouche, à la

commissure, un peu de salive ensanglantée qui s'écoule, en deux filets, sur son menton; le bouc, séant étreint, foule le sable; son panache crotté bâillonne la bouche de la femme; le garçon, redressé — les chevreaux s'effondrent sur ses pieds —, caresse son ventre englué de méconium; à sa toison s'emmêlent des touffes de jeune poil rosé; il étire ses bras, entrelace, au-dessus de sa tête, ses doigts sur un branchage intact, le ploie, fleuri, fruité, dans sa chevelure torsadée, sur son front, croise ses jambes — talon de l'une, la plus rouée, soulevé du sable —, boules prises sous le cul, dans l'angle des fesses, soufflées roses hors des basses boucles du cul, verge tirant le pubis, sueur encrassée des aisselles ouvertes coulant sur les côtés du thorax; une chevrette jette sa langue sur le poli salé des boules : le garçon, riant rauque, contracte son coude sur son sein; s'agenouillant, branchage empoigné avec la plus forte mèche, il abaisse son torse vers le visage empanaché de la femme; le bouc dégage son séant; le garçon applique son torse bruissant sur la bouche close : l'ondulation des vertèbres, des côtes, entrouvre les lèvres, la bouche happe l'éperon inférieur du torse; la verge, accotée au sable, tressaille; le branchage casse, le garçon le noue dans la mèche; branchage tirant la mèche, il abaisse son visage, baise la bouche de la femme, une main appliquée à l'emplacement ensalivé de son torse, l'autre jetée sur la trace de semence du centre de son dos; la femme empoigne le branchage dans ses deux mains, le tire vers son front; le garçon recule, secoue sa tête; la femme lâche le branchage; le garçon roule la femme sur le ventre, se vautre à son côté; ils rampent entre les chèvres, empoignent les pis gonflés; les chèvres, cabrées, pètent;

la femme essuie, riant sourd, la bouche du garçon riant haut ; ses narines aspirent, refoulent le remugle de tahla ; arrêtés sous le ventre de la plus lourde chèvre, ils se retournent sur le dos, pressent dans leurs doigts entrelacés, son pis, le traient ; le garçon l'oriente vers sa bouche ; le lait gicle bleu sur ses narines, sur ses yeux, il l'enfourne entre ses lèvres, ferme ses yeux, tète ; le lait glacé, aigre, au fort parfum de tahla, emplit sa bouche, se rue dans le gosier, dans le ventre : au pubis, il se sépare, ruisselle, se dilue dans la chair des jambes ; le garçon, crache, déglutit le pis pubescent qui l'engorge, le fourre ensalivé sur la bouche close de la femme qui le trait ; elle repousse le pis, du fil de ses lèvres serrées ; le garçon étreint les reins de la chèvre, se suspend ; la chèvre s'affaisse sur le flanc ; le garçon empoigne le pis, le tire vers le sein de la femme, se vautre sur le ventre, happe entre ses lèvres éclaboussées, pis, téton ; la femme, d'une main continue de traire le pis, de l'autre, presse la racine de son sein ; le garçon tète : les deux giclées frappent son pharynx ; la femme, de sa main libre, lui caresse le dos, les épaules, l'épine de l'omoplate en saillie ; les dents ébréchées du garçon morsillent son téton ; la chèvre, vautrée, son pis mordu, jette sa patte sur le mufle de la femme ; le sabot vibre, saccadé, sur sa bouche ; le garçon, redressé, le lait coulant sur sa gorge, sur ses seins, presse le côté droit de son torse ; le feu surgit aux bronches, s'éteint, court sous la plèvre, embrase le lobule, inonde la scissure, attouche le diaphragme ; le garçon, crachant un sang rouge vif mêlé de mucus, s'agenouille, ronronne enroué vers la femme ; laquelle, essuyant son sein recouvert de poils de chèvre englués, s'accoude au sable, se déplace vers les genoux du garçon, jette ses

221

bras autour de son cou, l'abaisse vers son visage; le garçon, sang, crachats, mucus bouillonnant dans son cou, s'allonge auprès de la femme sur le dos; la femme appuie son oreille sur son torse; son oreille, le blanc de l'œil du garçon se violaçant au ras du feu, sous les cils lustrés, traîne, menue, duvetée, fraîche, sur le torse ensué, détecte, au niveau du lobe supérieur du poumon droit, craquements, murmure vésiculaire accéléré, râles crépitants; le garçon appose ses deux mains sur la tête de la femme, enroule autour de ses poignets vidés de sang, les boucles, les bandes grasses des lourds cheveux de la femme : sa verge, nerfs excités par la toux, la station dorsale allongée, durcit arquée; la femme l'empoigne, la lisse, asséchée, crantée, contre sa paume, entre ses doigts; la toux soulève le torse sous ses lèvres; l'urine force la racine de la verge érigée; les chèvres enjambent, sabots heurtant ses flancs, le corps ébranlé; leurs pis traînent sur son ventre échauffé; poil, corne, épiderme, œil, lait, sang, suint, urine circulent de souffle en souffle; les ombres du troupeau recouvrent le corps immaculé d'où la femme, bouche emplie du sang aspiré aux lèvres du garçon, retire ses longs bras olivâtres; sous le vent, le duvet frise au cou grêlé de l'akli; le singe s'étend sur le bébé assoupi, le soulève, enlacé, geignant, se redresse, s'élance; le bébé, sa tête roulée sur l'épaule du singe, crie, le pouce faufilé dans la narine; le singe, bondissant, sa queue empanachée balayant le sable, l'herbe, s'écarte du campement, court, lambeau secoué sur le cul, vers l'arbre, bondit, escalade, au-dessus des fronts marqués de rouge, d'ocre, le branchage heurté par les dentures, se cramponne, des pieds, d'une main à la plus haute branche, l'autre bras étreignant contre le

torse le bébé ruisselant de pleurs ; remué, l'entrelacs
d'épines scintille ; le singe abaisse sa bouche ouverte,
sa langue pourpre cueille, à travers l'entrelacs, une
baie rousse, la suce roulée vers le pharynx, chie, lambeau soulevé sur le cul, panache enroulé au poignet,
sur les basses branches tissées d'écume ; les chiures
éclaboussent le front des chèvres ; le singe tenant le
bébé par le rein, lui écartant la fesse du bord de la
paume, projette en avant son sexe englué, y empale
le bébé, ahane ; en bas, sur le sable jonché de crotte,
le garçon, quinte suspendue, agenouillé, avance, verge
tendue, entre les jambes de la femme, bascule sur ses
seins, les baise, les applique sur sa gorge : sa main
glisse le long des hanches de la femme, couvre le
pubis, palpe le gras de la cuisse ; sa verge, décrantée,
jambes de la femme se croisant par-dessus ses reins,
bras broyant son cou, ente la coquille, y décharge
une giclée de foutre fluide ; la coquille triture les tissus
du conduit, du gland ; les boules, desséchées, se répandent sur le sable imbibé de semence aquhuilée ; le
garçon, torse déchiré par la quinte, retire son sexe, se
dresse debout, enjambe, diagonal, le buste de la femme,
se rue, appuie son front à l'arbre, entre les chèvres qui
lui chauffent le flanc, déglutit des caillots de morve
chargés de sucre, de sang ; les chèvres lèchent les caillots éclatés sur ses pieds, lèchent les larmes qui ruissellent, le long du pli des joues, du menton crispé, sous
les mâchoires, sur la gorge, les seins, le ventre, la toison ;
la femme, refoulant du genou le bouc qui assied, de
face, son séant, membre dégainé gluant, sur le haut de
ses cuisses — la semence, projetée par le corps du
membre saccadé, éclabousse son ventre —, rampe,
adossée au sable, vers l'arbre : l'air baigné de sang,

de lait, de suint, endort le singe, sexe sorti de moitié
d'entre les fesses du bébé assoupi; une chevrette, yeux
piqués d'or recouverts d'épines, de pollen, cueille sur
sa langue la verge chiffonnée du nomade; le garçon
caresse, secoué par la quinte, les yeux attiédis au feu
filtré par la stratosphère, dans le temps du broutement
vertical; la quinte expulse hors de la gorge, de la
bouche, une série rapide de caillots ardents; le garçon
les reçoit dans sa lèvre inférieure avancée, s'arc-boute,
appuie son front à l'écorce; la chevrette se hisse, jette
sa langue entre les lèvres, gobe l'amas de caillots; son
oreille, son encolure, son flanc, palpitent touffus de
poils, secs, violets en surface, frais, gras, noirs au-
dedans, contre le tronc ensué chauffé par plaques, du
garçon; le garçon clôt ses lèvres, avale sa salive où se
dilue l'écume lactée de la langue de la chevrette; la
femme lui empoigne, vautrée, ses jambes, sous les
pets lâchés dans la quinte; croupe au sable, rampant,
poings serrant les jarrets du garçon, elle accote sa
nuque au bas du tronc; le garçon, gorge irritée par le
déplacement de l'air autour du corps en reptation,
tousse, crache une giclée de sang grenat dans la bouche
béant sous lui, charnue, langue, gencives grouillant
rose, menton, lèvres attouchés par l'ombre de la verge,
de l'angle des cuisses; la femme avale la giclée de sang
rafraîchi au contact de l'air, élève un bras vers le pubis
embouclé du garçon, saisit entre ses doigts le gland
froissé, le tire; une giclée ré-éclabousse la racine de ses
cheveux sur le front; ses doigts la diluent dans les
boucles, les bandeaux, sur les cils; la main empoigne
la verge, la presse : une goutte de foutre perle au
gland, roule sur le bord du poignet; le garçon s'agenouille de part, d'autre des reins de la femme, agrippe

ses doigts aux seins gonflés; la femme tire, oriente,
écrase le gland sur son vagin entrouvert; le souffle
sifflant — lueur engorgée du feu rose baignant les
bouches, filtrée aux membranes transparentes des
poumons déchirés — de l'adolescent, baigne son visage
ensué; elle lui crible son cou grêlé du bout de ses ongles
chargés de sang; le garçon, modulant un cri trillé par le
sang, elle détecte avec ses doigts, sur le cou, la vibration accélérée des cordes vocales; la tête échevelée
du garçon s'appesantit sur son visage; la verge grossit
dans sa main; leurs bouches jointes ouvertes mâchent
de l'une à l'autre les caillots; leurs cils battant se
frôlent, s'accrochent; leurs yeux, de la femme, par le
sang, les croûtes du sommeil, obstrués, du garçon, lavés
par le bain, diamantés par la quinte, se scrutent au
travers des cils, iris dilatés; les mains de l'adolescent
cueillent, soulevée de sable, par-dessous la chevelure,
cheveux chauffant ses phalanges, la tête alanguie de
la femme; ses lèvres, dents ébréchées grinçant derrière
la chair du retroussis, lissent, décrassent les poils
de la narine, des sourcils; sa langue lèche le duvet
ensué d'entre les narines, la bouche close de la femme,
ramène vers le fond du palais la sueur salée; la femme
pince les tétons du garçon, les tord entre ses doigts;
le torse — où le sang éclate — du garçon, enfle; des
pleurs emplissent ses yeux, voilent le globe violacé,
débordent la paupière; son torse, proliférant, enfumé
par la quinte, attouche les seins où circulent, dans les
traces de lait frais, pimélies sorties du sable, sous le
cul encrotté de la femme; ses pleurs ruissellent sur
les yeux clos de la femme, ébranlée, par le rire, aux
attouchements des pimélies sur ses seins; la chevrette,
caillots mâchés, pousse ses cornillons dans le fessier

de l'adolescent; duquel, rire sous quinte, le souffle ardent refoule les pimélies de dessus les seins, cependant que ses doigts enserrant les faisceaux de boucles, de bandeaux, les enfouissent, tout ensués, dans le sable ardent — l'ombrage du tahla recouvrant les corps depuis le fessier jusqu'à la nuque au-delà desquels le feu affaissé arde, comprime chairs, os, poils; la chevrette jetant sa langue sur le bord ensué de son cul, l'adolescent se redresse, enjambe le corps — tronc, sous l'ombre fleurie, cuivré, sueur mêlée de pollen, jambes, tête blanchies, séchées au feu —, étreint, haletant, l'arbre, frotte à l'écorce son pubis, le pli de l'aine, un côté de sa verge retendue, poing couvrant le gland; mord l'écorce comblée de sable; la femme, relevée, contourne, chancelante, l'arbre, traverse, fessier léché, encorné, par le bouc, buste percutant croupes, le troupeau arrosé de pollen, enlace le tronc, croise ses mains sur la nuque de l'adolescent, frotte sa coquille close à l'écorce conchiée; genoux joints, ils se baisent, cou tiré, sur la bouche; le gland, relâché, attouche l'éperon de la hanche de la femme; leurs torses, bondés de sang, de foutre, de larmes, broient le tronc, jusqu'à l'aubier; le bouc morsille le jarret tendu de l'adolescent, enfouit ses cornes dans le gras du fessier, pousse, yeux scrutant le téton rutilant qui déborde l'écorce, la coquille, reins déplacés, ourlée de semence aquhuilée humectant l'écorce constellée de blattes roussies; ahanant, lèvres retroussées sur l'écorce effilochée, gorge, seins ensalivés, mains droites entrelacées, celles de gauche crispées sur la nuque, dans la sueur, le duvet, remugle de sang sur leurs souffles aspirés, ils roulent, noyés, leurs yeux, dans les gazons reverdis, vagues, démusclés, dans le frais; le zéphir ébranle le drinn : un genou de l'akli, soulevé, vibre ; les yeux du singe s'ouvrent, sa bouche baise la nuque du bébé ; le troupeau tressaille ; le bouc fouille, du sabot, le sable sous les pieds soulevés de l'adolescent ; les pieds s'effondrent, le torse racle le tronc ; le bouc percute le tronc, bondit à l'arrière du corps de la femme, fouille le sable sous ses pieds, se redresse, s'élance, étreint, debout, la croupe de la femme, accote l'évasement de ses cornes au dos, applique son membre, pattes raidies, à la retombée de la fesse droite, déporte ses reins : le membre, encolure tordue, cornes éraflant le côté droit du dos, dégainé, suintant au travers du poil moucheté, prolifère sur le haut de la jambe détendue de la femme, vers la coquille ouverte retroussée contre l'écorce, la baignant de semence aquhuilée ; le garçon jette sa main autour du tronc, l'enfouit dans le pubis accoté au tronc, empoigne, triture la coquille engluée, enfonce son pouce entre les lèvres bridées, le re-sort coiffé sur l'ongle, de caillots jaunes, ramène sa main contre sa bouche, lèche pouce faufilé derrière ses dents, langue curant l'ongle, les plis, le dépôt de semence aquhuilée ; la chevrette, dessus ses cornillons, soulève, roule la verge, se jette, pattes repliées, contre le tronc ; son cul, fourré, attouche, rapide, la verge de l'adolescent que la main de la femme plaque à l'écorce ; le singe, serrant dans son bras le bébé, contre son torse, chie une coulée d'excréments brûlants, concentrés dans le sommeil, mêlés de menus os broyés de phacochère ; d'un coup de rein, sa merde éclaboussant les cheveux haut balancés de l'adolescent, il s'élance hors de l'arbre, rebondit sur le sable, crie, trébuchant, ventre au sable, bébé étreint sous l'aisselle ensuée, se redresse, les longs poils bistre de l'occiput secoués, hérissés en chevelure ; trotte, déhanché, entre les herbes, jusqu'au corps réanimé de l'akli ; auprès, il s'agenouille, dépose le bébé dans l'empreinte du flanc du chameau ; lequel, touffe de la bosse frémissant à contre-zéphir, trotte sur le drinn, bouche éructant bave, râle d'amour, yeux scrutant le fessier immaculé de la chamelle surgie, débâtée, debout, immobile parmi l'amoncellement de ballots, sacs, sachets, piquets, toiles, peaux, selles peintes ; sa gueule rase le drinn, son membre, alourdi, racine démusclée, ballotte le versant intérieur de ses cuisses ; ses naseaux reniflent l'acheb empoussiéré ; ses sabots, foulent, amollis, le sable spongieux ; au tressaillement d'un jarret de la chamelle, le sang force son poumon, son membre darde ; la chamelle, fessier baigné par le souffle du chameau, s'affaisse, se vautre, flanc aplati, sur les toiles dépliées, sa jambe saboulée frotte le sable ; le chameau flaire son cul fourré, plaque, saccadé, son sabot mou, à celui, embousé, de la chamelle ; le singe, couché, de face, sur le corps empoissé de l'akli, l'enlace de ses souples membres noirs, lui baise ses lèvres, du plat de sa menue bouche fripée ; son membre s'emmêle dans un haillon collé au nombril par un mélange de crotte, de bouse ; ses narines aspirent le remugle de foutre au haut du front ridé, dans les boucles roussies ; sous la pellicule de graisse, de jus d'herbe, le bras, la main de l'akli rosissent ; le sang, caillots débloqués, recircule dans l'articulation du coude, surgit dans l'aisselle, ébranle l'épaule, éclate, chauffe dans le centre du dos ; les narines repalpitent, les lèvres se retroussent, refoulent la bave que le singe, yeux vagues, sclérotique voilant l'iris, laisse couler hors de sa bouche ; ses mains s'ouvrent sur le sable ; le sang pétille dans les poignets ; les reins, le ventre, réinjectés, soulèvent le milieu du corps du singe; le nomade, bouche emplie de lait tété au pis de la plus lourde chèvre, trotte, s'agenouille au bord de l'akli, abaisse sa bouche alourdie, joues tirées vers le bas ; de la main, écarte la tête du singe assoupi, sueur bue par le pelage, entrouvre les lèvres de l'akli, verse, crache en sa bouche asséchée — langue recroquevillée vers le fond du palais, membranes collées aux parois — une gorgée de lait aigre, glacé; l'akli avale la gorgée mêlée de crachat, de sang; ses yeux s'ouvrent : le pénis du nomade prolifère, saccadé, sur le versant ensablé de la cuisse durcie par la flexion du genou piqué de gale, roule sur le gras du jarret replié sous la cuisse; l'akli respire, étire tous ses membres — les remugles de foutre, de crotte, crottin, sang, graisse, libérés, empestent le zéphir; le nomade, buste penché, gland attouchant le sable entre les jarrets, empoigne l'éperon droit de son torse, soulève dans le creux de son autre main la tête — boucles, sueur de la tempe collant à sa paume — de l'akli, applique l'éperon sur les lèvres ébranlées par le sang rejailli; l'akli accroche ses mains, saccadées, au tour de reins du nomade; duquel la croupe, filets de sueur ruisselant sur le versant des reins, ondule; rejette les mains où la graisse, la crasse, reliquéfiées par l'échauffement du sang, affluent dans les plis; le nomade retire l'éperon de son torse d'entre les lèvres de l'akli, se redresse, secoue sa verge ensablée au-dessus des lèvres de l'akli, se lève debout, foule du pied, riant clair, le flanc de son akli auquel le singe morsille le talon du pied droit, lèche les ampoules décalottées de la cheville; s'élance, feu irradiant son torse soulevé, yeux étincelants, rotules rutilant rouge, heurte, de pleine face, le corps, seins appesantis incarnats, de la femme arrêtée debout, jambes écartées raidies, pieds enfoncés sous le sable ardent, coquille entrouverte susurrant jaune sur le pli du haut de la cuisse; étreint le corps entre ses bras où la moelle circule, poussant son ventre, crispant ses nerfs fessiers, éructant modulé l'écume en ses joues, fermant ses cils sur ceux, plaqués, de la femme, recourbant ses pieds autour du tarse, du tibia de ceux d'icelle enfouis; enlacés, ils s'ébranlent, main de l'un couvrant le sexe de l'autre, reins de l'un tenus dans les doigts de l'autre; penchés en avant, joues frottées, épiderme baigné de zéphir embaumé au tabla, rires crachés sur les hautes graminées, ils trottent, fessier secoué, sueur s'égouttant sur la retombée du fessier : deux cérastes, lovés dans un entrelacs d'almouz, cornes jumelées, scrutent, iris verticaux, les jarrets trépidants ensués dans le sable foulé; le garçon, torse affaissé, croupe tordue, cueille, à la volée, un filament de bave sorti d'entre les lèvres de la femme, sur sa langue ourlée mauve; son pied heurte la corne d'un céraste; le garçon, d'un coup de rein, pousse la femme hors du taillis d'almouz, se rue, jambes durcies, entre les herbes desséchées, grappes criblant ses rotules; les cérastes, glissant sur les tiges brisées, sifflent, crachent leur venin sur les talons lisses de l'adolescent; la femme, accroupie derrière un bosquet au cœur ensablé, essuie avec ses paumes, ses reins, ses lèvres, ses seins; l'adolescent, son fessier blêmi secoué rouge, bondit, nuque durcie, hors du taillis; les cérastes, arrêtés au bord du sable cru, vibrent : le venin ruisselle sur les talons de l'adolescent dressé, frémissant, en arrière de la femme, sexe échauffé proliférant arqué sur le versant de sa cuisse où la sueur refroidit; il frotte ses yeux, enfouit ses talons envenimés

dans le sable, crache, quinte déclenchée au **refroidisse-**
ment de la sueur, un caillot ensanglanté sur le sable
blanc, au-devant du bosquet : les cérastes, **humant**
l'air traversé par le jet, s'ébranlent, rampent vers le
caillot rutilant ; le garçon frotte ses talons au sable ;
la femme s'adosse à ses jambes, faufile sa tête **entre**
ses genoux, lui palpe les jarrets, câline, à travers l'épiderme suant, l'artère poplitée qui échauffe l'arrière
du genou ; les cérastes glissent sur le sable intact,
piquent la tête dans le caillot ; cornes heurtées, emmêlées, ils gobent, aspirent chacun un bout du caillot :
les genoux du garçon tressaillent entre les doigts de
la femme, ses paupières s'abaissent sur ses yeux ; les
cérastes, caillot lapé, sang scintillant aux écailles de
la gueule, dressent, vibrant, le haut du corps ; le garçon, doigts de la femme pinçant sa poplitée, crache : le
caillot collant à son menton pubescent, il le prend
entre ses doigts, le jette, quinte enfumant son torse,
sur le sable ; les cérastes foncent, encornent le caillot,
glissent, caillot étiré de l'une à l'autre paire de cornes,
vers le taillis d'almouz où le sable retombe avecque
le mica ; le garçon, ses boules baisées, léchées par la
bouche, la langue de la femme, scrute l'entrelacs pous-
siéreux au travers duquel les cérastes rampent ensanglantés, écailles pressant la digestion du mucus, du
sang ; la femme prend dans sa bouche les boules, les
mâche avec les poils du bas du cul ; le garçon, rire
secouant ses cheveux torsadés, pose ses paumes sur la
chevelure de la femme, faufile, entrelacés aux bandeaux, boucles, ses doigts, jusqu'au crâne : duquel
ses ongles grattent les démangeaisons, verge ébranlée
par les tressaillements de la tête enfouie sous son
séant ; les cérastes, caillot jonglé de corne à corne,

231

entrelacent leurs queues, se lovent, diaprés, sous le couvert des tiges, versent au sable le caillot crevé, le lapent, sang durcissant entre les écailles ; gorgés, appuient le dessous de la tête, iris renversé, sur le sable, gueule ouverte, filets de morve séchant sur leurs cornes ; le garçon recule, ses boules, sorties ensalivées de la bouche de la femme, traînent sur la chevelure graissée ; le garçon, yeux fixés sur les yeux des cérastes, s'écarte du bosquet ; la femme, agenouillée, fessier appesanti sur les talons, lèche sur ses doigts la sueur raclée sur l'arrière des genoux du garçon ; le lait rafraîchit en ses seins, elle les couvre avec ses mains, buste projeté en avant, nausée voilant ses yeux, bile houlant ses dents déracinées ; le garçon étire ses bras — des pets frôlent son fessier ensablé, — soulève ses cheveux entremêlés aux boucles sur les tempes, racle dans l'oreille externe, avec son ongle, le cérumen encrassé, incline le buste, oriente son oreille récurée vers un courant de brise : le zéphir porte les cris des dorcades, arrêtées, corps tout ensablés ardents pressentant l'orage, sur le bord d'un gazon reverdi aux attouchements de l'air allégé ; la femme, redressée, secoue sa chevelure : les cérastes crissent ; la femme bombe son ventre, cambre ses reins, faufile son pouce dans son sexe, refoule entre les lèvres, les déchets de semence, du plat de son ongle : les cérastes enfouissent leurs yeux flamboyants dans le sable empoussiéré ; la femme jette le déchet de semences sur le bord du taillis ; yeux cornes des cérastes ensevelis affleurent au sable putride, anneaux du corps ouvrant les écailles dans la profondeur fraîche ; la femme referme son sexe entre deux doigts : le déchet scintille sur le sable ombragé par l'entrelacs ; la langue des cérastes surgit, pailletée de mica, les anneaux soulèvent le sable remué; la femme rouvre son sexe; les langues vibrent; deux pimélies accouplées, se hissent sur le bord du taillis : yeux, cornes se réenfouissent; les pimélies trébuchent, versent sur le déchet; le céraste mâle jaillit, happe une pimélie, tire le couple, recule dans le taillis, se réenfouit; le céraste femelle mord l'autre extrémité du couple; les pimélies vibrent, leurs pattes s'agrippent aux cornes; les cérastes, gueule jetée de côté, les désaccouplent, roulent, chacun, sous la gorge, une pimélie, dans le sable, lèchent le point d'accouplement, le morsillent, le broient, recrachent le corps mutilé, coupent antennes, pattes, entaillent le col : la pimélie, nerfs du tronc ébranlés, oscille sur le sable souillé, devant les naseaux du céraste; lequel, iris embrasé, frotte sa gorge, gueule balancée, au sable, cueille la pimélie sur le dessus de sa gueule, la loge dans le repli du crâne, entre les cornes; la femme, sexe tenu ouvert par le poing, se jette sur le garçon, l'enlace de son bras libre, écrase ses seins contre son poitrail : le garçon détourne la tête; les cérastes s'enfoncent au profond du taillis; le garçon laisse mousser sa bave rosée entre ses lèvres; la femme lui câline sa verge regrossie, ses boules; il recule ses reins, détache le bras de sa taille, s'élance, court vers son chameau couché sur le flanc, se vautre ronronnant dans le pelage embaumé du ventre, genoux repliés sur les seins, pouce faufilé entre les lèvres, l'autre main couvrant, soutenant le gras de la fesse; ses pets, remugle de lait, de sang, baignent le visage échauffé de son akli; la femme erre sur les gazons; le bébé, sorti de l'empreinte, marche, genoux, poings accotés au sable, criant, le long de la croupe du chameau; la femme, s'accroupissant, attire le bébé vers ses genoux, le soulève, l'enlace contre ses seins, se renverse, dos au sable : le bébé, orteils fouillant la toison, frappe, lèche, suce, morsille les seins, tangue sur le ventre, bave sur les tétons, chie une coulée de merde bleutée sur le pubis; ses genoux patouillent la merde sur le flanc; la femme, bras levés, poignets pivotant, seins secoués par le rire, crachouille d'entre ses dents une écume rosée que le bébé, doigts retroussant les lèvres, lape en chiant; l'akli, le fessier du nomade rosissant au zéphir dans l'ombre du ventre du chameau, accoude son bras valide au sable, se soulève, d'un coup de rein se dresse debout, s'accroupit au bord de l'amoncelle-ment de ballots, sacs, piquets débâtés, dénoue une couverture bistre, la déploie, trouée, ensablée, en couvre le fessier frissonnant; le nomade, yeux entrou-verts, fixant, noyés, les lèvres striées vertical de son akli, accote, saccadé, hors de la couverture, verge bandée attouchant, rabattue, le bord de son nombril, son pied à celui, creusé par les sarcoptes entre les doigts de l'akli; l'akli, s'agenouillant, haillons glissant sur ses reins, découvrant son fessier, baise, front appuyé au tarse, les doigts, les orteils, les chevilles du pied envenimé, se redresse, crache, enfonce son poing dans sa bouche, expulse sa morve, ouvre grand sa bouche échauffée par le restant de venin, retourne à l'amon-cellement, abaisse son front dans la fraîcheur exhalée par la guerba bondée d'eau rouge; le singe ramasse sur le reg, des bâtonnets calcinés, il en jette une poi-gnée au pied de l'akli, s'assied sur le sable foulé; l'akli prend les bâtonnets, les dispose en faisceau dans l'empreinte du pied debout du chameau; la femme, relevée, essuie son pubis encrotté avecque une poignée d'almouz secs arrachée au bosquet des cérastes, traîne, debout, suspendu à son poignet, son bébé, sur le sable, entre les plaques d'acheb, jusqu'à l'abri ; dans le sable refroidi duquel, os éperonnant sa chair rouée, elle s'étend, bave barrant sa joue, sa main refoulant le bébé empoissé hors de l'ombre embaumée au cuir, pétant, genoux levés, mains couvrant le sexe baigné par le pet ; le nomade, pouce sucé en sa bouche, joues gonflées par les quintes maîtrisées, étire ses jambes hors de la couverture, se love, mains accrochées aux épaules, duvet frisant au zéphir sur la nuque, jambes repliées sous les fesses, gorge renversée criblée par les rafales légères de sable, de mica, couverture couvrant ses cuisses ; la brise gonfle les vêtements bleus, violets, entassés sur le toit ; le garçon tire une allumette d'un sachet suspendu à son cou, se lève, la couverture s'effondrant sur le sable, s'accroupit auprès de l'akli, lui mord, morve moussant à ses narines, son oreille, transparence rosée, crasse, rafraîchie au zéphir, tire le lobe entre ses dents, le lâche, crache sur le plat de la joue, mord, vif, toute la bouche, sous les narines tissées de morve durcie ; sa main, deux doigts pinçant l'allumette, tâte le bord de l'amoncellement, le bois, le cuir rêche, la toile durcie ; l'akli, suffocant, entrelace les doigts de ses mains sur son coccyx ; le nomade les lui détache avec sa main libre, ramène une des mains au-devant de son corps, barbouille son torse ensué, de chair, de peau, de corne ; les doigts effrités de l'akli, rougis par le serrement du poignet, frôlent, touchent, palpent le bouquet de poils suants du milieu du torse échauffé par une quinte indomptée ; le nomade, retournant le poignet de l'akli, déglutit le caillot dans le creux de sa main, ferme, dessus, les doigts, jette la main ; l'akli, gardant son poing fermé, s'écarte, accroupi,

ergot de crotte embouclée débordant du cul ; le nomade
lui empoigne le jarret, attire à lui l'adolescent déséquilibré, lui baise sa bouche marquée d'empreintes
de dents, chiffonnée dans la morsure ; allume l'allumette à un rapiécement d'un cuir, embrase le faisceau
de bâtonnets, fouille dans un sac scarifié, retire une
menue théière d'émail bleu, une boîte U. S. de conserves,
deux petits verres ornés de décalcomanies tchèques,
un sachet de papier bistre empli de thé vert, dispose
tout, autour du brasier ; l'akli, léchant sa bouche
déformée, arrache, aux côtés du singe, dans le bosquet
des cérastes, des tiges d'almouz ; le nomade, col de la
guerba dénoué, verse l'eau rouge dans la boîte U. S.,
pose la boîte sur le brasier, pousse, du bout des doigts,
les bâtonnets dans le feu ; la flamme éblouit ses yeux,
il rejette son collier sur sa nuque, ses boucles tintent,
la sueur pétille sur son torse ; le singe, dans le taillis
obscurci, enlace la jambe de l'akli, enfouit sa tête
sous les haillons qui ceignent les reins, frotte son crâne
à la toison filasse, à la racine du gros sexe tavelé ;
l'akli, bave moussant à la commissure de ses lèvres,
écarte ses cuisses, abaisse son fessier sur ses jarrets,
se renverse, dos au sable, jambes ouvertes, doigts
soulevant, décollant les haillons enfoncés dans le pli
de l'aine, raidit ses jambes, étire ses bras ; la touffe
roussie, ouverte dans l'étirement du bras, scintille à
l'aisselle ; le singe, s'accroupissant entre les jambes de
l'akli, lui prend sa verge, ses boules, dans le creux de
sa paume velue ; le ventre, le pubis de l'akli tressaillent :
une goutte d'urine perle au gland ; les ongles du singe
grattent les démangeaisons de la verge, des boules :
boutons, cloques, prurit éclosent sur l'épiderme encrassé ; l'akli ronronne, deux filets de bave s'écoulent

236

sur sa joue, de la commissure à l'oreille; la morve palpite en ses narines; le singe, bouche abaissée, la refoule avecque son souffle ardent; son poing enserre la verge, la branle; ahanant, le singe fourre son poing libre sous le cul de l'akli, arrache l'ergot de merde collé aux boucles, le ramène contre sa poitrine, le jongle sur le dessus de sa main; l'akli, pleurs affluant à ses yeux, frotte son cul — le sang afflue aux pores, boucles déracinées —, au sable; sa verge proliférant force les doigts du singe; le nomade, accroupi, sueur exsudée sur les joues, saisit un piquet garni d'un fer de lance, le jette à deux bras sur le bosquet; le piquet se fiche dans le sable griffé par l'almouz frissonnant contre l'oreille de l'akli; le singe saute hors du bosquet; la tête de l'akli roule sur les tiges, se redresse; le singe roule en sa paume l'ergot sous sa bouche; l'akli, relevé, empoigne le fagot d'almouz, marche, le pose auprès du feu, lèche sa main où le caillot sèche, retourne au bosquet, ramasse le piquet, le baise dessus l'empreinte des doigts, le rejette sur l'amoncellement; le nomade retire ses doigts du feu, se redresse, frappe du poing le bras de l'akli; l'akli s'accroupit, ressaisit le piquet, se relève; le nomade enserre son coude; l'akli abaisse son fessier sur ses jarrets, courbe la nuque, dépose, lent, le piquet sur les cuirs; le nomade lâche son coude; l'akli bute son front au sable; le nomade s'écarte; tout son amas sexuel, boules mollies, verge tendue, suspendu en grappe, tire le pubis; l'akli, son fessier strié de crasse durcie, criblé de points de sang, mâchuré de merde aux versants du cul, rougeoyant au feu, sang refluant à ses joues, à ses lèvres, à ses narines, bave sur le cuir surchauffé; le nomade ramasse le piquet, le tient dans le poing, au bout de son bras relâché, le balance, frôle, du plat du fer de lance, le fessier découvert entre les haillons enverminés; l'épiderme écailleux tressaille; le fer roule sur la peau, se faufile, pointe en avant, dans la fente du cul; la pointe, poing du nomade secoué par le rire rauque, touche les membranes d'ouverture du cul, glisse sur la couche de merde fraîche décalottée dans l'arrachement des boucles; l'akli s'agenouillant, ses fesses se resserrent sur le fer de lance: le nomade pousse, fer retourné dans le cul, son akli redressé, hors de l'amoncellement, vers le bosquet, frappe le sol du talon; les cérastes jaillissent, leurs têtes encaillotées oscillent entre les graminées; l'akli, reculant, verge pâlie, le fer perce une membrane folle du fond de son cul; il porte ses mains à son pubis; les cérastes crachent sur les graminées; les orteils de l'akli fouaillent, ensués, le sable putride; le nomade recule le piquet; l'akli, larmes décrassant ses joues, poignet jeté en arrière de lui serrant le piquet à la jointure du fer au bois, recule hors du bosquet; les cérastes, iris basculant, se réassoupissent; le nomade s'ébranle, crie, coince l'autre extrémité du piquet entre ses cuisses, se jette de côté, trotte, latéral; l'akli, traîné, chancelle, pivote sur ses talons, le nomade l'encerlant, bois chevauché, sautillant sur le sable foulé, tout autour de lui, déséquilibré, fer fouaillant son cul, mains accrochées aux haillons du torse; le singe bondit, se juche sur l'épaule du nomade, ronge, balancé, l'ergot de merde entre ses doigts; la femme, redressée, sous l'abri, main déployée sur le front, secoue, riant haut, son bébé sur son coude; le bébé, iris bleu palpitant entre les paupières ocres, mord riant aigu, ses poings; l'akli criant, elle porte sa main à son sexe clos, en retrousse, du bout de l'ongle, une lèvre ourlée de semence aquhuilée; son pubis, épiderme indigo caressé rose par le zéphir, durcit; l'akli recriant, la semence aquhuilée susurre au sexe, sous la toison; le nomade, ôtant le piquet d'entre ses cuisses, le soulève à bout de bras, pieute au sable l'akli agenouillé, le refoule, ventré, aplati de moitié sur l'affleurement du roc; la femme, trottant, bébé serré contre sa gorge, vers le feu, le singe saute à bas de l'épaule du nomade, prend la main libre de la femme, se laisse traîner vers le brasier, ergot tenu entre ses dents; la femme s'accroupit, dépose le bébé à l'écart de la vibration du feu, souffle sur les braises; l'eau bout dans la boîte ébranlée; le nomade, mains appuyées sur le milieu du piquet, pousse le corps inerte de l'akli hors de l'affleurement du roc; le sang perle sur le fer entre les boucles; le nomade ramène le corps sur le roc, l'épieute, rire assourdi ébranlant son torse, au centre de l'affleurement, retire le fer de lance où scintille la souillure de sang, de merde, jette le piquet sur les toiles; s'accroupit, abaisse son visage auprès de celui, affaissé blême, de son akli, sur la plaque de silex, souffle son haleine ardente sur l'oreille cornée; l'akli tressaille, le nomade, saccadé, frénétique, pousse sa bouche sous les lèvres de l'akli, frotte ses narines lisses, minces, à celles, écaillées, épaisses, de l'akli; du plat de sa mâchoire, roule la tête, l'épaule, le torse, la hanche de l'adolescent; renversé sur le dos, l'akli, le sang susurrant à son cul, fessier échauffé par le silex, entrouvre ses lèvres; le nomade, agenouillé, croupe torsadée, loge sa verge grosse, ramollie, sur la denture écumante; les doigts d'une main de l'akli attouchent la verge; la femme, retournée, crache dans le feu; le singe descend; en trois bonds, il se rue sur la croupe

du nomade, mordille les nerfs de la nuque; la femme
recrache sur le feu; le nomade retire sa verge de dessus
la denture ébréchée, se redresse, essuie, du revers de
son poignet, ses lèvres, son menton, ses narines, marche
vers le feu, singe balancé sur l'épaule, s'accroupit
auprès de la femme : les doigts d'icelle, fébriles, roses
au-dessus de la braise, injectent de sang la cendre;
le garçon frotte sa joue fraîche à celle, embaumée
à la fumée d'almouz, de la femme; laquelle, front tenu
ridé, couvre de sa main retirée de la braise son sexe
entrouvert, bondé de semence aquhuilée; le garçon,
scrutant, par-dessus les seins, la toison encrassée où
le rose éructe, en détache la main de la femme, porte
à ses lèvres cette main, hume le remugle, applique la
main sur la joue de la femme, baise les phalanges; la
main libre de la femme empoigne la verge ensalivée
qui prolifère parallèle aux cuisses jointes aux jarrets;
la langue du garçon déborde d'entre ses lèvres, ses
yeux se brident, la pointe de sa langue attouche les
ongles de la main de la femme; un pleur roule sur les
cils inférieurs de l'œil d'icelle; le garçon, sa verge tirée
par les doigts encendrés, boit le pleur sucré — l'œil
recèle des grains de sucre ci déposés par les lèvres
barbouillées de l'enfant —, sa main empoigne, tire la
chevelure de la femme; l'akli, agenouillé, essuie son
cul avec un lambeau, il se redresse, faufile le lambeau
teint de sang rose dans le roseau tressé autour de sa
taille, soutient en sa main le coude fracturé où le sang
pousse violet, marche vers le feu; à l'écart duquel,
au point d'extinction des ondes de flamme, il s'arrête,
s'assied, scrute la verge tenue sous le fessier rouge
par la main bleue de la femme; laquelle verse l'eau
bouillante dans la théière emplie de thé, de poivre,

de girofle, de sucre, pose la théière sur le brasier, la bouche du garçon frôlant tiède ses narines ; le singe, accrochant ses mains aux épaules du garçon, se laisse glisser, couvre la croupe lisse de tout l'avant de son corps extensible fourré ; la femme lâche la verge, enlace singe, croupe ; le garçon incline son buste, le repose sur les genoux de la femme, happe les rotules, les morsille ; le singe lèche les seins, tète ; la femme, cou tressaillant, écarte ses cuisses ; de la main, ses seins ; pisse sous elle dans le sable, patouille ses pieds dans le sable gorgé d'urine ; la gorge du garçon ronronne, le sexe du singe suinte ardent à son flanc ; l'ombre de la femme — lourde chevelure fléchissant sa tête —, flanquée du singe, du garçon, recouvre toute, zéphir dissous dans le vent, dans le feu ; l'akli voile sa bouche, ses narines, d'un lambeau noué sur l'oreille ; le feu, sur l'horizon qui se relève, attouche, incandescence diaprée, la stratosphère, l'enflamme ; dans le relent d'urine, la chaleur du brasier, le garçon, tête posée, bave moussant aux lèvres, sur le genou de la femme, s'endort, oreille curée par l'ongle d'elle qui, gorge rosée, écarte de son sein la bouche du singe, verse le thé, en boit, le singe reposant sa bouche sur la gorge échauffée ; la bouche de l'akli palpite sous le lambeau ; la femme lève la théière, verse trois gouttes sur le sable ; l'akli s'ébranle, agenouillé, se place devant le feu, dénoue le lambeau, accote ses deux mains en creux par-dessus la flamme ; la femme verse une gorgée de thé dans la jointure des paumes ; la gorgée arde la corne fissurée ; les muscles de la joue de l'akli tressaillent ; ses lèvres lapent, langue recourbée sur le fond du palais, le liquide diapré ; ses narines, embuées, exsudent la crasse de morve, de foutre ; son torse éraflé par le

silex, palpite; mufle redressé, yeux se diaprant de
bleu sous les cils, il retend ses paumes; où la femme,
de sa longue main libre — où le sang affleure incarnat
dans le pli suant du coude câlinant la verge, rétractée
dans le sommeil, du garçon dont les muscles masséter,
ébranlés par le rêve, vibrent contre son genou — reverse
une gorgée de thé ardent; l'akli y baigne son mufle,
la femme presse la verge du nomade, la lisse entre ses
doigts; l'akli recule accroupi vers l'empreinte, sur le
sable, de son fessier, des lambeaux qui le ceignent; le
nomade entrouvre ses yeux; la femme lui verse entre
ses dents cerclées de sang noir une coulée de thé attiédi;
l'akli, lambeau renoué sur sa bouche, garde, lèvres
ourlées de poivre, ses deux mains ouvertes sur son
torse échauffé par la descente du thé; le troupeau erre
sur le reg : le bouc s'effondre dans une galerie creusée
sous la piste caravanière où le sable embaume le phacochère; les chevrettes sautent, sabots toquant silex,
pelage électrisant cristaux, micas; le bouc hisse ses
pattes avant hors du trou mouvant; ses yeux étincellent, il se rue sur une chevrette, mord son pelage
au flanc, la renverse sur le sable, la refoule, du sabot,
de la corne, vers le taillis; les cérastes scintillent; le
bouc, pelage hérissé, pousse la chevrette exsangue
dans l'entrelacs; les cérastes crachent : leur venin
éclabousse les yeux de la chevrette; les cérastes reculent
vers le centre, nœud de tiges appesanties sous la crotte,
du bosquet; la chevrette, redressée, se rue hors du
bosquet, chancelle, s'agenouille, bute au sable, yeux
injectés, son front marqué de rouge; le bouc, yeux
empanachés, vacille, sexe rougeoyant pailleté de sable
électrisé; la chevrette oriente, front fouillant le sable,
ses reins vers l'embrasement de la stratosphère; le

242

feu saigne à son cul; le bouc, corps rutilant crispé, s'élance, encule la chevrette, lutte; leur pelage secoué, rejette sueur, suint, sable, grains, pollen, mica; la femme, théière vidée, refoule le garçon, se redresse, ramasse le bébé, retourne à l'abri; emmaillote le bébé dans sa robe retirée, tiède, du toit, le cale dans une tranchée tapissée d'almouz, de drinn, à l'écart; plante au-devant un piquet sculpté d'animaux ailés, palmés, fessus, déglutissant sur leurs seins pansus, hors du bec, œuf, ovaires, fruits : le bébé, au travers de l'étoffe bleutée qui lui bride les yeux, scrute la couronne peinturlurée; la femme, accotée au ventre de la chamelle, retire du sac de cuir une dokhala de mousseline rosée, la chiffonne, empoignée, contre ses seins; le garçon, redressé, thé, sang bouillonnant dans sa gorge, ventre éperonné par l'os, marche, poings appuyés au pubis, vers l'abri; l'akli enfouit ses pieds dans le sable, refoule le sable autour de ses jambes aplaties, en recouvre ses genoux, rotules mouvantes, peau plissée, ses cuisses, son amas sexuel, haut du corps renversé dos au sable, son pubis, son ventre, ses seins, bouche close, torse haletant, épaule amassée dans le haut du bras; *sa gorge*, garçon enlaçant, mufle touillant la mousseline, la croupe fraîche de la femme; *ses oreilles*, le garçon piaulant éraillé étreint par les bras duvetés de la femme; *sa bouche*, la femme tirant d'un des sachets suspendus au cou du garçon, une plaquette de fromage, la lui faufilant entre ses lèvres, lait tressaillant en ses seins; *ses narines*, le garçon humant, léchant la chevelure frottée de sable, de cendre, de beurre; *ses yeux clos*, la femme empoignant la verge du garçon en la bouche duquel susurre le fromage; *son front*, la femme traçant dans la sueur de la nuque du garçon des signes : cercles,

243

croix, crochets, carrés striés, points, tigelles, triangles ; la femme froisse la dokhala autour des reins du garçon, sur ses fesses, relâche la mousseline le long de ses jambes ; le fessier du garçon tressaille, ondule, retenant sur le coccyx le fouillis frais s'y frottant ; la verge durcit, muscles roués retendus, prolifère, arquée, vers la toison de la femme ; les mains du garçon serrent les épaules de la femme ; elle, son épaule roulant sous la paume du garçon, faufile son poignet sous l'amas sexuel, recourbe sa main sur la retombée des fesses contractées du garçon, saisit entre deux doigts un pan de la mousseline, retire toute la dokhala, attiédie, enfoutrée au-dessous des boules, d'entre les jambes du garçon ; la remonte, tout amassée dans le poing, le long de son ventre, la frotte à ses seins, à ses tétons, cuisses resserrées ; se détache du garçon, lui prend les poignets, tire les bras, y dépose la dokhala, lève ses bras ; le garçon, serrant la dokhala dans le pli des coudes, jette sa bouche sur l'aisselle ouverte de la femme, lisse entre ses lèvres la toison ensuée, enfouit sa bouche retroussée dans la cavité musclée ; la mousseline s'écoule d'entre ses bras, fléchit, amassée, la verge surtendue ; la main du garçon, ses narines aspirant sueur, boucles, attouchant muscles ébranlés de l'aisselle, presse la verge, au travers de la mousseline, loge le gland dans un ourlet ; le garçon ronronne, hausse tout son corps crispé ; la mousseline froissée glisse sur la verge, exaspère l'épiderme dilaté ; le garçon se rejette en arrière, empoigne la dokhala, la déploie le long du corps de la femme, la retrousse, la soulève, y enfile les bras, la tête de la femme, faufile sa tête entre les seins ; la dokhala, brassée par le corps qui ondule, coule sur la croupe du garçon, jusqu'au coccyx ; la femme enlace entre ses bras la croupe moulée dans l'étoffe rosée, plissée mauve au ras du feu sur les hanches ; ébranlant ses reins, elle avance, mains croisées sur le centre du dos du garçon, ourlet du bas bridant le gras de ses fesses, le coccyx du garçon, la chevelure du garçon sortant en mèches torsadées, hors de l'échancrure de la dokhala, d'entre ses seins ; ses genoux heurtant ceux, affaissés, du garçon, elle foule le sable piétiné, creusé, à reculons, par les pieds du garçon ; le singe saute sur l'épaule de la femme ; ils s'effondrent sur les cuirs ; la femme refoule, du poing, la tête du garçon vers son ventre ; l'étoffe se déchire à l'échancrure ; les mains du garçon s'agrippent aux reins de la femme, ses doigts glissent dans la sueur ; la femme pète : le remugle, refoulé par le zéphir vers le versant de ses cuisses, baigne bouche, narines, yeux, oreilles ensués du garçon ; lequel, s'accroupissant, croupe droite, faufile le haut de son corps hors de la dokhala embaumée, se renverse dos au sable, pieds joints à ceux, recouverts par le bas de la dokhala, de la femme, cuisses ouvertes, pubis tiré sous la toison noire par la verge turgescente, torse palpitant, bouche rose retroussée ; le singe, assis derrière la tête, sur le sable, lisse, étire, entre ses doigts, les mèches torsadées ; le garçon, filets de morve ensanglantée ruisselant le long de ses narines, vers les yeux — son cou, soulevé, renverse le visage —, geint, ses doigts griffent le sable ; les ongles du singe criblent son front où le sang afflue dans les rides ; la femme lisse la mousseline dilatée sur tout son corps ; ses tétons humectent l'étoffe ; la mousseline, secouée, embaume le garçon ; appliquée au corps, colle au pubis ; la femme enfouit son mufle dans l'échancrure : la mousseline, sous ses narines ouvertes récurées, fleure le foutre, la sueur fumée du garçon; la coquille s'entrouvre dans les boucles, gonfle l'étoffe; ses yeux, au travers de l'éblouissement, scrutent la verge embouclée du garçon, au repos sur le versant de la cuisse; accroupie, elle ramasse une poignée de sable immaculé, la jette sur la verge : le sable s'écoule sur le versant; la verge rebondit : le sang y affleure violet, bleu; les chairs circoncises s'empourprent; la cuisse, levée, attouche, fléchit la verge; le bouc lutte; foule, traîne, refoule la chevrette aveuglée, à son membre, sous lui, suspendue; le sable, palpite, gris, sur le corps galeux de l'akli; le remugle de gale exhalé hors du sable, attouche les narines du garçon; lequel, secouant sa tête : le singe lâche les mèches, se jette de côté, tresse, assis, un cheveu entre ses doigts; le garçon rampe à reculons, sur le dos, narines dilatées, vers le point d'exhalaison du remugle; sa tête heurte un pied de l'akli dont le pouce sort du sable; il roule sur le ventre, sa verge force le sable acéré; il roule sur le dos, sa verge, crantée, prolifère aux poussées du zéphir, tire les boules sur le versant des cuisses; coudes écartés du torse, du pied, du poing, le garçon hisse tout son corps entre les jambes ensablées de l'akli, appesantit son fessier sur la bouche — ouverte dans l'écrasement du torse; ses talons, au travers du sable, pressent les reins du berger; le fessier comble la bouche, force la denture; l'akli, retirant ses mains de sous le sable, refoule, soulève le fessier de dessus ses lèvres, le pousse vers sa joue, son oreille; sa langue, sortie, lèche le gras des fesses, sur le versant du cul les traces de merde ensanglantée; le rire sourd, rauque, ébranle le haut du corps du garçon; il frappe, des talons, le ventre désensablé de l'akli; les muscles de l'abdomen,

246

forcés, compriment le poumon : l'akli étouffe modulé, son torse tressaute, les boules du garçon roulent, sèches, sur sa gorge grêlée ; les muscles, les os de sa joue soutiennent le fessier du garçon ; sa langue démêle, décrotte, humectée, les boucles d'ouverture du cul ; le garçon roule au sable ; chairs circoncises pailletées de mica, il se redresse, attouche, du bout des doigts, sur le versant du cul, les traces des lécheries du berger, se frappe une fesse du plat de la paume, s'élance vers la femme qui, haussée, du toit retire la djellaba, la hume, s'arrête, rapide, sable soulevé le long de ses jambes, jusqu'au sexe, applique, nuque torsadée, sa bouche sur l'aisselle ouverte, prend les deux poignets appuyés au toit, les étire sur la peau surchauffée, enfouit sa verge surtendue dans le fouillis de mousseline amassée entre les fesses de la femme, ôte ses mains du toit, couvre, sortis de l'étoffe, les deux seins sous les bras soulevés, les tord, les câline empourprés ; la djellaba glisse du toit, adhère, par l'ourlet, au sable, toute gonflée d'air violet ; la femme détache de ses seins les doigts du garçon, s'accroupit, ramasse la djellaba, l'amasse sur l'occiput du garçon ; la djellaba coule le long du corps, éperonnée sur le devant par la verge ; la femme sort un seau de plastique vert de sous le faisceau de piquets, de ballots, le place sous le ventre de la chamelle, dégage le pis d'entre les touffes encrottées, le presse ; le lait gicle, aigre, fumé ; le garçon, verge surtendue humectant le milieu — pli de foutre séché où porte, au long de la marche, le gland suintant — de la djellaba, avance, s'accroupissant, vers la femme, accote cuisse, jarret, à ceux, découverts dans l'accroupissement, de la femme, roule sa croupe, pivotant, sur celle, moulée dans la mousseline criblée de brûlures de braise, vertèbres remuées par la traction des bras sur le pis, appuie sa joue, tête tordue, sur l'oreille de la femme, pose sa main sur son genou lisse, câline la rotule ébranlée, le versant de la cuisse, jusque, dans l'amas de mousseline humecté de semence aqhuilée, le duvet, la toison hérissés ; se renversant dos au sable, hanche appesantie sur un pied empourpré d'icelle, il lui prend ses poignets éclaboussés de lait — le pis prolifère entre les doigts —, fouille, du galbe de son occiput tressaillant, le sable, sous le pis, où le lait répandu lustre le mica, presse les doigts entrelacés sur le pis ; ouvre sa bouche rose : où le jet, glacé, bleu, vrille la denture ; l'akli, reins, clavicules, occiput creusant le sable, se réenfouit : un couple de pimélies escalade sa joue, déambule sur le fil découvert de ses lèvres immergées ; sa verge — pattes, antennes frôlant ses narines — soulève le sable, rutile, turgescente, au ras du sable ardent, tirant les boules enfouies ; le nomade ronronne sous le pis ; le lait, retenu dans les plissements du sourire, tapisse ses joues ; le seau, bondé, chauffe son crâne ; la femme ôte ses doigts du pis, les faufile, fripés, englués, entre les jambes du garçon, sous l'étoffe, empoigne la verge, bascule en avant, abaisse son mufle sur le genou du garçon, enfile toute sa tête sous la robe, mord la verge empoignée ; la croupe du garçon tressaute ; la sueur suinte au gland ; les muscles de la verge forcent les doigts de la femme ; le garçon happe le pis, tète ; la bouche de la femme, dilatée, mord verge, poing ; la morve, rire ébranlant la gorge, éclate, hors des narines du garçon, sur le pis bloqué entre ses dents ; flatulence mousse à l'ourlet du cul ; la femme, mufle alerté, déglutit verge, poing, flaire sous l'amas sexuel, lèche un friselis d'écume excrémentielle au cœur d'une touffe dure plantée sur le fanon qui relie le bord inférieur du cul à la racine des boules ; sa croupe, soulevée, déchire l'ourlet du bas de la djellaba du garçon ; duquel, les cuisses empoignées par la femme, suent, s'amollissent, se crispent sous ses doigts ; une nausée contracte sa joue gauche, celle, droite, porte une pleine gorgée de lait ; que sa bouche déglutit sur le sable, à giclées courtes, rosées ; la femme renifle dans ses boucles, il resserre ses cuisses sur son mufle ; la femme retire tête, croupe, de dedans la djellaba, se redresse, s'agenouille sur les cuirs, extrait des boucles, des colliers, des bagues, des anneaux, des bracelets, des pendentifs, d'un sachet de peau scarifiée bloqué dans un bidon Shell coupé au niveau du verseur ; relevée, bijoux aux poings, elle, poings croisés sur le coccyx, pubis, seins bombés, se frotte au-devant du corps — échauffé par la colique —, redressé, debout, du garçon, appuyant sur ses lèvres crispées sa bouche épanouie ; le garçon, merde susurrant au cul, lui prend ses poings, les ramène, les croise, bijoux tintant, au débordement des phalanges, sur le pubis tressaillant de la femme ; sa verge, au travers de la djellaba, attouche triangles, pendentifs, losanges, cercles, rectangles d'argent, d'ivoire ; les poings s'entrouvrent, plis ensués découvrant menus hexagones enchaînés, perles, baguettes de maquillage ; le garçon, sur ses paumes, soulève les poings ouverts, jusque sous ses lèvres, baise, flaire, lèche les motifs, le téton droit sorti de la mousseline, les motifs, l'entre-deux seins pubescent, les motifs, la gorge duvetée, le métal frais, le menton ourlé de flatulence, la baguette de maquillage, les lèvres où le duvet du dessus du retroussis se prend dans les fissures engluées ; les dents du garçon

morsillent, tirent la chair des gencives de la femme;
se fermant, d'icelle, les yeux, sous les lèvres du garçon,
les bijoux cliquettent à ses poings resserrés; accroupi,
la femme, agenouillée, écartant avecque son poing
chargé de bijoux ses cheveux rabattus sur son visage
ensué, saisissant, de l'arc du petit doigt de l'autre
poing bondé, une menue bourse de cuir bleuté, le
garçon, yeux baissés, cils lustrés vibrant sur l'épiderme
érectile du haut de la joue, caresse les seins sortis de
la mousseline, les boucles fauves, le pelage — où
pétillent les poux —, de l'épigastre, de l'entre-deux
seins, ses ongles piquent les poux dans l'entrelacs
ensué en surface, sec en profondeur; les seins enflent;
le garçon porte à ses lèvres ses ongles criblés de poux,
les morsille, tête — yeux clos — hochée, gosier irrité au
passage des grains hérissés; la femme sort de la bourse
un pot de plastique rouge, décolle la cellophane,
plonge son index dans la décoction d'huile, de khôl,
de girofle, de sable, d'antimoine, faufile son doigt
enduit entre deux doigts de la main du garçon posée
sur son sein, soulève cette main jusqu'à ses yeux,
entrelace ses autres doigts à la main, promène doigt,
main mêlés sur ses sourcils, sur ses cils, trace cercles,
croix, rectangles sur son front, enfonce le doigt — rétracté sous la pellicule de fard frais, épicé — dans
ses cheveux, les lissant de la racine à la pointe;
les doigts du garçon brouillent, fébriles, ensués,
la chevelure enduite, grattent l'occiput où la gale
rouge affleure; le garçon, gardant la main enfouie,
jette l'autre dans l'échancrure de sa djellaba, en
retire, d'une poche s'ouvrant sur l'ourlet brodé, un
petit poignard; qu'il dégaine, lèche sur la lame, appuie
sur la racine des cheveux de la femme; la lame, yeux

du garçon s'ouvrant tout injectés de sang violet, partage les mèches du front, des tempes, de l'occiput ; que la femme, aisselle soulevée libérant remugle de merde, de lait, de salsolacée tasa, prend, chacune, entre ses doigts, tresse contre la lame ; l'akli, son front chargé de sable gris, remue, respire, nausée gonflant sa joue, sueur froide ruisselant sous un lambeau laineux, dans le pli de l'aine ; le garçon, avance sa main libre, tire un galet de sous les cuirs, le lance sur le ventre ensablé de l'akli ; hoquet modulé, l'akli extrait du sable ses genoux ; le galet glisse ; le corps verse, blêmi, suant, abcès bleutés sous le feu, ourlets des bubons éclatés scintillant en écume violette au ras du feu ; chairs circoncises du gland, frein plissé, s'empourprent au bout du sexe arqué, boucles collées au milieu de la verge par le foutre, le dur sang du nomade tirant, verge dilatée aux variations de parfum du zéphir, sur leurs pores ; le nomade brandit au poing son poi- gnard fardé, crache : l'akli bute au sable son mufle ; son fessier, levé, lambeaux se décollant de l'épiderme écailleux, rutile, rougi ; le nomade recrache, tête jetée vers l'avant, par-dessus la chevelure dont tout un côté, tresses torsadées liées sur le dessus ployé de l'oreille, exsude une sueur nacrée ; le crachat éclabousse le fessier ; l'akli, verge surtendue tenue dans son poing ensablé, contre son ventre, enfouit, creusant le sable attiédi au feu déclinant, du cercle bubonneux de son front, sa tête où circule, depuis une cavité — coup de poing d'un soldat violeur — infectée de l'occiput, un réseau de pus, de sueur, de sang ; le poignard partage les mèches du côté vierge ; les doigts d'un poing de la femme — bijoux glissant au sable — frôlent la lame, tressent dessus son fil embaumé les cheveux frisottés

251

sous ses ongles; le garçon baise les lèvres remuées dans l'accompagnement musculaire de la tressée, ses doigts criblent la croupe, le fessier accroupi de la femme; la pointe de la lame accroche une croûte de gale sur l'occiput; les dents de la femme, ses yeux se voilant de larmes, mordent le poignet du garçon; la pointe creuse sous la croûte, décalotte la plaie; les larmes giclent, ardentes, sur le poignet hérissé; les doigts, saccadés, tressent; le manche du poignard barre le front de la femme : salive, morve baignent, soufflées par le sanglot, les gencives enfouies dans le gras du poignet; le garçon, verge abaissée, retire lame, poignet, morsille la pointe souillée; yeux clos, paupière couvrant iris irrité, il câline du poing la nuque de la femme, sous les lourds cheveux beurrés; ses doigts suivent l'entrelacs des tresses, son sourire palpite à l'ondulation du tressé menu; la main de la femme, ongles lustrés par le fard, couvre, empoigne, câline la verge au travers de l'étoffe, pince le gland, le pique du bout de l'ongle; le garçon ronronne, geint, piaule, jappe, se jette en arrière; les doigts de la femme serrent sa verge; poignard pressé dans le poing contre sa poitrine, le garçon lance son genou dans la gorge de la femme, la renverse dos au sable, du pied retrousse sa robe, appuie le talon sur la coquille close; sous le talon fissuré, la coquille s'ouvre, écume; la femme glisse une main sous sa nuque, relève les tresses répandues sur le sable; le garçon appuie, recourbe les doigts de son pied sur le sexe enflé; les lèvres susurrent sous ses orteils; le foutre afflue au gland, picote le conduit; l'horizon bascule, soleil surplombé — galbe tropical irradié —, verse, masse érectile, dans l'ombre occidentale; le fessier levé de l'akli, tête recourbée sur le sable refroidi, rosit dans l'air gris; le pied du garçon tressaille sur le con; sa verge se rétracte dans les boucles; toute la sueur, tout le sang, tous les sucs, toute la merde dont corps de bêtes, d'humains, sont imbibés, refroidis au vent obscurci, saisissent l'épiderme, la peau, les chairs; les haillons de peau, de toison mitée, s'amassent sur la nuque de l'akli; les cérastes, dans une cavité de latérite tiède, sous le couvert susurrant de l'almouz, s'accouplent, heurtent mâchoires, cornes, s'entrelacent, mâchent latérite fouillée, la recrachent sur l'œil rouge, sifflent, déglutissent boulettes enrobées de venin, scrutent le front violacé de l'akli; le garçon, accroupi, le sable collant à son pied humecté de semence, ramasse les bijoux enfouis dans le sable, entre les cuisses de la femme, bascule vers l'avant, s'accoude au sable, pose des anneaux sur les seins, agrafe le collier massif au cou, fixe aux lobes pendentifs losangés, boucles corail, serre autour du front un diadème chargé de monnaies bleutées, accroche aux narines, au cartilage central de l'ouverture du nez trois anneaux d'argent enrobé d'ivoire, dessine sur le front étale, avec la pointe d'une tresse fardée, les yeux de la femme se fermant sous sa paume, une croix pointillée, un cercle — deux doigts de la femme reprennent la pointe de la tresse, effacent du plat de l'ongle sur le front, tracent trois points verticaux, deux groupes de barres droites —, remue les anneaux sur les seins, se replie vers les jambes nues, ajuste un clip de corne sur le retroussis de la lèvre inférieure du con; laquelle, révulsée, enfouit le clip dans le friselis d'écume aquhuilée; les doigts du garçon serrent la lèvre, l'étirent sur le versant de la cuisse : la semence, crachée, chauffe le dessus de son pouce; le remugle aigre baigne ses narines; le clip

affleure dans la mousse ; les chairs roses le déglutissent ;
le garçon abaisse son torse, happe le clip dans le temps
que le con l'engloutit ; il aspire la semence, la mastique
en sa joue, mélangée au caillot qu'une quinte lui fait
dégorger ; tout le haut du corps de la femme, soulevé
de sable, crispé, seins durcis, tinte ; le pubis, reballonné,
attouche son front ; la femme palpe, lisse les mèches
torsadées du garçon répandues sur son ventre, faufile
une mèche plus belle en son nombril, frotte celles des
tempes, crottées, empoissées — les plus séchées au soleil,
au vent —, à ses reins ; le devant de sa robe, amassé sous
ses seins, l'arrière, pris sous le fessier, sue ; ses ongles
pincent, lissent, depuis le pore jusqu'à la pointe, les
mèches tirées ; les jappements du garçon font mousser
sa morve sur le con ; les cuisses de la femme, ourlet
de la robe bridant le gras latéral, se resserrent, genoux
s'attouchant, contre les tempes du garçon ; le singe,
éveillé par la tintée du métal, trotte vers l'akli, se
vautre dos au sable, sous le corps levé — tête enfouie,
fessier haussé —, lisse entre ses doigts la verge, bondée
de foutre, articulée, lourde, au pubis velu, se suspend,
membre érigé attouchant, englué, le ventre, aux reins
de l'akli, morsillant, léchant sa gorge aux muscles
levés par l'enfouissement de la tête ; le singe plaque
son ventre au poitrail de l'akli, le détache, le replaque
haletant ; son membre englue le nombril bubonneux ;
sa bouche baise le menton — où mousse une écume
expulsée hors des joues par la gorge renversée — au
travers du sable, les lèvres ouvertes ; ses ongles grattent
les démangeaisons du cou, des épaules : l'akli s'appesantit sur le corps noir dont les bras, ongles grattant
ses lobes, enlacent sa tête, les jambes, son fessier ;
l'akli écrase sous son torse le haut du corps du singe,

durcit son abdomen, éperonne l'entrecuisse du singe; la femme tressaille toute, le garçon redresse le haut de son corps, frôle le pubis, l'étoffe amassée, les tétons, la gorge, le menton, du fil de ses lèvres engluées de semence, la bouche où, narines pincées, il les colle, cueillant la tête, dans ses mains, dessous la nuque, à l'occiput; appesantit son torse sur les seins, bute son front lisse, dans le cliquetis des bijoux, au front ridé de la femme; tire du bout des doigts les boucles fixées aux lobes, les anneaux ajustés aux narines, baise les peaux levées, bondées de sang, faufile son nez sous le diadème de pièces, son poignet dans le collier du cou, lèche la racine — où l'enduit, affaissé, s'amasse — des tresses sur le front, les tempes; sa verge rougeoie, le gland attouche, saccadé, chauffé, le con grand ouvert aux lécheries des mèches, baigne, proliférant, dans le dépôt palpitant de semence; la verge, réébranlée, pousse le gland dans le con; la bave mousse tout autour de leurs lèvres collées : leurs joues enflent, expulsent la bave assaisonnée de menus rots de sucre, de lait, de grillé, se creusent, frappées d'une sueur grise; en leur sein ensué, l'obscurcissement alterne avec l'éclatement de lumière; le sang charrie, jette au foutre toutes les langueurs exaspérées du pied, de la main, du ventre, des genoux, du front; iliaques éperonnant les reins de la femme, le garçon ahane, sueur collant au coccyx l'étoffe intacte — son cul, vierge, la langue, seule de l'akli, le fouille, le nettoie, après chierie, couchée, sucée, sur la tente effondrée, contre le chargement débâté; ses lèvres lui cuisent, il les enfouit sous celles de la femme, dans le bouillonnement huilé de la salive; ses doigts s'entrelacent sous la nuque de la femme alanguie, cérumen fluant sur le pavillon de la petite oreille, pleur séché au vent, au souffle de la bouche déplacée — écume pétillant sur le fil —, marquant une trace de sel, du rebord de l'orbite au duvet frisottant de la tempe; la bouche du garçon s'ouvre, cerclée, comblée de bave nacrée palpitant à l'accélération des râles; la langue de la femme attouche le voile de bave, l'aspire sur sa surface rosée; le garçon clôt ses yeux; ses mains, nuque de la femme reposée sur le sable embué, caressent les joues animées du mouvement d'aspirée; les doigts, front bondé de fièvres rouges, tordent les tresses; la femme, cuisses s'écartant, arrière suant des genoux frottant les plis de la retombée des fesses du garçon, au travers de l'étoffe, souffle le filament; la verge patouille; le con mord la verge; le garçon, reins cambrés, pousse ses mâchoires dans le cœur de la tête de la femme; ses orteils, crispés, criblent, orgasme divaguant les muscles, le sable griffé dans le mouvement d'érection; le visage du garçon se rétracte; la langue, le souffle de la femme refoulent le dépôt de bave dans la bouche du garçon; la bouche du garçon s'épanouit sur le mufle de la femme : un bâillement, sang affleurant au larynx, exhale une boule de souffle tiède; le con tressaille, presse la verge rétractée, gland baignant, trituré, dans le frais mélange des semences, attouchant le siège de l'enfantement; les yeux du garçon, paupières chevauchées, cils s'entremêlant, s'amollissent; ventre enceint de chairs exaltées, le garçon, fessier éperonnant le drapé, réahane; les doigts, les jarrets de la femme pressent sa nuque, le gras de ses fesses; la tête, toute rougie, oscille, bijoux cliquetant, sous sa bouche grande ouverte, sang giclant aux gencives; la femme, gras du haut des joues attouchant les cils

inférieurs, ronronne, vagit, piaule, bave moussant à
la commissure de ses lèvres étirées ; les pores bubonneux du fessier de l'akli, exsudent, se violaçant aux
coups du vent, une sueur encrassée au remugle de
laine, de foutre ; la bouche du singe colle à sa joue ;
l'akli gonfle sa bouche vers le tour de lippe du singe ;
son poing droit, le gauche soutenant, accoté au sable,
un côté du corps, fouille le sable, auprès de la tête du
singe, le refoule en cône filtré entre deux doigts, câline
le galbe frais ; le mica y glisse sur les grains ; l'akli
expulse un crachat immaculé d'entre ses lèvres redurcies au vent ; le crachat coiffe le téton de sable ; l'akli
abaisse sa bouche sur le dépôt frêle, effiloché au vent ;
le nomade, orgasme suspendu — une nausée quinteuse
enfle sa joue —, frotte l'articulation de son coude au
sein droit de la femme, cueille sur sa langue tapissée
de sang, de bile, une goutte de lait qui perle au téton ;
la femme tord son buste, sa croupe ; tout le devant
de la djellaba du garçon est marqué de sueur, de lait,
de sang : elle colle ses lèvres sur les plis que l'impré-
gnation noircit, sur le jeu des clavicules sous la peau
ensuée, échauffée par la quinte ; ses doigts palpent
les côtes, les vertèbres, le sternum moulés par l'étoffe
humectée ; le bébé, éveillé — le vent rafraîchit la
robe qui l'emmaillote, contracte le poteau sculpté—,
crie, élève ses bras hors de la cavité refroidie, chie ; la
lune paraît, face aux jets de gaz incandescent ; rayons
bleutés de la lune, rayons rosés du feu occulté, attouchent le drinn ébranlé ; l'akli s'appesantit sur le singe ;
orgasme consommé, le garçon, la femme remuant sous
lui aux cris du bébé, se soulève, retire sa verge rétractée
— un coup de vent la mord, enfoutrée, triturée —,
la presse, refoule le restant de foutre sur le clitoris,

257

redresse ses reins, s'agenouille, doigts de la femme tenant le gland, l'écrasant dans la toison, cuisses resserrées; le garçon, se relevant, orteils bondés de sang fouaillant le sable froid, poignard battant son torse, sous l'étoffe, tousse, crache : dans l'air gris, l'ourlet de sang de sa bouche, apparaît noir, à contre-lune, aux yeux ardents de la femme — dans sa toison, le dépôt de foutre sèche —, alanguie, front bleuté, faîte de la chevelure rosée, caressant ses seins, la surface du fouillis pubescent hérissé du milieu de la poitrine; un faisceau de tiges d'almouz vibre dans un interstice du roc; la femme écarte ses cuisses, frotte le versant de la droite à sa toison enfoutrée, presse le dessous de ses seins avec la robe amassée; le garçon, foutre réattouchant le conduit, gorge resserrée, ergots de foutre durci sur le milieu plissé de la robe crochetant le gland réébranlé, mains plaquées aux hanches, élève son pied droit le long du jarret gauche, vacillant lui fait frotter son genou tout enduit du foutre frais tombé en filaments, gouttes, de l'amas sexuel; étire ses bras : les muscles, sous la peau, la chair saisies par le vent froid, craquent; du prurit bourgeonne sous la toison des aisselles; ses ongles, bras abaissé, le grattent; la femme se relève, marche, dokhala amassée sous ses seins, croupe ondulant dans le drapé, vers le poteau, s'accroupit auprès de la cavité, enfouit son visage entre les bras du bébé; le garçon, s'accroupissant derrière la femme, lui caresse la croupe, depuis la nuque jusqu'au cul, appuie sa joue droite au fessier; sous les seuls rayons de la lune, tout le drinn expire ses parfums; le sable, glacé, durcit en surface; la femme prend le bébé, le presse, le soulève dessus l'articulation des coudes, abaisse son mufle sur un intervalle de l'emmaillotage où paraît la peau nue — le nombril; la bouche du garçon lui happe le gras des fesses; elle, reins ébranlés, les doigts du garçon palpant ses seins par-dessous les aisselles, enfouit son mufle plissé par le rire, dans l'amas d'étoffe démaillotée; pète; le garçon retire son mufle, l'essuie d'un revers de main, se redresse, contourne la cavité, s'accroupit face à la femme; ils s'abouchent, riant, dessus le ventre — crispé par la giclée des pleurs, le cri — du bébé; l'akli, les doigts du singe tressant les touffes filasse de sa toison, se soulève, poings accotés au sable — le singe se suspend à ses reins —, se met debout, essuie son front humecté de sueur refroidie, marche, singe accroché à son ventre, ronronnant, jusqu'au rocher; en arrière duquel, il s'accroupit, effleure, du plat de la paume, le sable — surface durcie, décalottée, la profondeur, tiède, baigne la main qui s'attarde —, sous son fessier, chie, le singe enlaçant son torse, lui baisant sa bouche humectée d'écume; dans l'expulsion des excréments, ses yeux, dilatés, scintillent; le singe baise, à pleine bouche, le visage crispé; le rebaise, mafflu, étron rouge, tenant au cul, se lovant dans la cavité tiède; les yeux ternissent; le singe lèche leurs paupières : le remugle ardent de l'étron stagne dans l'air glacé; la femme dépose sur les bras du garçon, le bébé; croupe tapissée de crotte, le bébé accroche ses doigts au mufle ensanglanté du garçon; son rire tinte sur les larmes; le garçon presse le bébé contre sa poitrine, lui prend ses lèvres menues; la crotte transperce l'étoffe, humecte les bras du garçon; le singe mord l'embouchure de la flûte serrée au genou de l'akli; corps de l'akli se relâchant — fessier rétracté attouchant le haut de l'étron —, souffle dans le sifflet, joue appuyée au jarret qui se

décontracte; la femme incline sa tête, l'oreille menue
— tachée de khôl — capte le son modulé; le singe
piaule dans le sifflet; la tête, de la femme, oscille; le
garçon serre le bébé contre le haut de sa gorge, sous
son menton; l'akli se redresse, se rabaisse, frotte au
sable, hérissé de pointes de silex, de l'affleurement, son
cul rougi, trituré; le singe, d'une main légère, l'autre
empoignant le conduit de la flûte, refoule du sable
sur l'étron lové; l'akli pivote sur ses talons, entrelace
ses doigts au-dessus du halo de vapeur excrémentielle
exsudée par l'étron; le souffle tiède du singe, sorti par
le sifflet de la flûte orientée vers le haut, effleure le fil
de son torse dénudé, le retroussis de ses lèvres grosses
avancées en surplomb vers la volute de vapeur; la
femme, orteils du nomade, jambe jetée sur la cavité,
patouillant, au travers de la dokhala, son clitoris où
la sueur liquéfie les dépôts de semence séchée, pouffe,
bascule en avant, loge le pied, jarret lisse tenu entre
ses mains, du garçon, sous ses seins, le faufile, plaqué
sur l'étoffe ensuée, entre ses seins, le tourne, garçon
versant de côté ventre au sable, bébé refoulé à l'écart
du corps, l'enfourne, talon heurtant le dessous de ses
mâchoires, dans l'échancrure de la dokhala; les ongles
du pied griffent ses seins ensués; sa salive expulsée,
au chatouillis, d'entre ses dents, par le rire, éclabousse
le talon; elle en mord, con écumant, sous l'étoffe,
la corne fissurée; djellaba retroussée sur le milieu
du fessier, le garçon, visage enfoui dans la croûte de
sable durci, tressaille, épaules ébranlées, rit, merde
liquide susurrant au cul, pouffe, souffle, crache sa morve
sur le sable, tête roulée sur la tempe, frotte au sable
son front ridé par le rire; la main de la femme câline
l'arrière saccadé du genou de sa jambe prise; sa verge

tressaute, ses orteils se recourbent sur les tétons, le coup de pied pèse sur l'échancrure; la femme, talon bloqué entre ses dents, empoigne les deux chevilles du pied, se renverse, hanche, côté au sable, sort le pied de l'échancrure, le tire à ses cuisses, le plaque au con, s'accroupit, couche le haut de son corps sur la jambe, frotte au bas de la fesse son visage fardé, son front frôlant l'ourlet ensué de la djellaba; l'akli, singe enlaçant sa jambe, criant dans la flûte, se traîne, agenouillé, accroupi, rampant, debout, ses lourdes mains, torse abaissé, effleurent la croûte de sable; son bras fracturé pèse, il crache sur le poli incandescent; la femme, yeux grands ouverts, haut du corps adossé à la jambe du garçon, nuque appuyée au bourrelet du bas des fesses, chevelure éparse sur le fessier ombré violet aux plis, aux versants, lèche sur sa lèvre supérieure la morve acide qui s'écoule de ses narines rétrécies par le froid; sur sa langue ensalivée une vapeur s'exhale; le talon du garçon fouaille son fessier, le jarret, sa croupe; ses paupières battent aux poussées du vent; le garçon, sa joue emplie de caillots ardents chauffant la croûte reformée au ras du vent, s'assoupit, le talon de son autre jambe sortie de la djellaba, repliée, plaqué au genou de la jambe prise; l'akli redresse le méhari, baise l'encolure, les naseaux, accote son pied grêlé au sabot pneumatique du chameau, son genou à la rotule turgescente, enfouit son visage dans le pelage, sa main couvre le flasque œil froid du chameau : le liquide lacrymal susurre entre ses phalanges; il porte à ses lèvres sa paume engluée, aspire le dépôt acide; le vent triture, mord son amas sexuel engainé dans l'humide lambeau; triture, mord le con ensablé de

la femme, saisit la sueur sur tout le corps, rétrécit
l'étoffe ; redressés, le sable s'écoulant dessous, dessus
l'étoffe, ils, l'akli ensué frottant sa verge au haut
de la patte du méhari, s'enlacent, pieds effondrant
la croûte de sable, la main du garçon cueille, ouverte
sur le cul de la femme, au travers de l'étoffe, les pets
qui lui échauffent la paume, dans le temps qu'il lui,
leurs lèvres jointes décalées, presse, du plat de sa
poitrine, ses seins redurcis ; le bébé s'adosse, criant,
au jarret lisse du garçon ; la femme, crachouillis
mêlé de rots tenant leurs bouches, faufile une main
entre les cuisses du garçon, lui empoigne la verge,
à travers l'étoffe enfoutrée ; le jarret du garçon durcit :
le bébé, cri accru, chie sur le talon soulevé : la merde
échauffe le talon, le pied ; la cuisse, ébranlée, palpite
contre le poignet de la femme ; l'akli, sueur s'arrêtant
au prurit, rebâte le méhari ; la femme ramasse le
bébé ; accoudée au coude du garçon, marche, foulant
le sable, l'acheb piétiné, froissé, fouaillé, poudré
de foutre, de bave, de sang séchés, vers l'arbre duquel
les gangas, gorgés de baies, conchient, gorge posée
sur fourche d'épines, les branchages dilatés ; la femme,
bouche tapissée de bave nacrée, s'accroupit, croupe
moulée dans l'étoffe humectée d'ozone, mord le tronc,
enserre la tête de son bébé — suspendu par ses pieds
recourbés au cou de la femme —, entre ses cuisses,
empoigne, presse le jarret tressaillant du garçon
appuyé, debout, d'une main, à l'évasement du tronc ;
la femme se déplaçant, accroupie, à l'écart du tronc,
le garçon s'agenouille, baise, sur le milieu du tronc,
le dépôt de salive accroché à un nœud du boi; · une
colonne éparse de fourmis rouges assaille le dépôt,
se suspend aux lèvres saccadées du garçon ; la femme,

redressée, décalotte, avec l'ongle du pouce, les épines ramollies, cueille, racle dans les cavités, la sécrétion sucrée qu'elle roule entre deux doigts, enfourne dans la bouche du bébé ; éparses, bousculées par le bouc, les chèvres fouillent l'acheb, s'y emmêlent les cornes ; le garçon aspire le dépôt, étreint le tronc, y appuie une joue : le pollen, dans l'arbre ébranlé par les coups de pouce de la femme, s'effondre sur le visage renversé du garçon ; aux coups d'ongle accélérant l'averse embaumée, sa verge, ébranlée, prolifère sur le revers du jarret ; la femme enfouit entre ses seins, dans l'échancrure collée par le lait à la peau, les boulettes de résine sucrée — dont le bébé mâche un agglomérat contre son oreille ; le pollen tombant en ses oreilles, le garçon rit : à ses lèvres dilatées, les fourmis s'accrochent : elles piquent la chair emplie de sang vermeil ; la femme, ses seins calés au tronc, prend ces lèvres entre ses doigts, les tord, les essuie, laisse glisser sa main sur la clavicule ensuée du garçon, s'accroupit, frotte au sable ses doigts enduits d'une bave rosée mêlée de fourmis broyées, se redresse, fait, pétant, mufle épanoui, sauter son bébé sur son bras, s'élance, trébuche sur les chèvres éparses, frotte sa croupe, dokhala gonflée aux articulations par le vent, au flanc du bouc, bride, sous narines comblées de pollen, ses lèvres, empoigne une corne du bouc, l'enserre, saccadée, entre ses fesses, emmêlée dans l'étoffe ensuée ; le bouc, divaguant, pousse son mufle sous le fessier, accote ses sabots avant aux tarses encrassés de la femme, se renverse sur le flanc : la femme, ses pieds tirés, s'accroupit, appuie, dokhala retroussée, au flanc ardent du bouc, son fessier froid, faufile son bras libre sous l'encolure, presse, riant, sous ses deux aisselles, la tête du bouc, le torse du bébé ; ses cuisses s'écartent sous l'étoffe amassée : du con entrouvert, la semence aquhuilée s'écoule sur le sable ; le versant de la cuisse, au susurrement de la sécrétion, tressaille ; les cuisses se referment sur le sable imbibé : le garçon, verge éperonnant l'étoffe, marche, mains liées sur la nuque, s'accroupit entre les jambes réécartées de la femme, lisse entre deux doigts le poli pubescent des jambes immaculées, incline son front vers le menton miroitant de la femme ; cependant qu'il enfouit ses deux mains dans la toison engluée, retient, écartées, avec ses pouces, les lèvres du con, semence giclant ardente sur le revers de ses pouces, elle lui crache, seins projetés contre ses épaules, une salive épaisse, sucrée, sur la racine frontale de ses cheveux torsadés ; la langue tiède du bouc lèche son téton droit, celle du bébé, sortant de la bouche bleuie par l'enserrement du torse, attouche son téton gauche ; le garçon, djellaba retroussée sur le dessus de sa verge surtendue, halète, écume effilochée sur ses lèvres par le vent ; la femme remue son fessier sur le flanc ; le garçon retire ses poings du con, ouvre ses mains, empoigne le gras des cuisses de la femme, frotte, incliné, ses mèches ensalivées au haut des seins, happe les tétons où palpitent les langues ; le con susurre, suinte sur ses rotules jointes ; la femme, de la pointe de sa langue, fouille l'occiput encrassé du garçon, entre les mèches, frôle la surface de la chevelure balancée, au fil de son mufle ébranlé bridé par le rire ; le gland attouche le haut du pubis ; les boucles s'emmêlent au frein ; la tête du garçon, joues emplies de sang, roule sur l'épaule de la femme : ses doigts, faufilés sous la dokhala, pressent le dessous des seins ; le sang pétille au gland ;

la femme, renversée sur le flanc flasque, accote au sable son occiput : les vertèbres du bouc fouaillent son dos; le garçon, retroussant sa djellaba jusque sous ses aisselles, bascule sur le devant du tronc de la femme, faufile ses deux poignets sous la croupe, appesantit son torse sur le buste, hisse sa tête sur le recourbement du cou, projette sa verge sur le fouillis englué du con; les jarrets de la femme, soulevés, se chevauchent raidis dessus le fessier du garçon; le bouc geint : la vermine saute hors du pelage dans la chevelure éparse ensuée; les yeux du bébé lové dans l'aisselle scrutent l'exsudation rosée de la sueur hors de l'épiderme injecté de sang sur le côté gauche du visage du garçon haletant : joue, tempe, commissure des lèvres scintillent au mouvement accéléré du ahanement; la langue du bouc lèche l'autre côté — où le sang pousse le sel; un éclat du rire de la femme interrompt l'érection; le garçon crache sur la bouche de la femme : le con mord, presse sa verge dont le flux de sang redresse l'arc; au surgissement du foutre dans le conduit, le sang se retire du front, des mains, des pieds, frôle, en son flux vers la verge, les nerfs alanguis de la gorge, des poignets, du fessier, des cuisses; les vertèbres du cou du garçon recourbé vers le haut attouchent, saccadées, celles du cou convexe de la femme : leurs mentons, accotés, vibrent; le garçon soulève dessus ses avant-bras la croupe de la femme : le foutre éclate dans le gland; les boules adhèrent engluées au retroussis inférieur du con : tout le corps de la femme tressaille : le garçon, bouche s'ouvrant, haleine ardente, à l'expulsion du foutre, presse contre son torse les seins redurcis aux coups de langue, entrelace, coudes refoulant l'arrondi extérieur des seins, ses doigts sous la nuque de la femme, la soulève alanguie, filaments de foutre frôlant ligaments suspenseurs des boules, traîne sa bouche amollie par la giclée sur le mufle dilaté de la femme, filaments de bave se croisant sous ses lèvres, de la joue à la lèvre, du menton aux narines ; le fessier du garçon refroidit sous les jarrets de la femme : lesquels, le garçon hissant, sanglot modulé, verge tirant le con, son torse frissonnant dessus les seins tièdes, s'effondrent sur le sable ; l'akli, cou grêlé frotté au pelage rêche de l'encolure, gratte, d'une main bondée de sang, son fessier nu où quelques lambeaux de soie à fleurs sont collés par le foutre sur le versant du cul, à l'épiderme livide ; l'œil droit du garçon palpite, foutre expulsé ; celui, gauche, voilé rouge, exsude au coin de la paupière une sueur lacrymale rosée ; la femme, avance son pouce recourbé, cueille sur l'ongle un filament de cette sueur salée, le porte à ses lèvres ; un filament que le vent sèche tremble sur le duvet du haut de la joue ; l'ongle le détache du coin de l'œil ; la verge tressaute dans le con qui la gaine au ras des boules ; la femme mâche les filaments ; son sein droit balayé par la toison de l'aisselle gauche du garçon, durcit, rétracté, au vent ; le sein gauche, le torse du garçon le presse, le remue, le tord, l'aplatit : le téton exsude une sueur de lait acide ; le garçon, pubis tamponnant englué, celui, visqueux, de la femme, ré-ahane ; ses doigts tirent les mèches de l'occiput ; le bébé bave sur son avant-bras gauche ; le bouc mord le droit, dans le temps que l'orgasme en crispe muscles, nerfs ; un souffle frais, exhalé d'entre les lèvres asséchées de la femme, baigne son front injecté de sang ; l'ondulation de la frondaison frontale des mèches torsadées

266

module le souffle; les dents du garçon mordillent la commissure des lèvres de la femme; le con rejette la verge
fripée; d'un coup de rein, la femme roule la verge
sur le versant de sa cuisse; le bouc lèche sur le côté
droit du visage du garçon la sueur salée refroidie;
les doigts du garçon, faufilés dans la chevelure empoissée de la femme, frottent le crâne embaumé, les ongles
raclent les plaques de lait, de fard, de foutre séchés;
l'écume susurre à la commissure des lèvres — plissées
par le sourire — de la femme; le garçon cueille en
l'articulation accotée de ses coudes la tête toute mâchurée, lourde à ses muscles roués par l'érection; les lèvres
de la femme appuient, annelées en leur milieu d'un
bourgeon de chair lisse, sur les vertèbres du cou
levé; la salive du garçon, écoulée sur le plat de la
joue, s'égoutte, par le surplomb des mâchoires, sur
sa gorge, se mélange à l'écume surgie à la commissure des lèvres de la femme; le torse du garçon, creusé
par la levée de la tête, oscille sur le sein; la femme
roule sa tête sur le côté; le garçon happe, lisse les
cils entre ses lèvres : les pleurs perlent noircis par
le khôl; le garçon frotte ses lèvres aux coulées de khôl
sur les tempes; sa verge frappe, empoissée, froide,
le versant de la cuisse de la femme; le gland s'emmêle
aux boucles froissées par la pesée du pubis du garçon;
le garçon soulève ses reins — le foutre choque le
sang dans la verge —, son torse, s'agenouille : la
djellaba retombe sur ses reins; ses yeux scrutent
Vénus incandescente : massées sur l'affleurement
du roc, les chèvres pètent, leur haleine embue le
silex; le garçon se redresse debout, il étire ses bras,
ses jarrets, enjambe le corps de la femme, s'élance :
ses talons frappent le sable, sa verge secouée s'égoutte

sur son genou; étoffe claquant sur tout son corps, au vent, il se rue sur l'arrière de l'akli, lui enveloppe les reins, jusqu'au nombril, dans les plis de la djellaba, accote à l'oreille grêlée du berger sa joue que le rire arrondit, frotte son genou levé recouvert d'étoffe tiède à la hanche écailleuse de l'akli, lui tire, lui griffe la peau des seins avec ses doigts — engourdis dans la chevelure éventée de la femme —, ses ongles ovales, laisse tomber sa main ouverte sur le ventre, le pubis, la verge engainée dans le lambeau; index, pouce annelés pressent le gland, l'auriculaire crochète les boules moites sorties du lambeau; l'akli, genoux affaissés, enfouit ses épaules grêlées dans l'étoffe : le creux des clavicules du nomade exhale une vapeur embaumée de lait, de khôl; les coudes du nomade fouaillent le bas du torse de l'akli; lequel, suffocant modulé, son crâne recouvert de mèches mortes exsudant sous les lèvres bridées du nomade une sueur infectée, resserre ses cuisses sur les doigts du garçon occupés à pétrir dans la sueur l'attache imberbe de sa cuisse droite; la femme, relevée, son bébé appesanti sur son épaule, tête, buste ballant sur son dos, marche, dokhala froissée, mouillée frisottant aux coups du vent — au travers de l'étoffe rosée collée par le foutre au pubis bombé, la peau transparaît ocre irisée par le clair de lune; le garçon enfonce dans le sable, sous ses talons furieux, les pieds du berger dont la verge bande contre son poignet : la corne rugueuse racle, crève les furoncles des chevilles; le nomade, pris de quinte, crache un caillot sur la nuque duvetée de l'akli, éternue, souffle sa morve sur le caillot, repose le côté droit de son visage empourpré sur l'épaule droite de l'akli; la femme sort un pied de son bébé de l'échan-

268

crure de la dokhala, lui fait attoucher le dos du garçon; lequel, retournant son mufle englué, rit, scrutant les seins, de ses yeux ardant sous les cils encroûtés — les orteils de ses pieds refoulent le sable sur les chevilles purulentes de l'akli : ses doigts accrochés aux épaules du berger vibrent ensués; le caillot emmorvé s'écoule sur le dos de l'akli, roule sur le coccyx où le garçon, s'accroupissant, plaque son poing empli de sable; le gras des fesses tressaille sous la coulée de sable; le garçon, redressé, frotte de sable, poing libre enserrant le cou de l'akli, toute la coulée de sable ensanglantée; se réaccroupit, enfouit son poing souillé dans le sable; la femme, penchée, lisse les mèches balancées; le garçon renverse sa tête en arrière; les doigts de la femme criblent son cou incurvé où les vertèbres ondulent sous la poussée de la salive; le garçon prend ces doigts, les porte, luisant de khôl, à ses lèvres, en baise les menus ongles carrés; sous l'étoffe collée, le con palpite, s'entrouvre; un coup de vent mord leurs reins roués; le garçon, pivotant sur ses talons, étreint les reins de la femme, appuie ses lèvres sur le pubis, lèche l'étoffe collée, couvre de sa langue, plus bas, l'enflure spongieuse de la toison, l'aplatit sous ses lèvres grosses, fouille, de la pointe de sa langue jusqu'au retroussis du con; la femme presse le versant de cuisse contre la joue du garçon; la semence aquhuilée ruisselle sur son genou, l'écume mousse à la commissure de ses lèvres maculées de khôl; un coup de vent mouillé module une série de pets brefs exhalés hors du cul du bébé assoupi; le garçon retrousse de ses deux mains la dokhala, enfouit, dessous, sa tête durcie au gel latent; la femme recule, s'élance, court vers l'abri; le garçon, accroupi,

269

entrelace ses doigts sur les parties de son crâne, de
son cou, de ses épaules, attiédies au remugle ardent
des dessous de la femme; se relève; la femme, bébé
enfoui sous les écheveaux de laine rouge, plie, courbée,
les peaux redurcies, sueur retenue en poudre dans les
fissures du cuir; les jette sur les chamelles agenouillées,
rassemble flacons, sachets, boîtes, les enfouit dans les
sacs, rebâte les chamelles; le garçon, front serré dans
le voile médaillé, dépieute les piquets, le poteau sculpté,
s'élance, saute, piquets brandis, fichés dans le sable;
les attache, tout essoufflé, sous le ventre des chamelles :
un coup de vent refoule, dresse le sable, face à l'obscurité accrue; la pluie, portée en colonne de sous la palpitation accélérée de Vénus, gicle, glacée; le garçon
pousse la femme sous l'abri; la laine trempée au ruis-
sellement de l'eau ardente hors des plis de leur vêtement mêlé au niveau des seins, déteint rouge sur le
corps du bébé assoupi sous l'arceau, bijoux tintant
sur médaille, de leurs bustes accolés; l'akli, abcès
criblés par l'averse, creuse, agenouillé, le sable, sous
le ventre de la chamelle; ses bras grêlés vibrent,
vidés de sang, dans le sable imbibé; le singe piaule,
bras alanguis, guerba ramollie nouée à l'encolure,
mufle sanglant, sexe dressé, œil scrutant Vénus voilée
de vapeurs violettes, piétine les cérastes décapités;
la graisse exsudée au bouchon d'herbe, durcit; la
trombe recule vers Vénus,

Vitry-sur-Seine
Novembre 1968 — avril 1969.

*Les trois préfaces
à l'édition de 1970*

Trois fois dit, comme pour mieux enfoncer le clou, le mot
« éden » annonce — dès le seuil de ce livre — que ce n'est pas un
enfer, non plus d'ailleurs qu'un paradis, que Pierre Guyotat
se propose de faire visiter.

Maints lecteurs, certes, seront rebutés par ce qu'un pareil livre
a d'abrupt et (si l'on veut) de choquant, vu les règles de savoir-
vivre littéraire auxquelles notre société reste soumise, en dépit
de bien des entorses ! Mais n'est-ce pas, justement, par son absolu
défaut de concessions — soit d'un côté soit de l'autre — qu'un
tel ouvrage fait tache sur la quasi-totalité de la production d'au-
jourd'hui ?

Maniaquement, estimeront les plus sévères, l'auteur suit
son idée ou, plutôt, s'engage à fond dans l'infini d'un discours
qui ne prétend rien démontrer, ne cherche pas à « raconter », mais
vise simplement à montrer *ou, plus exactement, à piéger le*
lecteur par le moyen d'un compte rendu minutieux, qui dénote
chez Pierre Guyotat — quelque opinion qu'on puisse avoir de
son œuvre — à tout le moins une capacité d'halluciner à quoi
n'atteignent que fort peu d'écrivains.

De ce texte, dont la note presque exclusive est un érotisme
exacerbé, cartes sur table au point qu'il peut paraître aussi
sordide qu'un étalage de pièces à conviction sur un bureau de
magistrat ou de policier, il est certain qu'une poésie sans complai-
sance se dégage. Cela, parce que les choses y sont prises sur un

273

mode auquel les nuances psychologiques sont étrangères et qu'on ne peut même pas qualifier de « biologique » (ce qui serait trop restrictif et risquerait en outre de suggérer un vitalisme tout proche du panthéisme), mode qui est en vérité celui du contact pur et nu — exempt de toute interprétation faisant écran — avec des corps vivants et les objets fabriqués qui constituent leurs coques ou leurs appendices.

Mis en jeu de façon égalitaire ou peu s'en faut, êtres et choses sont, en effet, donnés ici pour rien de plus que ce qu'ils sont dans la réalité stricte de leur présence physique, animée ou inanimée : hommes, bêtes, vêtements et autres ustensiles jetés dans une mêlée en quelque sorte panique, qui évoque le mythe de l'éden parce qu'elle a manifestement pour théâtre un monde sans morale ni hiérarchie, où le désir est roi et où rien ne peut être déclaré précieux ou répugnant.

Poésie implicite, que relaye parfois une poésie explicite : ces moments où, au-dessus du magma qu'agite seule la quête d'assouvissement que mène chacun des protagonistes, une parole humaine se fait jour, d'autant plus émouvante qu'elle semble émerger — comme par miracle — d'une couche d'existence où toute parole est abolie.

Michel Leiris.

CE QU'IL ADVIENT AU SIGNIFIANT

Éden, Éden, Éden est un texte libre : libre de tout sujet, de tout objet, de tout symbole : il s'écrit dans ce creux (ce gouffre ou cette tache aveugle) où les constituants traditionnels du discours (celui qui parle, ce qu'il raconte, la façon dont il s'exprime) seraient de trop. *La conséquence immédiate est que la critique, puisqu'elle ne peut parler ni de l'auteur, ni de son sujet, ni de son style, ne peut plus rien sur ce texte : il faut « entrer » dans le langage de Guyotat : non pas y croire, être complice d'une illusion, participer à un fantasme, mais écrire ce langage avec lui, à sa place, le signer en même temps que lui.*

Être dans le langage (comme on dit : être dans le coup) : cela est possible parce que Guyotat produit, non une manière, un genre, un objet littéraire, mais un élément nouveau (que ne l'ajoute-t-on aux quatre Éléments de la cosmogonie ?) ; cet élément est une phrase : *substance de parole qui a la spécialité d'une étoffe, d'une nourriture, phrase unique qui ne finit pas, dont la beauté ne vient pas de son « report » (le réel à quoi elle est supposée renvoyer), mais de son souffle, coupé, répété, comme s'il s'agissait pour l'auteur de nous représenter, non des scènes imaginées, mais la scène du langage, en sorte que le modèle de cette nouvelle mimésis n'est plus l'aventure d'un héros, mais l'aventure même du signifiant : ce qu'il lui advient.*

Éden, Éden, Éden constitue (ou devrait constituer) une sorte de poussée, de choc historique : toute une action antérieure, apparemment double mais dont nous voyons de mieux en mieux la coïncidence, de Sade à Genet, de Mallarmé à Artaud, est recueillie, déplacée, purifiée de ses circonstances d'époque : il n'y a plus ni Récit ni Faute (c'est sans doute la même chose), il ne reste plus que le désir et le langage, non pas celui-ci exprimant celui-là, mais placés dans une métonymie réciproque, indissoluble.

La force de cette métonymie, souveraine dans le texte de Guyotat, laisse prévoir une censure forte, qui trouvera réunies là ses deux pâtures habituelles, le langage et le sexe ; mais aussi, cette censure, qui pourra prendre bien des formes, par sa force même, sera immédiatement démasquée : condamnée à être excessive si elle censure le sexe et le langage en même temps, condamnée à être hypocrite si elle prétend censurer seulement le sujet et non la forme, ou inversement : dans les deux cas condamnée à révéler son essence de censure.

Cependant, quelles qu'en soient les péripéties institutionnelles, la publication de ce texte est importante : tout le travail critique, théorique, en sera avancé, sans que le texte cesse jamais d'être séducteur : à la fois inclassable et indubitable, repère nouveau et départ d'écriture.

Roland Barthes.

17.. / 19..
(*suggestions*)
par Philippe Sollers

> « rien n'est plus beau, plus *grand* que
> le sexe et, hors du sexe, il n'est point de
> salut. »
>
> Sade, *Lettre à sa femme*
> (Vincennes, 25 juin 1783).

0. — *Paris, 1969 : le règne de la bourgeoisie, encore provisoirement*
dominante, pourrit ; son idéologie est clôturée de partout. La
lutte n'en sera pas moins longue, complexe.

1. — Éden, Éden, Éden : *rien de tel n'a été risqué depuis Sade.*
Ce qui veut dire : la possibilité existe maintenant dans l'histoire
de lire entièrement Sade ; une autre histoire s'ouvre que celle
où Sade aura désigné un point d'aveuglement radical ; il faut
lire Éden, Éden, Éden *autrement qu'en rapport avec Sade.*

2. — *Nous pouvons proposer des dates : elles nous donneraient*
les premiers éléments d'une histoire analytique de la façon dont
le sexe a pu commencer à s'écrire découpant ainsi le revers de
tous nos discours. Par exemple, 1783, en exergue, signifie pour
nous à la fois l'invisibilité du bouleversement révolutionnaire
bourgeois et l'écriture enfermée, ineffaçable de Sade. Mais qui,
à ce moment, est présent pour en penser l'articulation ? Personne.

Or il s'agit ici de suggérer que si la place où ces lignes se mani-
festent aujourd'hui (1970) n'est pas nécessairement occupée par
une prévision infaillible, pourtant, et du fait même de la conti-
nuité discontinue de la révolution au travail — cette fois devenue celle, sans sujet, des masses — et d'une écriture matérialiste qui la double de plus en plus consciemment, *nous sommes*
à nouveau, mais de manière transformée, en période d'imminence
historique. Le texte de Sade serait ainsi à situer sur le rebord
immédiatement antérieur d'un anneau temporel en train de se
refermer. Autre exemple : on peut considérer que la lecture de
Sade a seulement été assurée en 1931, lorsque Maurice Heine
écrit : « Il faut plaindre ceux qui, de cet effort exemplaire vers
la plus féroce analyse de l'être ne peuvent ou ne veulent retenir
que des obscénités à leur taille. Certes la brutale clarté projetée
sur les replis les moins avoués de ce qu'il est convenu d'appeler
l'âme, doit leur paraître plus insupportable encore que la lumière
tamisée des conceptions psychanalytiques.* » Cette phrase, naturel-*
lement, a vieilli. Nous devons éviter tout ce qui pourrait renvoyer
une écriture à « l'être *». Par ailleurs, la psychanalyse est devenue,*
ou redevenue, l'enjeu d'un combat fondamental. Cependant qui,
aujourd'hui, face à Éden, Éden, Éden, *devrons-nous* plaindre ?

3. — *Autre illustration. Blanchot écrit, plus près de nous :«* Avec
Sade — et à un très haut point de vérité paradoxale — *nous*
avons le premier exemple (mais y en eut-il un second ?) de la
manière dont écrire, la liberté d'écrire, peut coïncider avec la
liberté réelle quand celle-ci entre en crise et provoque une vacance
d'histoire. » Ici, nous ajouterons simplement pour qui veut
comprendre : *le texte que signe Pierre Guyotat ne s'est pas*
produit par hasard en France, 1968.

4. — *L'entrelacement histoire / écriture (et non pas, abstraitement,*
« l'écriture *»). Sa base : le matérialisme historique. La lutte des*
classes et le sexe comme fils rouges permettant de le déchiffrer.
1869 : Les Chants de Maldoror. *1871 :* La Commune de Paris.
1884 : L'Origine de la famille, de la propriété privée et de l'État,
où Engels note :« Nous marchons maintenant à une révolution

sociale dans laquelle les fondements économiques actuels de la monogamie disparaîtront tout aussi sûrement que ceux de son complément :la prostitution.» *Cet entrelacement appelle sa science.*

5. — *Ne pas oublier ceci, que n'oublie pas une seconde la force surprenante gouvernant* Éden, Éden, Éden *:* « la radicale inadéquation de la pensée au sexe, à laquelle il faut se tenir, sous peine d'être victime de ce dont Freud menaçait Jung : à savoir " le flot de fange de l'occultisme " » (*Lacan*).

6. — *Récuser simultanément la censure et la contre-censure, l'une morale, l'autre psychologique. C'est-à-dire l'exploitation de la représentation sexuelle (la sexualité au lieu du sexe). Empêcher de manière obstinée, en se répétant autant qu'il faudra, toute sublimation et en particulier celle qui croit pouvoir se présenter sous une pseudo-nudité. Censure : refoulement au premier degré. Contre-censure : refoulement au second degré (préciosité, érotisme).*

7. — *Affirmer sans relâche la base* matérialiste. *Or le matérialisme est encore dominé et ne peut par conséquent s'indiquer que sous le masque d'une monstruosité dont personne n'a encore idée car elle n'est, finalement, plus monstrueuse : d'une évidence complète, au contraire, comme l'infinité même de l'univers. Comme l'ébranlement appelé, en son temps, dionysiaque :*« *Vêtu de la nébride sacrée, il recherche le sang des boucs agonisants, avec un appétit glouton pour la chair crue* » (*Euripide*). *Mais sans aucun mythe, sans aucun dieu. Dans un retour sans fin d'animal. Dans la seule explosion désertique écrite.*

8. — *Prendre en charge le meurtre généralisé de toute sexualité, propre ou impropre, dans sa revendication limitée : accepter telle ou telle sexualité, c'est croire à l'adéquation, impossible, de la pensée au sexe. Contre tout ce qui veut se montrer en restant caché, contre tout ce qui veut se cacher en croyant se montrer. Meurtre contre la jouissance sur fond de propriété.*

9. — *Étendre les pouvoirs d'une seule phrase au fourmillement matériel, divisé, emporté par une pulsion incessante. Mécanique organique et céleste, biologique, chimique, physique, astronomique.*« Les sciences de la nature engloberont plus tard les sciences

279

de l'homme de même que les sciences humaines engloberont les sciences naturelles, en sorte qu'il n'y aura plus qu'une seule science » (*Marx*). *Dès la première page* d'Éden, Éden, Éden, *voici ce théâtre inouï : silex, épines, sueur, huile, orge, blé, cervelle, fleurs, épis, sang, salive, excréments... Voici l'espace d'or des matières et des corps, indéfiniment transmutables, rythmiques.*

10. — *Donc :* « Les soldats, casqués, jambes ouvertes, foulent, muscles retenus, les nouveau-nés emmaillotés dans les châles écarlates, violets *:* »

DU MÊME AUTEUR

Aux Éditions Gallimard

TOMBEAU POUR CINQ CENT MILLE SOLDATS. Sept chants, 1967 (L'Imaginaire nº 58).

ÉDEN, ÉDEN, ÉDEN. *Préface de Michel Leiris, Roland Barthes et Philippe Sollers*, 1970 (L'Imaginaire nº 147).

LITTÉRATURE INTERDITE, 1972.

PROSTITUTION, 1975. Nouvelle édition augmentée d'un appendice en 1987.

LE LIVRE, 1984.

VIVRE, collection L'Infini, 1984 (Folio nº 3917, *édition revue par l'auteur*).

PROGÉNITURES, 2000. Contient un CD audio, lu par l'auteur.

Au Mercure de France

COMA, collection Traits et portraits, 2006. Prix Décembre.

Aux Éditions du Seuil

SUR UN CHEVAL, 1961.
ASHBY, 1964.

Aux Éditions Lapis Press (Los Angeles)

En collaboration avec Sam Francis : WANTED FEMALE, 1995.

Aux Éditions Léo Scheer

EXPLICATIONS, 2000.
MUSIQUES, 2003 (coédition France Culture).

Aux Éditions Ligne et Manifeste

CARNETS 1962-1976, 2005.

En préparation

HISTOIRES DE SAMORA MICHEL.
BIVOUAC, théâtre.

L'IMAGINAIRE
GALLIMARD

Axée sur les constructions de l'imagination, cette collection vous invite à découvrir les textes les plus originaux des littératures romanesques française et étrangères.

Derniers volumes parus

Ouvrage reproduit
par procédé photomécanique.
Impression CPI – Firmin Didot
à Mesnil-sur-l'Estrée, le 4 décembre 2013.
Dépôt légal : novembre 2013.
1ᵉʳ dépôt légal : février 1985.
Numéro d'imprimeur : 120706.

ISBN 978-2-07-070278-7./Imprimé en France.

264619